BESTSELLER

Clive Cussler posee una naturaleza tan aventurera como la de sus personajes literarios. Ha batido todos los récords en la búsqueda de minas legendarias y dirigiendo expediciones en pos de recuperar restos de barcos naufragados, de los cuales ha descubierto más de sesenta de inestimable valor histórico. Asimismo, Cussler es un consumado coleccionista de coches antiguos, cuya colección se halla entre las más selectas del mundo. Sus novelas han revitalizado el género de aventuras y cautivan a millones de lectores. Entre ellas destacan *Sáhara*, *El secreto de la Atlántida*, *La cueva de los vikingos*, *El buda de oro*, *La odisea de Troya* y *Viento Letal*. Clive Cussler divide su tiempo entre Denver (Colorado) y Paradise Valley (Arizona).

Paul Kemprecos, coautor de las novelas de la serie NUMA —*Serpiente*, *Oro azul*, *Hielo ardiente*, *Muerte blanca*, *La ciudad perdida*, *Crisis polar* y *El navegante*—, autor de seis *thrillers* de detectives submarinistas y ganador de un premio Shamus, es un experto y reconocido submarinista con una excelente formación como reportero, columnista y editor.

Biblioteca

CLIVE CUSSLER
CON PAUL KEMPRECOS

Medusa

Traductor
Alberto Coscarelli

13133

DEBOLS!LLO

Título original: *Medusa*

Primera edición: octubre, 2010

© 2009, Sandecker, RLLLP
   Publicado mediante acuerdo con Peter Lampack Agency,
   Inc., 551 Fifth Avenue, suite 1613, Nueva York, NY
   10176-0187 USA, y con Lennart Sane Agency AB
© 2010, Random House Mondadori, S. A.
   Travessera de Gràcia, 47-49. 08021 Barcelona
© 2010, Alberto Coscarelli Guaschino, por la traducción

Printed in Spain – Impreso en España

ISBN: 978-84-9908-580-7 (vol. 244/34)
Depósito legal: B-34075-2010

Compuesto en Anglofort, S. A.

Impreso en Litografía Rosés, S.A.
Progrés, 54-60. Gavà (Barcelona)

P 885807

Si la epidemia continúa creciendo con una progresión geométrica, la civilización bien podría desaparecer de la faz de la Tierra.

DOCTOR VICTOR VAUGHN,
The American Experience, «Influenza 1918»

Lávese el interior de la nariz con agua y jabón por la noche y por la mañana; oblíguese a estornudar por la noche y por la mañana, luego respire profundamente; no lleve bufanda; camine a paso ligero con regularidad y vaya a pie de casa al trabajo; coma gachas y potajes.

Consejos para la prevención de la gripe en el periódico *News of the World*, 1918

Prólogo

El océano Pacífico, 1848

En todos sus años de navegación por los océanos del mundo, el capitán Horatio Dobbs nunca se había encontrado con un mar tan yermo. El capitán caminaba por el alcázar del ballenero *Princess* de New Bedford y sus ojos grises observaban cada punto del compás como los rayos gemelos de un faro. El Pacífico era un desierto azul con forma de disco. No se veía ningún chorro de agua en el horizonte. Ningún delfín sonriente saltaba por delante de la proa. Ni un solo pez volador chapoteaba por encima de las crestas de las olas. Era como si la vida en el mar hubiese dejado de existir.

Dobbs era considerado un príncipe en la jerarquía ballenera de New Bedford. En los bares de los muelles donde se reunían los arponeros de ojos duros, o en los salones de los ricos armadores cuáqueros de Johnny Cake Hill, se decía que podía oler un cachalote a cincuenta millas. Pero en los últimos días solo el rancio olor de un motín en ciernes llenaba la nariz del capitán.

Dobbs había llegado a detestar tener que registrar la constancia de otro día de fracaso en el diario de a bordo. La entrada que había anotado en el libro la noche anterior resumía los problemas a los que se enfrentaba. Había escrito:

27 de marzo de 1848. Brisa fresca del sudoeste. Ni una sola ballena a la vista. La mala suerte se cierne sobre este viaje como una niebla apestosa. Nada de aceite en todo el océano Pacífico para el pobre barco *Princess*. Se huelen los problemas en el camarote de proa.

Dobbs tenía una clara visión de la cubierta del barco desde el alcázar, y tendría que haber sido ciego para no ver cómo los tripulantes rehuían su mirada o lo miraban de soslayo. Los oficiales habían informado con alarma de que las habituales protestas entre la marinería se habían vuelto más frecuentes y enardecidas. El capitán les había ordenado que tuviesen las pistolas preparadas y que no dejasen de vigilar la cubierta en ningún momento. Aún no se había amotinado nadie, pero en el oscuro y húmedo sollado, el atestado alojamiento ubicado donde la proa se estrechaba, los hombres susurraban que la fortuna del barco podría cambiar si el capitán sufría un accidente.

Dobbs medía un metro noventa de estatura y poseía el perfil de un acantilado. Tenía plena confianza en que podría sofocar un motín, pero esa era la menor de sus preocupaciones. Un capitán que regresase a puerto sin una rentable carga de aceite habría cometido el imperdonable pecado de hacer perder la inversión a los armadores. Ninguna tripulación capacitada volvería a embarcarse con él. La reputación, la carrera y la fortuna podían mejorar o perderse en un único viaje.

Cuanto más tiempo estuviese un barco en el mar, mayor era la probabilidad de fracaso. Las provisiones escaseaban, y las posibilidades de contraer escorbuto y otras enfermedades se acrecentaban. La estructura de la nave se deterioraba y la tripulación perdía los ánimos. Entrar a puerto para hacer las reparaciones y reabastecerse era arriesgado. Los hombres podían desertar para enrolarse en otro bajel de más éxito.

La expedición había ido cuesta abajo desde aquel precioso día de otoño cuando el resplandeciente y flamante ballenero se había apartado del bullicioso muelle. Dobbs estaba desconcertado por el cambio de fortuna de la nave. Ningún barco podía estar mejor preparado para su viaje inaugural. El *Princess* contaba con un capitán experimentado y con una selecta tripulación, y los nuevos arpones forjados eran filosos como navajas.

El *Princess,* de trescientas toneladas de arqueo, había sido construido por uno de los mejores astilleros de New Bedford. Con una eslora de treinta y cinco metros y una manga de casi diez metros, tenía espacio suficiente para almacenar en la bodega quinientos barriles con trescientos cuarenta mil litros de aceite. El casco era de resistentes cuadernas de roble capaces de soportar los mares más duros. Cuatro balleneras colgaban de los pescantes de madera que sobresalían por las bordas. Había marineros que despreciaban los barcos balleneros anchos y de popa cuadrada de Nueva Inglaterra, pero la robusta embarcación podía navegar durante años en condiciones que habrían hecho que en otras naves más esbeltas apareciesen vías de agua.

El *Princess* había soltado amarras, y una fuerte brisa había tensado las grandes velas cuadras en los tres mástiles mientras el timonel ponía rumbo al este y seguía el curso del río Acushnet para llevarlo al océano Atlántico. Impulsado por los vientos favorables, el *Princess* había hecho una rápida travesía hasta las Azores. Tras una breve escala en Fayal para cargar la fruta que evitaría el escorbuto, la nave había puesto proa hacia el extremo sur de África, y había pasado el cabo de Buena Esperanza sin problemas.

Con todo, en las semanas siguientes el *Princess* había navegado en zigzag a través del Pacífico sin avistar una sola ballena. Dobbs sabía que encontrar las ballenas tenía mucho más que ver con un buen conocimiento del tiempo y de los patrones migratorios que con la suerte, pero mientras observaba el distante horizonte con desesperación comenzó a preguntarse si su barco no estaría maldito. Apartó ese peligroso pensamiento de su mente, se acercó al cocinero, que estaba limpiando los fogones, y le dijo:

—Interpreta para nosotros una canción con tu violín.

Con la ilusión de elevar la moral, el capitán había pedido al cocinero que tocase su violín cada día a la hora de la puesta del sol, pero la alegre música solo parecía aumentar el mal humor a bordo.

—Por lo general espero hasta la puesta de sol —señaló con un tono lúgubre el cocinero.

—Hoy no, cocinero. A ver si con tu violín consigues atraer una ballena.

El cocinero dejó a un lado el trapo con el que estaba limpiando y a regañadientes desenvolvió el paño que protegía su viejo violín. Se acomodó el instrumento debajo de la barbilla, cogió el gastado arco y comenzó a tocar el instrumento sin haberlo afinado. Sabía por las malhumoradas miradas que la marinería creía que su música espantaba a las ballenas, y cada vez que tocaba temía, con toda razón, que alguien decidiese arrojarlo por la borda. Para colmo, solo le quedaban dos cuerdas y su repertorio era limitado, y por lo tanto, interpretaba las mismas canciones que la tripulación había escuchado ya docenas de veces.

Mientras el cocinero tocaba, el capitán ordenó al primer oficial que se hiciese cargo del alcázar. Bajó la angosta escalerilla hasta su camarote, arrojó el viejo sombrero de copa a la litera y se sentó a su mesa. Estudió las cartas, pero ya había probado todas las zonas balleneras habituales sin encontrar nada como premio a sus esfuerzos. Se reclinó en la silla, cerró los ojos y dejó que la barbilla se apoyase en su pecho. Solo había dormitado unos pocos minutos cuando las maravillosas palabras que no había escuchado desde hacía meses lo despertaron.

—¡Sopla! —gritó una voz—. ¡Allá sopla!

Los ojos del capitán se abrieron en el acto. Dobbs salió despedido de la silla como el proyectil de una catapulta, cogió su sombrero y corrió escalerilla arriba hasta la cubierta. Miró, en parte cegado por la luz del sol, hacia lo alto del palo mayor, que se elevaba hasta una altura de treinta metros. Las tres cofas eran atendidas, en turnos de dos horas, por los vigías de pie en las pequeñas plataformas protegidas con aros de hierro.

—¿En qué rumbo? —gritó el capitán al vigía del palo mayor.

—Un cuarto a estribor, señor. —El vigía señaló el costado derecho, hacia proa—. Allá. Allá asoma.

Una enorme cabeza con forma de martillo emergió del mar a una distancia de cuatrocientos metros y volvió a sumergirse en una explosión de espuma. Era un cachalote. Dobbs ordenó al timonel que pusiese rumbo hacia el cetáceo que asomaba a la superficie. Los tripulantes treparon por los aparejos con la agilidad de los monos y desplegaron hasta el último centímetro cuadrado de lona.

A medida que el barco comenzaba a virar, un segundo vigía gritó desde su puesto.

—¡Otra, capitán! —La voz del vigía sonó áspera por la excitación—. ¡Por Dios, otra!

Dobbs miró a través del catalejo el brillante lomo gris que asomaba en el mar. El chorro era bajo y desperdigado, y se inclinaba hacia delante cuarenta y cinco grados. Movió el catalejo a izquierda y derecha. Más chorros. Todo un grupo de ballenas. Soltó una tremenda carcajada. Estaba contemplando una fortuna en aceite.

El cocinero había dejado de tocar al primer avistamiento. Permanecía en cubierta desconcertado; el brazo que sujetaba el violín estaba laxo junto al muslo.

—¡Lo has conseguido, cocinero! —gritó el capitán—. Has logrado atraer las ballenas suficientes para llenar nuestras bodegas hasta los topes. Continúa tocando, maldita sea.

El cocinero dedicó una sonrisa al capitán y comenzó a interpretar de nuevo, esta vez una alegre cantinela marinera, mientras el timonel ponía la nave a barlovento. Reglaron las velas y el barco se detuvo.

—¡Bajad las balleneras de babor! —gritó el capitán con un

placer que había contenido durante la larga ausencia de los cetáceos—. Moveos deprisa, hombres, si os gusta el dinero.

Dobbs ordenó que arriasen al agua tres embarcaciones auxiliares. Cada ballenera, de diez metros de eslora, estaba al mando de un oficial que también hacía de timonel. Una tripulación mínima permaneció a bordo del *Princess* para guiar la nave si fuera necesario. El capitán mantuvo la cuarta ballenera en reserva.

Botar las embarcaciones llevó menos de un minuto. Las esbeltas balleneras tocaron el mar casi al mismo tiempo. Las tripulaciones se descolgaron por la borda, ocuparon sus lugares en los bancos y hundieron los remos en el agua. Tan pronto como cada ballenera se apartó de la nave, su tripulación se apresuró a izar una vela para ganar otros pocos nudos de velocidad.

Dobbs observó a las balleneras volar como una formación de flechas hacia sus objetivos.

—Tranquilos, muchachos —murmuró—. Ahora remad de firme.

—¿Cuántas, capitán? —gritó el cocinero.

—Más que suficientes para que cocines un filete de cinco kilos para cada hombre de a bordo. Ya puedes lanzar el cerdo salado por la borda —respondió Dobbs.

La risa del capitán resonó en la cubierta con la fuerza de un temporal.

Caleb Nye remaba con todas sus fuerzas en la ballenera que iba en cabeza. Tenía las palmas desolladas y sangrantes y le dolían los hombros. Su frente chorreaba de sudor, pero no se atrevía a levantar la mano del remo para limpiarse los ojos. Caleb tenía dieciocho años, era un chico campesino fuerte y de buen carácter nacido en Concord, Massachusetts, en su primera travesía marina. Su participación de una parte entre doscientas diez de las ganancias lo situaba en el último lugar en la escala de pagos. Tenía claro que podría considerarse afortunado si recuperaba los gastos, pero había firmado de todas maneras, movido por la perspectiva de la aventura y la atracción por las tierras exóticas.

Al capitán aquel entusiasta muchacho le hacía recordar su primer viaje a la caza de ballenas. Dobbs había dicho al joven campesino que haría bien si se apresuraba a obedecer las órdenes, trabajaba duro y no se metía en líos. Su voluntad para aceptar cualquier trabajo y no hacer caso de las burlas le había ganado el respeto de los duros balleneros, que lo trataban como si fuese su mascota.

La ballenera estaba al mando del primer oficial, un curtido veterano que había realizado muchos viajes para cazar ballenas. A los remeros se les recordaba siempre que permaneciesen atentos al oficial, pero, por ser el novato, Caleb era el principal receptor de la incesante charla del oficial.

—Vamos, Caleb, muchacho, despierta —le gritaba—. Vamos, aplícate, muchacho, no estás ordeñando una ubre de vaca. No apartes tus ojos de mi bonita cara. Yo buscaré a las sirenas.

El oficial, que era el único al que se le permitía mirar adelante, observaba a la gran ballena que nadaba en un rumbo de colisión con la pequeña embarcación. El sol resplandecía en su brillante piel negra. Dio una orden en voz baja al arponero.

—Levántate y mira.

Dos arpones de dos metros de largo descansaban en unas perchas en la proa. Las afiladas lengüetas giraban en ángulo recto respecto al astil. Esta mortal característica hacía casi del todo imposible que un arpón se soltase una vez clavado en la carne de la ballena.

El arponero se levantó, embarcó el remo y cogió un arpón del soporte. Quitó la funda que cubría la punta. También destapó el segundo arpón.

Anudado a una argolla, en el extremo de cada arpón había un cabo que pasaba por una hendidura en forma de V en la proa hasta una caja donde habían adujado los ciento veinte metros de cabo con mucho esmero. Desde allí, el cabo recorría toda la extensión de la ballenera hasta la popa, después de dar un par de vueltas alrededor de una pequeña clavija que recibía el nombre de tortuga, y luego volvía hacia la proa hasta una cuba.

El oficial movió el timón y apuntó la proa al costado izquierdo de la ballena, a fin de situar al arponero de estribor en posición para que hiciese el lanzamiento. Cuando la ballena estuvo a unos seis metros de la nave, gritó una orden al arponero:

—¡Clávaselo!

El arponero apoyó la rodilla contra la borda, levantó el arpón como una jabalina y las lengüetas se clavaron en el costado de la ballena a un palmo detrás del ojo. Luego lanzó el segundo arpón, que se clavó a unos treinta centímetros detrás del primero.

—¡Apartaos! —ordenó el oficial, a voz en cuello

Los remos se hundieron en el agua, ciaron, y la ballenera se apartó varios metros.

El cachalote soltó vapor a través del orificio, levantó sus enormes aletas en el aire y las bajó en un estruendoso aplauso, para caer en el agua, en el lugar donde la embarcación había estado unos segundos antes. Alzó la cola en el aire por segunda vez, hundió la cabeza en el mar y se sumergió. Una ballena puede descender a trescientos metros a una velocidad de veinticinco nudos. El cabo voló del recipiente como un relámpago. El encargado de la cuba echaba agua en el cáñamo para enfriarlo, pero a pesar de sus esfuerzos, humeaba por la fricción contra la clavija

La embarcación volaba sobre las crestas de las olas en una loca carrera que los balleneros llamaban el viaje en trineo de Nantucket. Una exclamación de entusiasmo brotó de los remeros, pero se tensaron cuando el bote dejó de moverse. La ballena subía. Entonces el enorme mamífero asomó en una tremenda explosión de espuma y se sacudió como una trucha que acabara de morder el anzuelo, solo para sumergirse de nuevo y reaparecer al cabo de veinte minutos. La rutina se repitió una y otra vez. Con cada ciclo, recogían más cabo y la distancia se acortaba, hasta que por fin solo unos treinta metros separaron a la ballena de la embarcación. La enorme cabeza roma se volvió hacia su torturador. El oficial vio el comportamiento agresivo y supo que era el preludio de un ataque. Gritó al arponero que fuese a popa. Los dos hombres intercambiaron las posiciones en la balanceante embarcación, pasando por encima de remos, tripulantes y cabos en una loca carrera que habría resultado cómica de no haber sido por las posibilidades de sufrir consecuencias fatales.

El oficial cogió la lanza, una larga vara de madera con una punta con forma de cuchara muy afilada, y se colocó en la proa como un torero dispuesto a rematar al toro. Esperó a que la criatura se pusiese de lado, una maniobra que permitiría al cachalote utilizar al máximo los afilados dientes que bordeaban la alargada mandíbula inferior.

El arponero movió la caña del timón. El cachalote y la embarcación se cruzaron separados por un par de metros. La ballena comenzó a rolar, dejando a la vista su lado vulnerable. El oficial le hundió la lanza con todas sus fuerzas. A continuación, la movió hasta que la punta estuvo casi dos metros dentro de la carne y le atravesó el corazón. Gritó a los tripulantes que invirtiesen el avance, pero era demasiado tarde. En los estertores finales, el cachalote apresó la ballenera por la sección media con sus poderosas mandíbulas.

Los aterrorizados remeros se llevaron por delante los unos a los otros en su desesperación por escapar de los afilados dientes. La ballena sacudió la embarcación como un perro haría con un hueso; luego las mandíbulas se abrieron, el mamífero se apartó y la gran cola azotó el agua. Un chorro de vapor teñido de sangre salió por el orificio.

—¡Fuego en el agujero! —gritó un remero.

La ballenera había hecho su trabajo mortal. El cachalote se sacudió otro minuto antes de desaparecer debajo de la superficie dejando atrás un charco de sangre.

Los hombres sujetaron los remos sobre las bordas para estabilizar la embarcación, que se hundía, y taparon las vías de agua con sus camisas. A pesar de los esfuerzos, el bote apenas si se mantenía en la superficie cuando la ballena muerta emergió y flotó de lado con una aleta al aire.

—¡Buen trabajo, chicos! —gritó el oficial—. Sujetadla bien. Otra como esta y volveremos a New Bedford para comprar golosinas a nuestras novias. —Señaló al *Princess*, que se acercaba—. Mirad, muchachos, el viejo viene a recogernos y a meternos en la cama. Veo que estáis todos bien.

—No todos —avisó con voz ronca el arponero—. Caleb ha desaparecido.

El barco fondeó a poca distancia y arrió al agua la ballenera de reserva. Después de que la tripulación de rescate realizase una infructuosa búsqueda de Caleb en el agua teñido de sangre, el bote averiado fue remolcado hasta la nave.

—¿Dónde esta el novato? —preguntó el capitán mientras los tripulantes subían a bordo del *Princess*.

El primer oficial sacudió la cabeza.

—El pobre muchacho cayó al agua cuando la ballena atacó.

La tristeza apareció en los ojos del capitán, pero la muerte y la caza de ballenas no le eran desconocidas. Volvió su atención a la tarea que tenía por delante. Ordenó a los hombres que moviesen el cuerpo de la ballena hasta situarlo debajo de una plataforma en la banda de estribor. Luego, provistos con garfios, lo colocaron en la plataforma, y a continuación lo sujetaron por la cola y lo izaron hasta ponerlo vertical. Le cortaron la cabeza, y, antes de comenzar a retirar la grasa, utilizaron un gancho de hierro para extraerle los intestinos, que dejaron en cubierta. Varios tripulantes comenzaron a buscar entre ellos el ámbar gris, la valiosa base de los perfumes que se forma en el vientre de una ballena enferma.

Algo se movía en el interior de la gran bolsa del estómago. Un marinero creyó que se trataba de un calamar gigante, la comida favorita de los cachalotes. Utilizó el filo de la pala para cortar el vientre, pero, en lugar de tentáculos, por la abertura apareció una pierna humana. Apartó las paredes del estómago para dejar a la vista a un hombre acurrucado en posición fetal. Él y un compañero lo sujetaron de los tobillos y arrastraron el cuerpo inmóvil a la cubierta. Una sustancia opaca y viscosa le envolvía la cabeza. El primer oficial acudió de inmediato y con un cubo de agua le limpió las babas.

—¡Es Caleb! —gritó el oficial—. El novato.

Los labios de Caleb se movieron, pero no se oyó ningún sonido.

Dobbs había estado supervisando el corte de las láminas de grasa; se acercó y miró a Caleb por un momento antes de ordenar a los oficiales que llevasen al novato a su camarote. Acostaron al joven en la litera, le quitaron las prendas empapadas y sucias, y lo envolvieron en mantas.

—Dios, nunca había visto nada como esto —murmuró el primer oficial.

El apuesto muchacho de dieciocho años se había transformado en un viejo arrugado de ochenta. La piel mostraba un blanco fantasmal. Un tejido de arrugas marcaba la piel de las manos y el rostro como si hubiese estado días sumergido en el agua. Sus cabellos parecían los filamentos de una telaraña.

Dobbs apoyó una mano en el brazo de Caleb y se sorprendió al notar que no estaba helado como el cadáver que parecía.

—Está ardiendo —murmuró.

Dobbs, que también oficiaba como médico de a bordo, apartó las mantas y le cubrió el cuerpo con toallas mojadas para bajarle la fiebre. De un maletín de cuero negro sacó un frasco de un medicamento que contenía una elevada proporción de opio y vertió unas pocas gotas en la garganta de Caleb.

El muchacho deliró durante unos minutos antes de hundirse en un sueño muy profundo. Durmió durante más de veinticuatro horas. Cuando Caleb por fin abrió los ojos, vio al capitán sentado a su mesa, escribiendo en el diario de a bordo.

—¿Dónde estoy? —murmuró con los labios resecos.

—En mi litera —gruñó Dobbs—, y ya estoy un poco harto.

—Lo siento, señor. —Caleb frunció el entrecejo—. Soñé que había muerto y que estaba en el infierno.

—No has tenido tanta suerte, muchacho. Por lo visto, a los cachalotes les gustan los campesinos. Te sacamos de su vientre.

Caleb recordó el ojo redondo de la ballena, cómo se vio arrojado al aire, los brazos y las piernas sacudiéndose como un molinete y la conmoción al golpear el agua. Recordó cómo se había movido a lo largo de un túnel oscuro, jadeando en busca de aire en el pesado y húmedo ambiente. El calor había sido casi intolerable. No había tardado en perder el conocimiento.

Una expresión de horror apareció en su rostro pálido y arrugado.

—¡La ballena me comió!

El capitán asintió.

—Diré al cocinero que te traiga un plato de sopa. Luego volverás al sollado de proa.

El capitán se apiadó de él y Caleb permaneció en su camarote hasta que acabaron de fundir toda la grasa para convertirla en aceite y llenaron los barriles. Después reunió a toda la tripulación en la cubierta. Los felicitó por el trabajo bien hecho, y añadió:

—Todos sabéis que una ballena se tragó al novato como Jonás en la Biblia. Me alegra decir que el joven Caleb no tardará en volver al trabajo. Le reduciré la paga por el tiempo perdido. Al único a quien se le permite rehuir su trabajo en este barco es a un muerto.

El comentario provocó unas cuantas sonrisas y palabras de aprobación por parte de los reunidos.

—Ahora —prosiguió Dobbs—, debo deciros que el joven

Caleb tiene un aspecto diferente al que recordáis. Los jugos del interior de la ballena lo han blanqueado más que a un nabo hervido. —Miró a los tripulantes con expresión seria—. No permitiré que nadie de este barco se burle de las desgracias de otro hombre.

Los oficiales ayudaron a Caleb a subir a cubierta. El capitán pidió al novato que se quitase el trozo de tela que le cubría la cabeza y le ocultaba el rostro como la capucha de un monje. Se oyó una exclamación colectiva.

—Mirad bien a nuestro Jonás y tendréis algo que contar a vuestros nietos —dijo el capitán—. No es diferente al resto de nosotros bajo su piel blanca. Ahora, vamos a cazar otras cuantas ballenas.

El capitán había llamado Jonás a Caleb con toda intención, era un nombre de marinero que atraía la mala fortuna. Quizá si lo tomaba a broma podría conseguir quitar hierro a una poco favorable comparación con el personaje bíblico que había sido engullido por una ballena. Unos cuantos sugirieron en voz baja lanzar a Caleb por la borda. Por fortuna, todos tenían demasiado que hacer como para dedicarse a las travesuras. Aquel mar tan yermo ahora estaba poblado de ballenas. No había ninguna duda de que la fortuna del barco había cambiado para bien. Era como si el *Princess* se hubiese convertido en un imán para todas las ballenas del océano.

Cada día, se lanzaban las balleneras después de los avisos de los vigías. Los peroles de hierro fundido hervían como los calderos de una bruja. Un oleoso manto de humo negro ocultaba las estrellas y el sol y teñía las velas de un gris oscuro. El cocinero continuaba tocando el violín. Pocos meses después del encuentro de Caleb con la ballena, la bodega del barco estaba al máximo de su capacidad.

Antes de emprender el largo viaje de regreso a casa, el ballenero necesitaba reaprovisionarse y la cansada tripulación se merecía un descanso en tierra. Dobbs recaló en Pohnpei, una preciosa isla conocida por sus hombres apuestos, sus hermosas mujeres, y la voluntad de proveer de servicios y productos a las tripulaciones. Los barcos balleneros de todas partes del mundo se apiñaban en la rada.

Dobbs era cuáquero y no le interesaban las bebidas o las mujeres nativas, pero sus creencias religiosas estaban por detrás de sus deberes como marinero: mantener la armonía entre sus hombres y volver a casa con un cargamento de aceite. Cómo conseguía cumplirlas era algo que le incumbía solo a él. Rió a mandíbula batiente con el espectáculo que le ofrecían los marineros vocingleros y borrachos como cubas cuando regresaron a bordo o bien cuando hubo que sacarlos del agua después de haberse caído por la borda de los botes que los llevaban.

Caleb permaneció a bordo y se entretuvo contemplando las idas y venidas de sus compañeros con una sonrisa amable. El capitán agradeció para sus adentros que Caleb no mostrase ningún interés por disfrutar de un permiso en tierra. Los nativos eran muy amistosos, pero la piel blanca y el pelo canoso de Caleb podían causar problemas con los supersticiosos isleños.

Dobbs hizo una visita de cortesía al cónsul norteamericano, un paisano de Nueva Inglaterra. Durante la visita, el cónsul recibió el aviso de que una enfermedad tropical afectaba a la población de la isla. El capitán suspendió de inmediato los permisos en tierra. En el diario de a bordo escribió:

> Último día de permisos en tierra. El capitán visita al cónsul norteamericano, A. Markham, que le acompañó en una visita a una antigua ciudad llamada Nan Madol. A su regreso, el cónsul advirtió de una enfermedad en la isla. Cancelados los permisos y abandonada la isla a toda prisa.

El resto de la tripulación regresó a bordo y muy pronto todos se tumbaron a dormir la borrachera. El capitán ordenó a los marineros sobrios que izasen el ancla y desplegasen las velas. Cuando los hombres, con los ojos inyectados en sangre, fueron sacados de sus camastros y volvieron a la faena, la nave ya estaba bien lejos. Si se mantenían los vientos favorables, Dobbs y sus hombres estarían durmiendo en sus propias camas unos meses más tarde.

La enfermedad golpeó al *Princess* menos de veinticuatro horas después de haber dejado el puerto.

Un marinero llamado Stokes se despertó alrededor de las dos de la mañana y corrió a cubierta a aliviar su estómago. Unas horas más tarde, tuvo fiebre y un sarpullido le cubrió gran parte del cuerpo. Unas manchas de color rojo terroso aparecieron en su rostro y fueron creciendo de tamaño hasta que sus facciones parecieron talladas en caoba.

El capitán trató a Stokes con toallas húmedas y sorbos del medicamento. Dobbs mandó colocarlo en la proa, debajo de una tienda improvisada. El camarote de la tripulación era en el mejor de los casos un sumidero apestoso. El aire fresco y el sol quizá ayudarían al enfermo, y el aislamiento tal vez podría evitar el contagio.

Pero la enfermedad se transmitió a toda la tripulación como un incendio avivado por el viento. Los hombres se desplomaban en cubierta. Un aparejador se desplomó desde una de las vergas sobre una pila de velas, que, por fortuna, detuvo su caída. Se improvisó una enfermería en la cubierta de proa. El capitán acabó su reserva de medicamentos. Temía que solo fuese cuestión de horas antes de que él y los oficiales cayesen enfermos. El *Princess* se convertiría en una nave fantasma, que derivaría a merced de los vientos y las corrientes hasta que se pudriese.

El capitán consultó su carta. El punto de recalada más cercano era la isla Trouble. Los balleneros por lo general evitaban ese lugar. Los tripulantes de una de aquellas naves habían incendiado una aldea y matado a un puñado de nativos después de una discusión por un barril de clavos robados y, desde entonces, los habitantes habían atacado varios balleneros. No había otra alternativa. Dobbs se puso al timón y llevó a la nave rumbo directo a la isla.

El *Princess* muy pronto entró en una bahía rodeada de playas de arena blanca, y el ancla se hundió en la transparente agua verde con un retumbar de cadenas. Un pico volcánico dominaba la isla. Se veían volutas de humo alrededor del cráter. Dobbs y el primer oficial fueron en una pequeña embarcación a la costa para buscar agua fresca mientras pudieran. Encontraron una fuente a poca distancia de la orilla y ya iban de camino de regreso al bote cuando se encontraron con las ruinas de un templo. El capitán miró sus muros, cubiertos de hiedras, y comentó:

—Este lugar me recuerda a Nan Madol.

—¿Cómo ha dicho, señor? —preguntó el primer oficial.

El capitán sacudió la cabeza.

—No tiene importancia. Lo mejor será volver a la nave mientras aún podamos caminar.

Poco después del anochecer, los oficiales cayeron enfermos, y Dobbs también sucumbió a la enfermedad. Con la ayuda de Caleb, el capitán arrastró su colchón hasta el alcázar. Dijo al novato que se hiciese cargo lo mejor que pudiese.

Caleb parecía ser inmune a la plaga. Cargaba cubos de agua a la cubierta de proa para saciar la tremenda sed de sus compañeros y vigilaba todo el tiempo a Dobbs y a los oficiales. El capitán alternaba entre los delirios y los temblores. Perdió el conocimiento y, cuando despertó, vio unas antorchas que se movían por cubierta. Una de las antorchas se acercó a él, y la oscilante llama alumbró el rostro tatuado de un hombre, uno de una docena o más de nativos armados con lanzas y las afiladas herramientas utilizadas para cortar la grasa de las ballenas.

—¿Hola? —dijo el isleño, que tenía los pómulos altos y una larga cabellera negra.

—¿Hablas inglés? —consiguió decir Dobbs.

El hombre levantó la lanza.

—Buen arponero.

Dobbs vio un rayo de esperanza. A pesar de su apariencia salvaje, el nativo era un ballenero.

—Mis hombres están enfermos. ¿Puedes ayudarnos?

—Sí —respondió el nativo—. Tenemos buena medicina. Te curaremos. ¿Tú de New Bedford?

Dobbs asintió.

—Muy malo —señaló el nativo—. Los hombres de New Bedford me secuestraron. Abandoné el barco. Vine a casa. —Sonrió, y quedaron a la vista unos dientes afilados—. No medicina. Miraremos cómo te quemas con la enfermedad del fuego.

—¿Está usted bien, capitán? —oyó susurrar.

Caleb había salido de entre las sombras y ahora estaba en la cubierta alumbrado por la luz de la antorcha.

Los ojos del líder nativo se abrieron como platos y soltó una única palabra.

—*Atua!*

El capitán conocía unas cuantas palabras de los idiomas locales y sabía que «*atua*» era la palabra isleña para designar a un espíritu maligno. Apoyado en los codos, Dobbs dijo:

—Sí, este es mi *atua*. Haz lo que dice o te maldecirá a ti y a todos los que están en tu isla.

Caleb se había dado cuenta de la situación y apoyó el farol del capitán. Enconces levantó los brazos bien alto por encima de la cabeza como un brujo dispuesto a echar una maldición y declaró:

—Deja las armas o utilizaré mi poder.

El líder nativo dijo algo en su idioma y los demás hombres se apresuraron a dejar caer las armas en la cubierta.

—Dijiste algo de la enfermedad del fuego —señaló el capitán—. Tienes la medicina. Ayuda a mis hombres o el *atua* se enfadará.

El isleño parecía no tener claro qué hacer, pero sus dudas desaparecieron cuando Caleb se quitó el sombrero y el sedoso pelo blanco se movió con la brisa tropical. El hombre dio una orden a los demás.

El capitán volvió a perder el conocimiento. Su sueño estuvo lleno de pesadillas extrañas, incluida una donde tenía una sensación fría y húmeda y un escozor en el pecho. Cuando abrió los ojos era de día, y los tripulantes se movían por la cubierta. El barco estaba aparejado con todas las velas recortadas contra el claro cielo azul y las olas lamían el casco. Los pájaros de blanco plumaje sobrevolaban en lo alto.

El primer oficial vio a Dobbs, que se esforzaba por sentarse, y se acercó con una jarra de agua.

—¿Se siente mejor, señor?

—Sí —respondió el capitán entre sorbos de agua. La fiebre había desaparecido, y su estómago había recuperado la normalidad. Tenía un hambre canina—. Ayúdeme a ponerme en pie.

Se levantó con las piernas temblorosas, y su segundo lo sujetó por el brazo para ayudarlo a mantener el equilibrio. El barco navegaba por mar abierto sin ninguna isla a la vista.

—¿Cuánto tiempo hace que navegamos?

—Cinco horas —respondió el oficial—. Es un milagro. La fiebre y los sarpullidos han desaparecido. El cocinero ha preparado un potaje para todos, y los hombres que se han recuperado del todo han puesto la nave en movimiento.

El capitán sintió un escozor en el pecho y se levantó la camisa. El sarpullido había desaparecido, reemplazado por un pequeño punto rojo y un círculo irritado a unos pocos centímetros por encima del ombligo.

—¿Qué ha pasado con los nativos? —preguntó Dobbs.

—¿Nativos? No hemos visto a ningún nativo.

Dobbs sacudió la cabeza. ¿Lo había soñado todo en su delirio? Dijo al oficial que buscase a Caleb. El novato subió al alcázar. Llevaba un sombrero de paja para protegerse la piel blanca del sol. Una sonrisa apareció en su rostro pálido y arrugado cuando vio que el capitán se había recuperado.

—¿Qué ocurrió anoche? —preguntó Dobbs.

Caleb le explicó que después de su desmayo los nativos habían dejado la nave y regresado con cubos de madera de los que emanaba una luminiscencia azul clara. Habían ido de hombre en hombre. No había visto lo que hacían. Después los nativos se habían marchado. Al cabo de poco rato, la tripulación había comenzado a despertarse. El capitán pidió a Caleb que lo ayudase a bajar al camarote. Se sentó en la silla y abrió el diario de a bordo.

«Un extraño asunto», escribió el capitán. Aunque aún le temblaban las manos, dejó constancia de todos los detalles tal como los recordaba. Luego miró con nostalgia un retrato en miniatura de su bonita y joven esposa y acabó la entrada con una única aclaración: «¡Vuelvo a casa!».

Fairhaven, Massachusetts, 1878

La mansión con mansardas conocida entre la gente de la ciudad como la Casa Fantasma se alzaba lejos de la calle poco transitada, detrás de una pantalla de hayas de hojas oscuras. Como centinelas de guardia, en el inicio del largo camino de entrada estaban las blanqueadas mandíbulas de un cachalote, clavadas en el suelo para formar con las aguzadas puntas un arco gótico.

En un dorado día de octubre, dos chicos estaban debajo del arco de huesos de ballena, retándose el uno al otro a ser capaces de subir el camino y espiar a través de las ventanas. Ninguno de los dos se atrevía a dar el primer paso; aún continuaban desafiándose cuando una resplandeciente calesa negra llegó a la entrada.

El conductor era un hombre fornido cuyo elegante traje color teja y sombrero hongo a juego no conseguían disimular su aspecto malvado. Sus facciones habían sido esculpidas por los duros nudillos de los oponentes a los que se había enfrentado en sus días como boxeador. El tiempo no había sido generoso con la nariz deformada, las orejas como coliflores y los ojos muy pequeños debido a las cicatrices.

El hombre se inclinó sobre las riendas y miró a los chicos con expresión feroz.

—¿Qué estáis haciendo aquí? —gruñó como el viejo perro de presa que parecía—. Supongo que nada bueno.

—No estamos haciendo nada —respondió uno de los chicos sin mirarlo.

—¿De verdad? —se burló el hombre—. Bien, yo no me encontraría rondando por aquí si estuviese en tu lugar. Un malvado fantasma vive en aquella casa.

—¿Lo ves? —espetó el otro chico—. Te lo dije.

—Escucha a tu amigo. El fantasma mide más de dos metros. Tiene las manos como horquillas —añadió el hombre con un temblor en la voz—. Tiene unos colmillos que cortaría a chicos como vosotros por la mitad solo para poder comerse los intestinos. —Señaló con el látigo hacia la casa y su boca se abrió en una expresión de horror—. ¡Ahí viene! ¡Por Dios, ahí viene! ¡Corred! ¡Corred si queréis salvar vuestra vida!

El hombre se desternilló de risa mientras los chicos escapaban como conejos asustados. Sacudió las riendas y guió al caballo a través del arco de huesos de ballena. Se detuvo delante de la gran casa que semejaba un pastel de bodas octogonal glaseado de rojo y amarillo. Aún se reía cuando subió la escalinata de la galería y anunció su llegada utilizando el llamador de latón en forma de cola de ballena.

Se oyeron unas pisadas. Un hombre abrió la puerta, y una sonrisa apareció en su rostro pálido.

—Strater, qué agradable sorpresa —dijo Caleb Nye.

—A mí también me alegra verte, Caleb. Pensaba haber venido antes, pero ya sabes cómo es.

—Por supuesto —manifestó Caleb, y entonces se apartó—. Pasa, pasa.

La piel de Caleb se había vuelto incluso más blanca con el paso de los años. La edad había añadido arrugas a una piel que ya parecía un pergamino, pero, a pesar de su prematuro envejecimiento, aún mantenía la sonrisa juvenil y el entusiasmo de cachorro que lo había hecho tan querido entre sus colegas balleneros.

Llevó a su visitante hasta una espaciosa biblioteca con estanterías del suelo al techo. Aquellas paredes que no estaban dedicadas a los libros referentes a la actividad ballenera las habían decorado con grandes carteles de colores que reproducían el mismo tema, un hombre atrapado en las mandíbulas de un cachalote.

Strater se acercó a un cartel que se podía calificar de espeluznante. El artista había hecho un abundante uso de la pintura roja para representar la sangre que manaba de los arpones y formaba una gran mancha en el agua.

—Ganamos mucho dinero con aquella función en Filadelfia.

—Solo espacio para espectadores de pie, una noche tras otra, gracias a tu gran capacidad para el espectáculo —señaló Caleb.

—No habría sido nada sin mi estrella principal —afirmó Strater.

—Tengo que darte las gracias por esta casa y por todo lo que poseo —afirmó Caleb.

Strater le dedicó una sonrisa.

—Si hay algo que sé hacer bien es montar un espectáculo. Desde el primer minuto en que te conocí, vi las posibilidades para la fama y la fortuna.

Su sociedad había comenzado pocas noches después de que el *Princess* amarrase en New Bedford. Habían descargado los barriles de aceite y los propietarios habían calculado las ganancias y las pagas. Los tripulantes que no tenían esposa o novia esperándolos en casa se dirigieron sin tardanza a los bares de los muelles, dispuestos estos a aliviar a los balleneros de sus pagas ganadas con tanto esfuerzo.

Caleb se había quedado a bordo. Estaba allí cuando el capitán regresó al *Princess* con la paga del joven y le preguntó si se marcharía a la granja de su familia.

—No de esta manera —había respondido Caleb con una sonrisa triste.

El capitán le entregó la pequeña cantidad que había ganado por sus años de trabajo en el mar.

—Tienes mi permiso para quedarte a bordo hasta que el barco zarpe de nuevo.

Mientras bajaba la escalerilla, el capitán sintió un profundo pesar por la mala fortuna del joven, pero muy pronto la olvidó cuando sus pensamientos pasaron a su propio futuro prometedor.

Más o menos por aquel tiempo, Strater había contemplado un futuro mucho más negro en un tugurio a unas pocas manzanas del barco. El antiguo comerciante de feria pasaba por una mala racha y estaba casi sin blanca. Bebía una jarra de cerveza cuando los tripulantes del *Princess* entraron en el bar dispuestos a emborracharse con el mismo entusiasmo que habían puesto a la hora de cazar ballenas. Strater prestó atención y escuchó con interés la historia de Caleb Nye, el novato que había sido tragado por una ballena. Los parroquianos habían recibido el relato con un atronador escepticismo.

—¿Dónde está vuestro Jonás? —preguntó uno por encima del estrépito.

—En el barco, sentado en la oscuridad —fue la respuesta—. Ve a verlo por ti mismo.

—La única cosa que quiero ver es otra jarra de cerveza —había respondido el cliente.

Strater había dejado el ruidoso tugurio para dirigirse por una angosta callejuela hasta el muelle. Subió la escalerilla hasta la cubierta del *Princess.* Caleb estaba junto a la borda, contemplando las luces de New Bedford. Las facciones del joven no se veían con claridad, pero parecían resplandecer con una pálida luminosidad. El instinto para el espectáculo de Strater se puso en marcha.

—Quiero hacerte una propuesta —le dijo Strater—. Si la aceptas, te convertiré en un hombre rico.

Caleb escuchó la propuesta de Strater y vio que había posibilidades. En cuestión de semanas, carteles y hojas volantes aparecieron por todo New Bedford con un enorme titular:

TRAGADO POR UNA BALLENA.
UN JONÁS VIVIENTE CUENTA SU HISTORIA.

Strater alquiló una sala para la primera función y tuvo que rechazar a centenares de espectadores. Durante dos horas, Caleb contó su apasionante historia, delante de un diorama en movimiento y con un arpón en la mano. Con las ganancias de Caleb, Strater contrató a un pintor para que recrease unas imágenes más o menos acertadas en una larga tira de lona de un metro de ancho. La lona, iluminada por detrás, se desenrollaba poco a poco para mostrar a Caleb en la ballenera, el ataque del cachalote y una muy imaginativa representación de sus piernas asomando entre las mandíbulas del mamífero. También había imágenes de lugares exóticos con palmeras y de sus habitantes. El espectáculo entusiasmaba al público, sobre todo en las iglesias y salas tanto de las ciudades como de los pueblos a lo largo de la costa Este. Strater vendía libros con ilustraciones de nativas semidesnudas bailando para dar un poco más de sabor a la narrativa. Al cabo de unos cuantos años, Strater y Caleb se habían retirado de la vida pública, tan ricos como el más acaudalado de los capitanes balleneros.

Strater había comprado una mansión en New Bedford y Caleb había construido su casa con forma de tarta de boda en el pueblo de Fairhaven, al otro lado de la bahía de la ciudad ballenera. Desde una de las mansardas, miraba el ir y venir de los barcos balleneros. Casi nunca salía de día. Cuando dejaba su mansión, se cubría la cabeza y ocultaba el rostro con una capucha.

Sus vecinos lo llamaban el Fantasma, y se había convertido en un generoso benefactor que utilizaba su fortuna para construir escuelas y bibliotecas destinadas a la comunidad.

A cambio, los habitantes protegían la intimidad de su Jonás local.

Caleb llevó a Strater a una gran habitación donde no había nada más que una muy cómoda silla giratoria en el centro. El diorama del espectáculo aparecía desplegado en las paredes. Cualquiera que estuviera sentado en la silla podía girar y ver la historia del Jonás viviente de principio a fin.

—Bueno, ¿qué te parece? —preguntó Caleb a su amigo.

Strater sacudió la cabeza.

—Casi me hace desear que volvamos a la carretera con el espectáculo.

—Hablemos de eso con una copa de vino —dijo Caleb.

—Me temo que no tenemos tiempo —respondió Strater—. Te traigo un mensaje de Nathan Dobbs.

—¿El hijo mayor del capitán?

—Así es. Su padre se muere y quiere verte.

—¡Se muere! ¡Eso no es posible! Tú mismo me dijiste que el capitán estaba tan fuerte y saludable como un toro.

—No es una enfermedad la que ha acabado con él, Caleb. Ocurrió un accidente en uno de sus molinos textiles. Se cayó un telar y le aplastó las costillas.

El rostro avejentado de Caleb perdió el último rastro de color.

—¿Cuándo puedo verlo? —preguntó.

—Debemos ir ahora —respondió Strater—. Le queda muy poco.

Caleb se levantó de la silla.

—Voy a buscar mi chaqueta y el sombrero.

La ruta a la mansión Dobbs daba la vuelta a la bahía de New Bedford y subía por County Street. Había carruajes aparcados en el camino de entrada y en la calle delante de la mansión de estilo neoclásico griego. Nathan Dobbs recibió a Strater y a Caleb en la puerta y les agradeció que hubiesen acudido. Era alto y desgarbado, la imagen joven de su padre.

—Lamento lo ocurrido a su padre —dijo Caleb—. ¿Cómo está el capitán Dobbs?

—Me temo que no le queda mucho tiempo en este mundo. Los llevaré hasta él.

El amplio vestíbulo y los pasillos de la mansión estaban ocupados por los diez hijos y los innumerables nietos del capitán. Se oyó un murmullo cuando Nathan Dobbs entró con Strater y la extraña figura encapuchada. Nathan pidió a Strater que se pusiese cómodo y escoltó a Caleb a la habitación del capitán.

El capitán Dobbs yacía en la cama atendido por su esposa y por el médico de la familia. Habían querido mantener a oscuras la habitación del enfermo, como era entonces la práctica médica habitual, pero él había insistido en que abriesen las cortinas para que entrase el sol.

Un rayo de dorada luz de otoño alumbró el rostro del capitán. Aunque su abundante cabellera se había vuelto gris plata, sus facciones eran mucho más juveniles de lo que podía esperarse en un hombre que ya había superado los sesenta años. Pero en sus ojos había una mirada distante, como si viese a la muerte que se acercaba. La esposa del capitán y el médico se retiraron, y Nathan permaneció junto a la puerta.

—Gracias por venir, Caleb —dijo el capitán. La voz que una vez había resonado por la cubierta del barco era ahora un susurro ronco.

Caleb se apartó la capucha de la cara.

—En una ocasión me dijo que nunca pusiese en duda las órdenes del capitán.

—Sí, y te daré otro buen consejo, novato. No metas las narices donde no toca. Intenté arreglar un telar. No me aparté lo bastante rápido cuando cayó.

—Lamento su desgracia, capitán.

—No lo hagas. Tengo una esposa fiel, unos hijos apuestos y nietos que llevarán mi nombre.

—Desearía poder decir lo mismo —manifestó Caleb con un tono dolido.

—Lo has hecho muy bien, Caleb. Estoy perfectamente enterado de tu generosidad.

—La generosidad es fácil cuando no tienes a nadie con quien compartir tu fortuna.

—Lo has compartido con tus vecinos. También sé de tu fantástica biblioteca de libros sobre el oficio.

—No bebo ni fumo. Los libros son mi único vicio. La caza de ballenas me dio la vida que tengo. Colecciono todos los libros que puedo sobre el oficio.

El capitán cerró los ojos y pareció alejarse, pero después de un momento abrió los párpados.

—Tengo algo que quiero compartir contigo.

El hijo del capitán se acercó y ofreció a Caleb una caja de caoba. Caleb abrió la tapa. En el interior había un libro. Reconoció la vieja encuadernación azul.

—¿El diario de a bordo del *Princess*, capitán?

—Sí, y es tuyo —manifestó el capitán—. Para tu gran biblioteca.

Caleb se apartó.

—No puedo aceptar esto de usted, señor.

—Harás lo que dice tu capitán —gruñó Dobbs—. Mi familia está de acuerdo en que tú debes tenerlo. ¿No es así, Nathan?

El hijo del capitán asintió.

—También es el deseo de la familia, señor Nye. No se nos ocurre otra persona más digna.

El capitán, en un movimiento inesperado, levantó una mano y la colocó sobre el diario.

—Un extraño asunto —dijo—. Algo ocurrió en aquella isla de hombres salvajes. Hasta el día de hoy, no sé si fue obra de Dios o del diablo.

El capitán cerró los ojos. Su respiración se hizo laboriosa y un sonido como de un crótalo surgió de su garganta. Pronunció el nombre de su esposa.

Nathan cogió con suavidad el brazo de Caleb y lo escoltó afuera de la habitación. Le dio de nuevo las gracias por su visita y luego dijo a su madre que había llegado la hora del capitán. La familia entró en el dormitorio y dejaron a Strater y a Caleb solos en el vestíbulo.

—¿Se ha ido? —preguntó Strater.

—Todavía no, pero no tardará. —Caleb mostró a Strater el diario.

—Habría preferido una parte de la fortuna de los Dobbs —afirmó Strater.

—Esto es un tesoro para mí —afirmó Caleb—. Además, tienes más dinero del que podrías gastar en toda tu vida, amigo mío.

—Entonces tendré que vivir más —replicó Starter dirigiendo una mirada hacia el dormitorio.

Salieron de la casa y subieron al carruaje de Strater. Caleb sujetó bien el diario, y su mente volvió a aquella isla remota y a sus salvajes habitantes, su impostura como un *atua*, la enfermedad y las extrañas luces azules. Se volvió para dirigir una última mirada a la mansión y recordó las palabras finales del capitán.

Dobbs estaba en lo cierto. Había sido un extraño asunto.

1

Murmansk, Rusia, la actualidad

Como comandante de una de las máquinas de guerra más temibles que se hubiesen diseñado, Andrei Vasilevich había tenido una vez en sus manos el poder para borrar ciudades enteras y matar a millones de personas. Si alguna vez hubiese estallado la guerra entre la Unión Soviética y Estados Unidos, el submarino de clase Tifón bajo su mando habría lanzado veinte misiles balísticos intercontinentales contra Estados Unidos y doscientas cabezas nucleares habrían llovido sobre el suelo norteamericano.

En los años transcurridos desde su retiro, Vasilevich a menudo había dado gracias por no haber recibido nunca la orden de descargar una salva de muerte y destrucción nuclear. Como capitán de segundo rango, habría cumplido las órdenes de su gobierno sin vacilar. Una orden era una orden, no importaba lo terrible que fuese. El comandante de un submarino nuclear era un instrumento del Estado y las emociones debían serle ajenas. Pero mientras el viejo guerrero de la Guerra Fría decía adiós a su antiguo destino, el submarino conocido como *Oso*, no pudo contener las lágrimas de pesar que corrieron por sus rubicundas mejillas.

Estaba en el muelle que daba al puerto de Murmansk y su mirada siguió al submarino que navegaba hacia la bocana. Levantó bien alto la petaca de plata en un brindis antes de beber un trago de vodka, y sus pensamientos volvieron a los años en los que había surcado el Atlántico Norte en aquel navío gigante.

Con una eslora de ciento noventa metros y veinticinco metros de manga, los Tifón eran los submarinos más grandes construidos en toda la historia naval. La larga cubierta de proa se extendía desde la enorme torre de catorce metros de altura, o vela, para dejar lugar a los grandes tubos de lanzamiento dispuestos en dos hileras. Esa apariencia exterior daba a los Tifón un perfil característico.

El exclusivo diseño del casco iba más allá del exterior metálico. En lugar de un solo casco presurizado, como en la mayoría de los submarinos, los Tifón tenía dos paralelos. Esta disposición le daba una capacidad de carga de quince mil toneladas y espacio entre los dos cascos en la banda de estribor para un pequeño gimnasio y una sauna. Había dos cámaras de escape a cada lado de la torre. La sala de control y el centro de combate ocupaban compartimientos debajo de la vela.

El *Oso* era uno de los seis Tifón 941 botados en los años ochenta y destinados a la flota norte como parte de la primera flotilla de submarinos nucleares con base en Nerpichya. Brezhnev llamó al nuevo modelo «Tifón» en un discurso, y el apodo cuajó. Entraron en servicio como sumergibles de la clase Akula, que significa «tiburón». La marina norteamericana y la OTAN, en cambio, adoptaron para ellos el nombre de Tifón.

A pesar de su inmenso tamaño, el Tifón navegaba a más de veinticinco nudos sumergido y dieciséis en superficie. Podía virar sobre sí mismo, descender a las profundidades oceánicas hasta los cuatrocientos metros y permanecer sumergido ciento veinte días, y estas maniobras las realizaba con uno de los sistemas propulsores más silenciosos que se hubiesen diseñado. El submarino llevaba una tripulación de ciento sesenta hombres. En cada casco había un reactor nuclear que generaba el vapor para la turbina de cincuenta mil caballos de fuerza que se necesitaban para mover las dos enormes hélices de siete palas. Dos cámaras flotantes le permitían mantenerse estabilizado sin avanzar y maniobrar.

Los submarinos Tifón acabaron de servir a sus propósitos militares y políticos y fueron retirados del servicio a finales de los noventa. Alguien había sugerido que se los podía reconvertir para transportar mercancías por debajo del hielo ártico si quitaban los tubos de los misiles y se utilizaba el espacio como bodega. Muy pronto corrió la voz de que los Tifón estaban a la venta para el mejor postor.

El capitán habría preferido verlos convertidos en chatarra en lugar de naves de carga submarinas. ¡Qué innoble final para una magnífica arma de guerra! En su época, el terrible Tifón había sido tema de libros y películas. Ya ni recordaba las veces que había visto *La caza del Octubre Rojo*.

Vasilevich había sido contratado por la Oficina Central de Diseño de Ingeniería Marina para supervisar la reconversión. Los misiles nucleares habían sido retirados hacía tiempo como parte del tratado conjunto con Estados Unidos, que había aceptado eliminar sus propios misiles.

El capitán había supervisado la retirada de los silos para crear una inmensa bodega. Se hicieron las modificaciones que facilitarían las operaciones de carga y descarga. Una tripulación que era la mitad de la original se encargaría de entregar el submarino a sus nuevos propietarios.

Vasilevich bebió otro trago de vodka y se guardó la petaca en el bolsillo. Antes de abandonar el muelle no pudo resistirse a la tentación de volverse para echar una última mirada. El submarino había salido del puerto y navegaba en mar abierto con rumbo a un destino desconocido. El capitán se arrebujó en el abrigo para protegerse de la brisa húmeda que llegaba del mar y volvió a su coche.

La experiencia le había enseñado a no aceptar las cosas por lo que parecían a primera vista. El submarino lo había comprado una compañía naviera multinacional con sede en Hong Kong, pero los detalles eran vagos, y la venta se había estructurado como un juego de matrioskas.

El capitán tenía sus propias teorías sobre el futuro de su antigua nave. Con un gran radio de acción y la enorme capacidad de carga sería perfecto para toda clase de contrabando. Vasilevich se guardó sus pensamientos. En la Rusia actual, aquellos que sabían demasiado corrían peligro. Lo que hiciesen los nuevos propietarios después de tomar posesión de aquella reliquia de la Guerra Fría no era asunto suyo. Ese acuerdo llenaba toda clase de avisos de advertencia, pero el capitán tenía claro que era acertado no hacer preguntas, e incluso más conveniente no saber.

2

Provincia de Anhui, República Popular China

El helicóptero apareció de pronto y sobrevoló la aldea como una libélula ruidosa. La doctora Song Lee apartó la mirada del vendaje que estaba haciendo en el brazo de un chiquillo que se había hecho un tajo, y observó cómo el helicóptero se detenía unos momentos en el aire y luego comenzaba el descenso vertical en un campo en las afueras del pueblo.

La doctora dio una palmada al chico en la cabeza y aceptó la media docena de huevos frescos que le entregaron los agradecidos padres en pago por sus servicios. Había desinfectado el corte con alcohol y agua caliente, y luego le había aplicado un ungüento de hierbas. No se habían presentado complicaciones y la herida cicatrizaba muy bien. Con pocos medios en medicamentos y equipo, la joven doctora sacaba el máximo provecho de lo que tenía a su alcance.

La doctora Lee llevó los huevos a la choza y después se sumó a la ruidosa multitud que corría hacia el campo. Los entusiasmados pobladores, muchos de los cuales nunca habían visto una aeronave de cerca, rodearon el helicóptero. Lee vio las insignias del gobierno en el fuselaje y se preguntó quién del Ministerio de Sanidad acudía a la remota aldea.

Se abrió la puerta del pasajero y un hombre bajo y grueso vestido con traje y corbata descendió del aparato. Echó una

41

mirada a la bulliciosa multitud y una expresión de terror apareció por un momento en su ancho rostro. Se habría refugiado en el helicóptero de no haber sido porque Lee se abrió paso entre la muchedumbre para saludarlo.

—Buenas tardes, doctor Huang —gritó lo bastante fuerte para hacerse oír por encima de las voces—. Es toda una sorpresa.

El hombre miró la multitud con una profunda desconfianza.

—No me esperaba una recepción de este calibre.

La doctora Lee soltó una carcajada.

—No se preocupe, doctor. La mayoría de estas personas son mis parientes. —Señaló a una pareja en cuyos rostros atezados brillaban las sonrisas—. Aquellos son mis padres. Como ve, son del todo inofensivos.

Cogió la mano del doctor Huang y lo guió a través de la multitud de curiosos. Los aldeanos iban a seguirlos, pero ella los apartó al tiempo que les explicaba con toda amabilidad que deseaba hablar a solas con el visitante.

De nuevo en su choza, ofreció a su colega la desvencijada silla plegable en la que se sentaba para tratar a sus pacientes. Huang se enjugó el sudor de la calva con un pañuelo y se limpió el fango de los lustrosos zapatos de cuero. La doctora hirvió agua para preparar té en un fogón de cámping y sirvió una taza al visitante. Huang bebió un sorbo con cara de desconfiar de que fuese potable.

Lee se sentó en la vieja silla reparada que utilizaban los pacientes.

—¿Qué le parece mi sala de consulta a cielo abierto? Atiendo a los pacientes más tímidos en el interior. A los animales de granja los trato a domicilio.

—Diría que dista mucho de la facultad de medicina de Harvard —opinó Huang, que miraba fascinado la choza de paredes de adobe y techo de paja.

—Dista mucho de cualquier parte —afirmó Lee—. Tiene algunas ventajas. Mis pacientes me pagan con verduras y huevos, así que nunca paso hambre. El tráfico no es tan malo como en Harvard Square, pero es casi imposible encontrar un buen café cortado al caramelo.

Huang y Lee se habían conocido años atrás en un curso para estudiantes y profesores asiáticos de la Universidad de Harvard. Él era un profesor visitante del Laboratorio Nacional de Biología Molecular de China. Ella estaba acabando sus estudios de posgrado en virología. La inteligencia y el ingenio de la joven habían impresionado a Huang de inmediato, y habían continuado su amistad después de su regreso a China, donde él había ascendido a un alto cargo en el ministerio.

—Ha pasado mucho tiempo desde que hablamos. Se preguntará por qué estoy aquí —dijo Huang.

A la doctora Lee le gustaba Huang y lo respetaba, pero él y otros colegas suyos que ocupaban altos cargos se habían mostrado ostensiblemente callados cuando ella había necesitado que hablasen en su defensa.

—En absoluto —manifestó Lee con un tono altivo—. Espero que sea usted el portador de una disculpa de las autoridades por la forma en que me han tratado.

—El Estado nunca admitirá que cometió un error, doctora Lee, pero no tiene idea de cuánto he lamentado el no haber salido en su defensa.

—Comprendo la tendencia del gobierno a culpar a todos menos a sí mismo, doctor Huang, pero es usted quien no tiene idea de hasta qué punto he lamentado que mis colegas no acudiesen en mi defensa.

Huang se frotó las manos.

—No la culpo —dijo—. Mi silencio fue un claro acto de cobardía. No puedo hablar por mis colegas. Solo puedo ofrecerle mis más humildes disculpas por no haberla defendido en público. Al mismo tiempo, hice todo lo posible entre bambalinas para impedir que acabase en la cárcel.

La doctora Lee resistió la tentación de mostrar a su colega las duras condiciones de la mísera aldea. Muy pronto entendería que una cárcel no necesitaba tener barrotes. Decidió que sería injusto tomarla con Huang. No habría podido hacer nada para cambiar el resultado.

Se obligó a sonreír.

—Acepto sus disculpas, doctor Huang. De verdad que me complace verlo. Dado que no es portador del agradecimiento de la nación por mis servicios, ¿qué está haciendo aquí?

—Vengo como portador de malas noticias. —Aunque estaban a solas, bajó la voz—. Ha reaparecido —manifestó casi en un susurro.

Lee sintió que un puño helado le apretaba la boca del estómago.

—¿Dónde? —preguntó.

—Al norte de donde estamos. —Huang dijo el nombre de una provincia remota.

—¿Se han producido otros brotes?

—Ninguno hasta el momento. Por fortuna, es una zona apartada.

—¿Han aislado el virus para confirmar su identidad?

—Es el mismo coronavirus de antes —respondió Huang.

—¿Cuándo se detectó por primera vez? ¿Han encontrado el origen?

—Hará unas tres semanas. Aún no se ha encontrado el origen. El gobierno aisló a las víctimas de inmediato y puso a las aldeas en cuarentena para prevenir la propagación. Esta vez no están dispuestos a correr riesgos. Estamos trabajando con la Organización Mundial de la Salud y el Centro para el Control y la Prevención de Enfermedades de Estados Unidos.

—Es muy diferente a la última respuesta.

—Nuestro gobierno ha aprendido la lección —manifestó Huang—. El secretismo respecto a la epidemia de SARS dañó la reputación de China como una potencia mundial emergente. Nuestros líderes saben ahora que el secretismo no es una opción.

El gobierno chino había sido objeto de las críticas internacionales porque había mantenido en secreto la primera epidemia de SARS, y causado una demora en el tratamiento que habría prevenido muchas muertes. Song Lee trabajaba como profesora residente en un hospital de Pekín cuando comenzó la epidemia. Sospechó que era grave y reunió todos los antecedentes para comunicarlo. Cuando insistió ante sus superiores que debían tomar medidas, le advirtieron que guardase silencio. Pero entonces la Organización Mundial de la Salud había emitido una advertencia global de una posible pandemia. Se interrumpieron los viajes y se implantaron cuarentenas. Una red de laboratorios internacionales aisló el virus que nunca se había encontrado en los humanos. La enfermedad fue denominada SARS, acrónimo correspondiente a Síndrome Respiratorio Agudo Severo.

El virus se había propagado en más de dos docenas de países en varios continentes e infectado a más de ocho mil personas. Casi mil habían muerto, y se había evitado por los pelos una pandemia de proporción universal. El gobierno chino encarceló al médico que había comunicado al mundo que ocultaban el número real de casos y que a los enfermos los llevaban en ambulancias para mantenerlos lejos de los inspectores de la Organización Mundial de la Salud. Otros que habían intentado denunciar el engaño también habían sido castigados. Entre ellos se contaba la doctora Song Lee.

—Tampoco el secretismo fue entonces una opción —recordó a Huang, sin el menor intento de ocultar la furia de su voz—. Todavía no me ha dicho qué tiene que ver esto conmigo.

—Estamos reuniendo a un equipo de investigación y queremos que forme parte de él —contestó Huang.

Lee no pudo contener la rabia.

—¿Qué puedo hacer? —preguntó—. No soy más que una simple médica rural que trata enfermedades graves con hierbas y rituales.

—Le ruego que deje a un lado los sentimientos personales —dijo Huang—. Usted fue una de los primeros en advertir la epidemia del SARS. La necesitamos en Pekín. Su experiencia en virología y epidemiología será muy valiosa a la hora de desarrollar una respuesta. —Huang unió las manos como si fuese una plegaria—. Si quiere, se lo suplicaré de rodillas.

La joven miró la expresión angustiada de su colega. Huang era brillante. No podía esperar que también fuese valiente. Con voz más suave dijo:

—No será necesario que suplique, doctor Huang. Haré lo que pueda.

El rostro redondo se iluminó.

—Escuche muy bien lo que digo: No se arrepentirá de su decisión.

—Sé que no lo haré, sobre todo después de que usted cumpla con mis condiciones.

—¿A qué se refiere? —preguntó Huang con tono de desconfianza.

—Quiero una provisión de medicamentos para atender las necesidades de esta aldea durante seis meses, no, que sea un año, y que incluya a las aldeas vecinas.

—Hecho —dijo Huang.

—He montado una red de comadronas, pero necesitan de un profesional para que las supervise. Quiero que venga esta misma semana un médico para que se haga cargo de mi consulta.

—Hecho —repitió Huang.

Lee se reprochó a sí misma por no haber pedido más.

—¿Cuándo me necesita? —preguntó.

—Ahora —respondió Huang—. El helicóptero la espera. Quiero que hable en un simposio en Pekín.

La doctora hizo un rápido inventario mental. La choza no era suya y sus pertenencias cabían en una maleta pequeña. Solo tenía que informar a los mayores de la aldea y despedirse de sus ancianos padres y de sus pacientes. Se puso en pie y extendió la mano para cerrar el trato.

—Hecho —dijo.

Tres días más tarde, la doctora Lee estaba detrás de un atril en una sala del Ministerio de Sanidad en Pekín, dispuesta a dirigirse a más de doscientos expertos de todo el mundo. La mujer del estrado no se parecía en nada a la doctora rural que había atendido partos de bebés y cerdos a la luz de las velas. Vestía un traje de chaqueta a rayas y una camisa de seda del mismo color rojo de la bandera china, y lucía un pañuelo de seda rosa alrededor del cuello. Un toque de maquillaje aclaraba su tez ambarina, oscurecida por la vida al aire libre. Agradecía para sus adentros que nadie pudiese verle las callosidades de las palmas.

Poco después de llegar a Pekín, Lee había salido de compras, una cortesía de la República Popular China. En la primera tienda, había dejado los pantalones y la chaqueta de algodón para que los arrojasen a la basura. Con cada nueva compra, en algunas de las boutiques más elegantes de la capital, se redimió de la autoestima perdida.

Song Lee tenía treinta y cinco años, pero parecía más joven. Era delgada, de caderas estrechas, pechos pequeños y piernas largas. Tenía una figura elegante sin nada que la hiciese destacar, pero era su rostro lo que hacía inevitable que las cabezas se volviesen para mirarla de nuevo. Las largas pestañas oscuras enmarcaban unos ojos alertas e inquisidores, y los labios carnosos alternaban entre una sonrisa amistosa y un mohín más serio cuando estaba sumida en sus pensamientos. Cuando trabajaba en la aldea, se peinaba el largo pelo negro azabache en una coleta que recogía debajo de una gorra que podría haber pertenecido a un soldado de infantería en la Larga Marcha de Mao. Pero ahora lo llevaba corto y peinado a la moda.

Desde su llegada a Pekín, Lee había asistido a una serie de reuniones y se había sentido impresionada por la rápida reacción al último brote. A diferencia de la lenta respuesta de varios años atrás, centenares de investigadores y técnicos se habían movilizado por todo el mundo.

China se había puesto a la cabeza en la lucha contra el brote y había invitado a los expertos a Pekín para demostrar la fuerza de su reacción. La rápida respuesta había despertado una actitud positiva ante la gravedad de la situación: todos aquellos con los que había hablado parecían tener plena confianza en que la aplicación de las prácticas de higiene más sencillas podrían contener el brote de SARS mientras los investigadores continuaban buscando el origen y desarrollaban una prueba para el diagnóstico y la vacuna apropiada.

Pese al optimismo reinante, la doctora Lee era incapaz de compartir la confianza de sus colegas. Le preocupaba que no se hubiese encontrado aún el origen del virus. Las civetas portadoras de la cepa original de la neumonía atípica habían sido eliminadas, así que el virus quizá había pasado a otro anfitrión —perros, gallinas, insectos—, ¿quién podía saberlo? Además, la inesperada transparencia del gobierno chino también la inquietaba. La amarga experiencia le había enseñado que las autoridades no revelaban sus secretos así como así. Ella quizá habría descartado esos recelos de no haber sido por la negativa del gobierno a permitirle visitar la provincia infectada. Le habían dicho que era demasiado peligroso, que la provincia estaba sometida a la más estricta cuarentena.

La doctora Lee dejó a un lado las sospechas para encarar el difícil compromiso de presentarse ante un selecto grupo de expertos de alto nivel. El corazón le latía desbocado. La inquietaba hablar en público después de pasar años entre personas cuya mayor preocupación era la cosecha de arroz. Los nuevos programas informáticos que permitían hacer proyecciones muy acertadas de una epidemia no solo la desconcertaban sino que la hacían dudar de su propia valía. Se sentía como un hombre prehistórico atrapado en un glaciar hacía diez mil años al que acabaran de descongelar.

Por otro lado, la práctica de la medicina más elemental le había dado un instinto que era más valioso que todos los informes y tablas del mundo. La intuición le decía que era demasiado pronto para celebraciones. Como viróloga, sentía un gran respeto por la velocidad con la que un virus podía adaptarse al cambio. Como epidemióloga, sabía por propia experiencia que un brote podía descontrolarse en tan solo unos días. Pero quizá únicamente era una cuestión de timidez. Había repasado las estadísticas que Huang le había dado y la epidemia parecía estar en proceso de ser controlada.

La doctora Lee se aclaró la garganta y miró a los presentes. Algunas de las personas que esperaban sus palabras eran conscientes de su exilio y también posibles responsables del mismo, pero se tragó el resentimiento.

—Para citar al escritor norteamericano Mark Twain, los rumores de mi desaparición profesional han sido muy exagerados —dijo con un rostro impávido.

Dejó que la envolviesen las risas.

—Debo admitir que vengo aquí con humildad —continuó—. Desde que establecí mi consultorio rural, se han dado grandes pasos en el mundo de la epidemiología. Estoy impresionada por la manera como las naciones se han unido para luchar contra este nuevo brote. Me siento orgullosa de que mi país esté liderando el esfuerzo.

Sonrió ante los aplausos. Estaba aprendiendo las reglas del juego. Aquellos que esperaban furibundas denuncias de la política anterior se llevarían una desilusión.

—Al mismo tiempo, debo alzar la voz contra la complacencia. Toda epidemia contiene las semillas de una pandemia. Hemos sufrido pandemias en el pasado, y los seres humanos siempre han salido adelante.

Habló de las pandemias ocurridas a lo largo de la historia; la primera durante la guerra del Peloponeso en el año 430 a. C. y que se cebó en Atenas. La llamada Peste Antonina, posiblemente viruela, que en el momento más activo, entre los años 251 y 266 mató, según algunas fuentes, a cinco mil personas por día en Roma. La Peste de Justiniano o de Constantinopla, que se desencadenó en el año 541, mató a diez mil personas por día en el período más virulento. Unos veinticinco millones habían muerto en Europa a consecuencia de la peste bubónica, durante el siglo XIV, y entre cuarenta y cincuenta millones en todo el mundo debido a la gran epidemia de gripe en 1918. Repitió el aviso contra la complacencia y también su satisfacción ante la respuesta multinacional a la actual epidemia.

La doctora Lee se sorprendió ante los aplausos que recibió la presentación. La bienvenida por parte de la comunidad médica después de años de exilio era inesperada, y se sintió abrumada por la emoción. Dejó el estrado, pero en lugar de volver a su asiento fue hacia la salida. Tenía los ojos arrasados en lágrimas y necesitaba un momento para rehacerse. Caminó por el pasillo sin saber muy bien adónde iba.

Alguien la llamó por su nombre. Era el doctor Huang, que se apresuraba para alcanzarla.

—Ha sido una gran presentación —afirmó él, con la voz entrecortada por los jadeos provocados por la carrera.

—Gracias, doctor Huang. Volveré al auditorio en unos minutos. Como puede imaginarse, ha sido toda una experiencia emocional. Pero también ha sido tranquilizador escuchar que una pandemia es poco probable.

—Todo lo contrario, doctora Lee, la pandemia es una certeza y matará a millones antes de que se acaben las víctimas.

Song Lee miró la puerta del auditorio.

—No es lo que se ha dicho en la sala. Todos parecen muy optimistas y convencidos de que esta pandemia puede ser contenida.

—La razón es que los oradores no conocen todos los hechos.

—¿Cuáles son los hechos, doctor Huang? ¿Por qué esta epidemia de SARS es diferente a la última?

—Hay algo que debo confesarle... Todo lo que se dice de la neumonía atípica... bueno, es un engaño.

Lee miró a Huang fuera de sí.

—¿De qué habla?

—La epidemia que nos preocupa la causa otro patógeno, una variación del virus de la gripe.

—¿Por qué no me lo dijo? ¿Por qué ha permitido que hablase de la neumonía atípica?

—Me dolió hacerlo, pero la presentación tenía el objetivo de ser una cortina de humo destinada a ocultar el hecho de que el patógeno al que nos enfrentamos es mucho más peligroso que el del SARS.

—Los expertos que hablan en el auditorio quizá no estén de acuerdo...

—Lo hacen porque les hemos estado suministrando información falsa. Cuando pidieron muestras de la cepa para sus investigaciones, les dimos el viejo virus de la neumonía atípica. Estamos intentando evitar el pánico.

La doctora notó que se le secaba la boca.

—¿Qué es este nuevo patógeno?

—Es una forma mutante de la vieja cepa de la gripe. Se propaga muy rápido, y el índice de mortalidad es mucho más elevado. La muerte ocurre mucho más rápido y más a menudo. Muestra una capacidad de adaptación que raya en lo increíble.

La doctora Lee lo miró con escepticismo.

—¿Es que este país no ha aprendido la lección sobre el secreto?

—Lo hemos aprendido muy bien —afirmó el doctor Huang—. China está trabajando con Estados Unidos. Nosotros y los norteamericanos hemos acordado mantener en secreto de momento la existencia de este nuevo patógeno.

—Vimos antes que la demora en la entrega de información costó muchas vidas —le recordó Lee.

—También vimos qué comportó la imposición de cuarentenas —dijo Huang—. Los hospitales colmados, los viajes y el comercio interrumpidos, las agresiones a los habitantes de los barrios chinos de todo el mundo. No podemos decir la verdad ahora. No hay manera de detener este patógeno hasta que hayamos desarrollado la vacuna.

—¿Está seguro?

—No se conforme con mi palabra. Los norteamericanos tienen ordenadores mucho más sofisticados. Han creado modelos donde se sugiere que podemos contener por un tiempo las zonas donde ha aparecido, pero acabará por extenderse y tendremos una pandemia a nivel mundial.

—¿Por qué no me lo dijo en la provincia? —preguntó Lee.

—Tenía miedo de que, como la había traicionado antes, no me creyese —respondió Huang.

—¿Por qué he de creerle ahora?

—Porque le estoy diciendo la verdad... lo juro.

La doctora Lee se sentía desconcertada y furiosa, pero no dudaba de que el doctor Huang era sincero.

—Mencionó una vacuna —dijo.

—Hay varios laboratorios que trabajan en el desarrollo de la vacuna. El medicamento más prometedor es uno que investigan en Estados Unidos, en el laboratorio Bonefish Key en Florida. Creen que una sustancia derivada de la biomedicina oceánica producirá una vacuna que acabará con el patógeno.

—¿Me está diciendo que solo un laboratorio tiene un preventivo viable? —Lee casi rió ante lo absurdo que resultaba pese a la gravedad de la situación.

Se abrieron las puertas del auditorio y los expertos comenzaron a salir al pasillo. Huang bajó la voz.

—Todavía está en la fase de desarrollo —dijo—, pero, sí, tenemos grandes esperanzas. El proceso podría incluso ir más rápido si usted estuviese allí como representante de la República Popular.

—¿El gobierno quiere que vaya a Bonefish Key? —preguntó Lee—. Al parecer he sido «rehabilitada». Estoy dispuesta a hacer todo lo que pueda. Pero se lo están jugando todo a una única vacuna. ¿Qué pasará si no funciona?

Una mirada de desesperación apareció en los ojos de Huang, y su voz se redujo a un susurro.

—Entonces solo la intervención divina podrá ayudarnos.

3

La epidemia de gripe de 1918 apareció de pronto, y se abatió sobre el mundo que intentaba rehacerse después de la devastadora guerra que lo había destrozado. La epidemia se inició en España, donde mató a ocho millones de personas, y por esa razón fue bautizada como la gripe española, aunque afectó a muchas otras naciones, incluido Estados Unidos. En cuestión de meses se había propagado por todo el mundo. No había ninguna cura conocida. Las víctimas enfermaban por la mañana, mostraban un sarpullido color caoba en cuestión de horas y morían antes del anochecer. Fallecieron millones; mil millones resultaron infectados. Antes de que acabase en 1919, la gripe había matado a más personas que los cinco años de la Primera Guerra Mundial. Había sido peor que la Peste Negra.

Las terribles estadísticas pasaron por la mente de la doctora Song Lee mientras recorría el último tramo antes de poner pie en Bonefish Key. Había volado a Fort Myers y una limusina la había trasladado hasta el puerto de Pine Island, donde había sido recibida por un pintoresco personaje llamado Dooley Greene. Él la había llevado en su embarcación a través de los manglares hasta la isla. Un hombre la esperaba en el muelle.

—Hola, doctora Lee —saludó el hombre y le tendió la mano—. Me llamo Max Kane. Bienvenida a Isla Fantasía. Soy el director de este pequeño trozo de paraíso.

Con una desteñida camisa hawaiana y un pantalón corto

que era poco más que un harapo, Kane se parecía más a un vagabundo de playa que al respetado microbiólogo marino cuyo impresionante currículo había leído Lee. Un científico chino de su relevancia jamás se habría dejado sorprender sin su bata blanca de laboratorio.

—Es un placer conocerlo, doctor Kane —manifestó Lee, mientras echaba una ojeada a las ondulantes palmeras y al edificio encalado que se alzaba en la cumbre de una colina a unos centenares de metros del muelle—. Nunca había visto un laboratorio de investigación en un escenario tan pintoresco.

Kane le dirigió una sonrisa sesgada.

—Pues no es ni la mitad de pintoresco que los actuales habitantes de la isla. —Recogió la maleta y se dirigió tierra adentro—. Venga, le mostraré su alojamiento.

Subieron una escalera cortada en la ladera y siguieron por un sendero pavimentado con conchas hasta una hilera de cabañas pintadas de color rosa flamenco con adornos blancos. Kane abrió la puerta de una y la invitó a entrar. La habitación era acogedora, si bien el mobiliario era mínimo: una cama, una silla, una cómoda y una mesa.

—No es el Ritz, pero tiene todo lo que necesita —comentó Kane.

Lee pensó en la choza de una sola habitación en la aldea.

—Estoy segura de que aquí estaré muy cómoda.

Kane dejó la maleta en la cama.

—Me alegra saberlo, doctora Lee. ¿Qué tal el viaje?

—¡Largo! —contestó ella, y recalcó la respuesta con un exagerado suspiro—. Pero es muy agradable estar de nuevo en Estados Unidos.

—Tengo entendido que hizo el doctorado en Harvard —dijo Kane—. Le agradecemos mucho que haya vuelto a este país para ayudarnos.

—¿Cómo podría no venir, doctor Kane? El mundo ha tenido suerte hasta ahora. A pesar de todos nuestros avances médicos, nunca hemos desarrollado una vacuna para la gripe de 1918. Nos enfrentamos a una cepa mutante de aquel virus. Es muy complicado. El resultado dependerá de nuestro trabajo aquí. ¿Cuándo podré empezar?

Max Kane sonrió ante las ansias de Song Lee.

—Primero le buscaré alguna bebida fresca y luego la llevaré a dar una vuelta, si se siente con ánimos.

—Quizá me duerma de pie a causa del desfase horario, pero ahora mismo estoy bien.

Caminaron hasta el patio delantero del edificio que tenía el aspecto de una mansión campestre. Mientras Song descansaba en una tumbona, Kane entró en la casa y volvió con dos vasos de zumo de naranja y mango. Lee bebió un sorbo de la deliciosa bebida y dejó que su mirada vagase a lo largo de la costa. Había esperado que el epicentro de una investigación secreta con implicaciones mundiales estuviese rodeado de verjas y guardias, y no pudo contener su sorpresa al ver que no era así.

—Resulta difícil imaginar que aquí se encuentre un laboratorio donde se está haciendo un trabajo vital —comentó—. Es tan tranquilo...

—Habríamos despertado la curiosidad pública de haber colocado vallas de alambre de espino y torres de vigilancia. Hemos hecho muchos esfuerzos para transmitir la imagen de un tranquilo centro de investigación. Decidimos que ocultarlo a plena vista era la mejor estrategia. Nuestra página web informa de que es un laboratorio privado y sugiere que nuestro trabajo es tan poco interesante para la mayoría que no vale la pena el viaje para hacer una visita. Hay carteles de PROPIEDAD PRIVADA por toda la isla. Recibimos unas pocas peticiones para visitar el centro y siempre las rechazamos con alguna excusa.

—¿Dónde están los edificios del laboratorio?

—Somos un poco más precavidos cuando se trata de las instalaciones científicas. Hay tres laboratorios tierra adentro. Están muy bien camuflados. En Google Earth solo se ven árboles.

—¿Qué me dice de la seguridad? No he visto a ningún guardia.

—Oh, sí que los hay —respondió Kane con una sonrisa tensa—. El personal de cocina y mantenimiento está formado por agentes de seguridad. Hay un centro de vigilancia electrónica que controla a cualquiera que se acerque demasiado a la isla durante las veinticuatro horas del día, siete días a la semana. Tienen cámaras instaladas por todo el lugar.

—¿Qué me dice del hombre de la lancha, el señor Green? ¿También forma parte del engaño?

—Dooley nos da una muy buena tapadera —respondió Kane con una sonrisa—. Trabajaba en el viejo hotel antes de que los daños provocados por el huracán *Charlie* llevasen a la empresa propietaria a la bancarrota. Trajimos los equipos y al personal hasta aquí en nuestras propias embarcaciones cuando comenzamos a montarlo, pero necesitábamos que alguien se ocupase de traer las provisiones y de servir de taxi entre la isla y tierra firme. Dooley nunca ha pasado más allá del muelle. Tiene fama de charlatán, y si comenta alguna cosa que haya visto a sus amigos, creerán que es una mentira.

—Mostró curiosidad por saber quién era. Intenté no responderle lo mejor que pude.

—Estoy seguro de que todos en Pine Island no tardarán mucho en enterarse de su presencia, pero dudo que a alguien le importe.

—Eso espero. Debo confesar que me siento muy nerviosa ante la enormidad de la tarea a la que nos enfrentamos y las consecuencias de un fracaso.

Kane pensó en la respuesta y luego dijo:

—Soy optimista a la vista de lo que hemos hecho hasta ahora; no fracasaremos.

—No pretendo ser irrespetuosa, pero me sentiría más tranquila si supiese la base científica de su optimismo.

—El escepticismo es la sangre de la investigación científica —manifestó Kane, con los brazos abiertos—. Lo haré lo mejor que pueda. Nuestro trabajo es complejo pero no complicado. Sabemos qué debemos hacer. Lo difícil es hacerlo. Como sabe, nunca nada es cierto cuando se trata de los virus.

Song Lee asintió.

—Con la excepción de la raza humana —señaló—, no creo que haya otra cosa más fascinante en el planeta. ¿Cuál ha sido su estrategia?

—¿Está dispuesta a dar un paseo? Pienso mejor mientras camino.

Siguieron por uno de los senderos que entrecruzaban la isla, un vestigio de los caminos abiertos para los clientes del viejo hotel.

—Tengo entendido que trabajó para Harbor Branch —dijo Lee. Harbor Branch era un laboratorio marino en la costa este de Florida.

—Estuve en Harbor Branch durante varios años. El campo de la biomedicina oceánica estaba en pañales, pero fueron de los primeros en darse cuenta del enorme potencial de los organismos marinos para obtener nuevo fármacos. Vieron que las criaturas oceánicas debían desarrollar mecanismos naturales muy ingeniosos para enfrentarse a un medioambiente extremo.

—¿Cómo acabó en Bonefish Key?

—Harbor Branch estaba investigando en una serie de compuestos marinos, pero yo quería concentrarme de forma exclusiva en los agentes antivirales, así que me marché, y con el dinero de una fundación, establecí un nuevo laboratorio. Bonefish Key salió a subasta después del huracán Charlie. La fundación compró la isla y reparó los edificios que habían quedado en pie.

—Al parecer ha tenido éxito —manifestó Lee.

—Nos iba bastante bien en el campo científico —explicó Kane—, pero el año pasado se acabó la financiación del laboratorio. Los herederos de nuestro principal benefactor impugnaron la legalidad de la fundación en los tribunales y ganaron el pleito. Conseguí mantener esto en marcha, aunque habría sido solo cuestión de tiempo vernos obligados a cerrar. Lamento decirlo, pero el brote en China nos ha salvado el pellejo.

—No es necesario disculparse —dijo ella—. Los chinos inventamos el yin y el yang. Las fuerzas opuestas pueden crear un equilibrio favorable. ¿Cómo se convirtió Bonefish Key en el centro de investigación de esta nueva epidemia? Solo conozco algunas partes de la historia.

—Fue cosa del azar —respondió Kane—. Soy el presidente de una junta que asesora al gobierno federal sobre los descubrimientos científicos que tienen implicaciones en la defensa o en la política nacional. Como parte de mi cometido, comunico los avances en la investigación antiviral al Centro para el Control y la Prevención de Enfermedades. Cuando descubrieron la nueva cepa en China, nos llamaron para encontrar la manera de luchar contra ella. Los fondos gubernamentales nos han permitido avanzar deprisa en las investigaciones.

—Dijo que es optimista en cuanto a los progresos —manifestó Lee.

—Con mis reservas. Como viróloga, conoce los obstáculos a la hora de desarrollar un agente antiviral.

Lee asintió.

—No deja de asombrarme la complejidad de los mecanismos que se hallan en lo que no es más que una porción microscópica de ácido nucleico envuelto en proteína.

Ahora fue Kane quien asintió.

—Siempre he creído que la falta de registros fósiles de los virus era una prueba circunstancial de que son una forma de vida alienígena procedente de otro planeta.

—Usted no es el único que ha planteado la teoría de una invasión alienígena, pero debemos luchar contra ellos con las herramientas que tenemos disponibles en la Tierra. —Lee sonrió—. O, en su caso, con lo que encuentra en el mar. ¿En qué puedo ayudar durante mi estancia?

—Nos estamos centrando en un único antiviral. Podemos

utilizar su experiencia como viróloga mientras sometemos el antiviral a las pruebas. Al mismo tiempo, me gustaría que desarrollase un plan epidemiológico para utilizar la vacuna de la mejor manera una vez que la hayamos sintetizado.

—¿Cuánto falta para que lleguen a la síntesis? —preguntó ella.

—Desearía que estuviésemos más cerca, pero casi lo hemos conseguido —respondió Kane.

Kane giró por un sendero muy trillado que salía del camino principal. Alrededor de unos treinta metros más adelante, el sendero acababa en un edificio de ladrillos de ceniza. Había un hombre ante de la puerta de acero reforzado. Vestía pantalón corto marrón y camiseta azul, y habría podido pasar por un empleado de mantenimiento, de no haber sido porque, en lugar de herramientas, de su ancho cinto de cuero colgaba una pistolera. No pareció sorprendido al verlos. Song Lee recordó que Max Kane le había dicho que había cámaras instaladas por toda la isla.

El guardia abrió la puerta y se apartó para permitir el paso de los visitantes. El interior era fresco y oscuro excepto por la luz que provenía de docenas de peceras ocupadas por diversos seres marinos. Se oía el suave zumbido de las bombas de circulación de agua.

Mientras pasaban junto a las peceras, Kane explicó:

—Hemos estado realizando investigaciones con todos estos organismos, pero las hemos dejado en segundo plano después de recibir la llamada del Centro de Control y Prevención de Enfermedades.

Llevó a Lee hasta una puerta lateral y tecleó varios números en la cerradura electrónica. La puerta daba acceso a una habitación más pequeña donde no había otra iluminación que la fría luz azul proveniente de una pecera con forma de tubo. El resplandor emanaba de unos seres circulares ondulantes que subían y bajaban en una danza muy lenta dentro del recipiente.

Song Lee se sintió cautivada por las figuras fantasmales.

—Son preciosas —dijo.

—Le presento a la medusa azul, doctora Lee. Todos nuestros esfuerzos se han concentrado en esta adorable criatura. Su veneno es uno de los compuestos químicos más complejos con los que me he encontrado.

—¿Me está diciendo que la medusa es la fuente del compuesto que intenta sintetizar?

—Así es. Una mínima cantidad del veneno de esta medusa es mortal para los humanos, pero el destino de millones de personas podría estar en esta criatura. Le daré más información después de que haya descansado.

La mente científica de la doctora Lee quería conocer todos los detalles.

—No necesito descansar —insistió—. Quiero comenzar ahora.

La delicada apariencia de Song Lee ocultaba las espinas que habían surgido al tratar con los despiadados burócratas chinos. A pesar de la seriedad de la conversación, Kane no pudo evitar una sonrisa.

—Le presentaré al personal.

Kane guió a Lee a través de los laboratorios y le presentó a los otros destacados científicos que trabajaban en el proyecto de la medusa azul. Se sintió muy impresionada por Lois Mitchell, la segunda de Kane y directora del proyecto. Pero el desfase horario acabó por hacer sentir sus efectos, y Lee disfrutó de un largo y reparador sueño en su cómoda cabaña. Cuando despertó al día siguiente, se aplicó al trabajo sin más demoras.

En los días que siguieron, la doctora Lee se levantaba temprano y trabajaba hasta tarde. Su salida diaria con el kayak por los manglares era el único tiempo de ocio en su dura jornada. Entonces, un día, a ella y al resto del equipo científico se les pidió que asistieran a una reunión en el comedor. Entre grandes aplausos, el doctor Kane anunció que el compuesto que buscaban había sido identificado. Él y un selecto equipo de voluntarios se aislarían para perfilar la síntesis en un nuevo laboratorio. No podía decir dónde estaba ubicado, solo que se encontraba cerca de los recursos. Lee aceptó permanecer en Bonefish Key con un pequeño equipo para acabar el análisis epidemiológico y preparar el plan para la distribución de la vacuna y la campaña de inmunización.

La cuarentena aún cumplía su función, pero Lee era consciente de que el virus acabaría por saltarse las barreras sanitarias. Mientras analizaba los focos de la epidemia, no olvidaba lo sucedido en China con la neumonía atípica. Todos los casos sospechosos o probables habían sido colocados en salas esterilizadas, aislados del mundo exterior por dos puertas estancas, y cada bocanada de aire que espiraban se filtraba. Pero la enfermedad había conseguido propagarse, en una clara demostración de lo difícil que era aislar al virus.

En las semanas siguientes a la marcha de los principales científicos, llegaron informes a Bonefish Key desde el laboratorio secreto. La noticia más importante era que habían sintetizado la toxina, el preludio para desarrollar una vacuna.

Animada por el éxito, Lee se había apresurado a desarrollar un plan para la administración de la vacuna y contener la enfermedad antes de que se convirtiese en una pandemia.

El doctor Huang había pedido a la doctora Lee que lo mantuviese al corriente de los progresos. El único lugar en la isla donde había cobertura para el móvil era en lo alto de la vieja torre de agua. Cada día después del trabajo, Lee subía a la torre y hacía un resumen de los progresos del proyecto a su viejo amigo y mentor.

Era imposible que ella supiera que cada una de sus palabras era retransmitida a oídos enemigos.

4

Islas Bermudas, tres meses más tarde

El taxista miró con desconfianza al hombre de la acera, delante de la terminal de llegadas del aeropuerto L. F. Wade en las Bermudas. El probable pasajero llevaba una barba rubia descuidada, y el pelo recogido en una corta coleta sujeta con una goma. Vestía unos vaqueros viejos, zapatillas de baloncesto rojas, gafas de sol modelo Elton John con montura de plástico blanca y una astrosa americana de lino marrón sobre una camiseta con la imagen de Jerry Garcia de los Grateful Dead.

—Por favor, lléveme al puerto —dijo Max Kane. Abrió la puerta, arrojó el macuto en el asiento de atrás y se sentó. El taxista puso el vehículo en marcha. Un viaje era un viaje.

Kane se reclinó en el asiento y cerró los ojos. Tenía la sensación de que le iba a estallar el cerebro. Su impaciencia había aumentado con cada kilómetro de viaje a lo largo de las últimas veinticuatro horas. El largo vuelo desde el océano Pacífico hasta Estados Unidos y el viaje de dos horas desde Nueva York no eran nada comparado con los minutos que tardó el taxi en llegar al muelle.

Kane indicó al conductor que se detuviese cerca de la escalerilla de un barco color turquesa. El color y las letras NUMA pintadas debajo del nombre de la nave, *William Beebe,* lo identificaban como perteneciente a la National Underwater and

Marine Agency, la organización dedicada al estudio de los océanos más grande del mundo.

Se apeó del taxi y dio unos cuantos billetes arrugados al conductor, luego se echó el macuto al hombro y subió la escalerilla con paso ágil. Una joven agraciada vestida con el uniforme de oficial saludó a Kane con una cálida sonrisa.

—Buenas tardes —dijo—. Me llamo Marla Hayes. Soy la tercera oficial. ¿Me puede decir su nombre, por favor?

—Max Kane.

Hayer consultó la lista e hizo una señal junto al nombre de Kane.

—Bienvenido al *Beebe,* doctor Kane. Le acompañaré hasta su camarote y haremos un recorrido por el barco.

—Si no le importa, vengo desde muy lejos y estoy ansioso por ver la B3.

—Como usted quiera.

Marla llevó a Kane hacia la popa. El barco de investigación y exploración de ochenta metros de eslora era el equivalente marino de un levantador de pesas profesional. Con su grúa puente y la ancha cubierta, la popa era el lugar de trabajo de la nave. Había grúas y pescantes que los científicos utilizaban para arriar al agua vehículos sumergibles y aparatos que investigaban las profundidades. La mirada de Kane se fijó en una gran esfera color mandarina colocada sobre un soporte de acero debajo de una grúa. Tres ojos de buey que parecían cañones sobresalían de la superficie de la esfera.

—Allí la tiene —dijo Marla—. Volveré dentro de unos minutos para ver si necesita alguna cosa más.

Kane le dio las gracias y se acercó con cautela a la esfera como si esperase que el extraño objeto fuese a saltar sobre las cuatro patas sujetas a la parte inferior. Caminó hasta el otro lado del artefacto y vio a un hombre vestido con una camisa hawaiana y pantalón corto delante de una abertura circular con un diámetro de poco más de treinta centímetros. La cabeza del hombre se encontraba dentro de la esfera, y su hombro derecho estaba inclinado a través de la escotilla como si estuviese siendo devorado por un monstruo de ojos saltones. La retahíla de maldiciones que llegaban desde el interior del artefacto sonaban como si procediesen de una cueva de piratas.

Kane dejó el macuto en el suelo y preguntó:

—¿Demasiado estrecha?

El hombre se golpeó la cabeza cuando se apartó de la escotilla, lo que motivó otras cuantas maldiciones, y se apartó de los ojos, de un azul coralino, un mechón de pelo color gris acero. Tenía los hombros muy anchos, una estatura que superaba el metro ochenta, y debía de pesar unos cien kilos. Sonrió y quedaron a la vista unos dientes blancos perfectos que brillaban en unas facciones que habían sido bronceadas por años en el mar.

—Muy estrecha. Necesitaría un calzador y un bote de grasa para meterme en este anticuado artilugio recuperado de un desguace —comentó.

Un rostro moreno asomó por la escotilla.

—Déjalo, Kurt. Tendrían que bañarte en aceite y meterte a martillazos.

El hombre de hombros anchos torció el gesto ante la desagradable imagen. Tendió la mano a Kane.

—Soy Kurt Austin, director del proyecto de la expedición de la Batisfera 3.

El hombre del interior de la esfera salió con los pies por delante y se presentó.

—Joe Zavala. Soy el ingeniero del proyecto B3.

—Es un placer conocerlos. Me llamo Max Kane. —Señaló la esfera con el pulgar—. Me han invitado a sumergirme novecientos metros en el océano en este anticuado artilugio rescatado de un desguace.

Austin dirigió una mirada divertida a Zavala.

—Encantado de conocerle, doctor Kane. Lamento haber puesto en duda su cordura.

—No será la primera vez que alguien me acuse de tal cosa. Te acostumbras cuando te dedicas a la investigación pura. —Kane se quitó las gafas de sol y dejó a la vista unos ojos azules que recordaban los de Santa Claus—. Por favor, llámenme Doc.

Austin señaló la esfera naranja.

—No haga caso de mi anterior comentario, Doc. Estoy pasando por un ataque grave de malhumor. Me sumergiría ahora mismo si la batisfera fuese un poco más grande. Joe es el mejor ingeniero marítimo que hay en el ramo. Ha construido una campana de inmersión tan segura como cualquier sumergible de la NUMA.

—Utilicé una tecnología que no estaba disponible en los años treinta, pero por lo demás es el diseño original de Beebe-Barton que obtuvo el récord al sumergirse novecientos ocho metros en 1934 —comentó Zavala con la mirada puesta en la esfera—. La batisfera era hermosa en su simplicidad.

—Ahora el diseño nos parece obvio —señaló Kane—. En los inicios, William Beebe creyó que una campana cilíndrica podría funcionar. Conversaba con su amigo Teddy Roosevelt años antes de realizar la inmersión y plasmó su idea en una servilleta. Roosevelt no estuvo de acuerdo y en cambio dibujó un círculo, que representaba su preferencia por la campana esférica. Más tarde, cuando Beebe vio el diseño de Otis Barton basado en la esfera, comprendió que era la única manera para soportar la presión a grandes profundidades.

Zavala ya conocía esa historia y cogió el hilo del relato.

—Beebe intuyó que los extremos planos del cilindro se hundirían —manifestó—, pero la esfera distribuiría la presión de forma equivalente en toda la superficie. —Se puso en cuclillas junto a la batisfera y pasó la mano por los gruesos patines que remataban las patas—. He añadido globos de flotación en los patines para un caso de emergencia. Hay que pensar en salvar el pellejo, Doc. Yo haré la inmersión con usted.

Kane se frotó las manos como un hombre hambriento dispuesto a disfrutar de un jugoso filete.

—Es un sueño hecho realidad —comentó—. Tiré de todos los hilos posibles para que me pusiesen en la lista de inmersión. William Beebe es el responsable de mi carrera como microbiólogo marino. Cuando era niño, leí sus relatos de los peces resplandecientes que encontró en las profundidades. Quería compartir las aventuras de Beebe.

—Mi mayor aventura ha sido pretender pasar por esa escotilla —señaló Austin—. A ver, pruébelo usted, Doc.

Kane, que medía poco menos de un metro setenta, colgó la americana en una de las patas, metió la cabeza en la escotilla y se coló en el interior, doblando el cuerpo con la habilidad de un contorsionista. Asomó la cabeza por la abertura.

—Aquí dentro hay más espacio de lo que parece desde fuera —comentó.

—La batisfera original tenía un diámetro de un metro cuarenta y cuatro, y las paredes de acero eran de un grosor de treinta y dos milímetros —dijo Zavala—. Los submarinistas compartían el espacio con los tanques de oxígeno, las cubetas de filtrado, un foco y los cables de teléfono. Hemos hecho algunas trampas. Los ojos de buey son de polímero en lugar de cuarzo fundido. El cable es de Kevlar en lugar de acero, y el cable de comunicaciones de cobre lo hemos sustituido por uno de fibra óptica. Hemos miniaturizado los instrumentos más grandes. Habría preferido una esfera de titanio, pero el coste se disparaba.

Kane salió de la esfera sin problemas y la contempló con algo cercano a la reverencia.

—Ha hecho un trabajo extraordinario, Joe. Beebe y Barton eran conscientes de que arriesgaban la vida, pero su entusiasmo juvenil superó los miedos.

—Me han comentado que estaba en el Pacífico. Quizá después de un viaje tan largo se ha perdido el entusiasmo —dijo Austin.

—Sí. Un contrato de trabajo para el Tío Sam. Algo de rutina. Estamos a punto de acabarlo, cosa que agradezco, porque de ninguna manera me habría perdido esta oportunidad.

La tercera oficial cruzaba la cubierta hacia la batisfera acompañada por dos hombres y una mujer que llevaban cámaras de vídeo, focos y equipos de sonido.

—Es el equipo de filmación de la NUMA —dijo Austin a Kane—. Querrán hacer una entrevista a los intrépidos buceadores.

Una mirada de horror apareció en el rostro de Max Kane.

—Debo de tener un aspecto horrible. Además de oler a rayos. ¿Pueden esperar hasta que me duche y me afeite las cerdas de la barbilla?

—Joe se encargará de ellos mientras usted se arregla. Lo veré en el puente cuando acabe con la entrevista —dijo Austin—. Repasaremos el plan de mañana.

Mientras se dirigía al puente, Austin pensó en cómo los libros de Beebe habían animado su propia imaginación cuando era un chiquillo en Seattle. Recordaba un relato en particular. Beebe describía cómo había estado en el borde de una sima submarina en el límite de su reserva de aire, y miraba con anhelo la profundidad más allá de su alcance. La escena cristalizaba la propia tendencia de Austin a superar sus límites.

Nacido y criado en Seattle, Austin había seguido sus sueños de la infancia. Había estudiado gestión de sistemas en la Universidad de Washington. También había asistido a los cursos de una prestigiosa escuela de submarinismo, especializada en salvamentos. Había trabajado unos años en las plataformas petrolíferas del mar del Norte y después una temporada con la compañía de salvamentos marinos de su padre, pero su espíritu aventurero necesitaba rienda suelta. Había entrado a formar parte de una unidad de vigilancia submarina clandestina, perteneciente a la CIA, y había sido su jefe hasta que se disolvió al final de la Guerra Fría. Su padre había confiado en que regresaría a la empresa, pero Austin se había ido a la NUMA para dirigir un equipo integrado por Zavala, Paul y Gamay Trout. El almirante Sandecker había visto la necesidad de crear un equipo de misiones especiales para investigar los acontecimientos fuera de lo normal sobre y debajo de los océanos del mundo.

Después de realizar la última misión encomendada al equipo, la búsqueda de una estatuilla fenicia conocida como *El Navegante*, Austin se había enterado de que la National Geographic Society y la New York Zoological Society patrocinaban un docudrama sobre la histórica inmersión de Beebe con el batiscafo en 1934. Unos actores interpretarían a Beebe y a Barton. En el rodaje utilizarían una maqueta de la batisfera, y gran parte de la acción sería simulada.

Austin convenció a los jefes de la NUMA de que permitiesen a Zavala diseñar una batisfera con las últimas tecnologías. La campana sería arriada al agua desde el barco, *William Beebe*, como parte de la promoción del docudrama. Como todas las agencias gubernamentales, la NUMA tenía que luchar para conseguir su parte de financiación federal, y la publicidad favorable siempre ayudaba.

Dirk Pitt había sucedido a Sandecker como director de la NUMA después de que el almirante se convirtiese en vicepresidente de Estados Unidos, y Pitt también se había interesado por la publicidad favorable hacia el trabajo de la agencia. La batisfera sería reciclada después de la expedición como núcleo de un nuevo submarino de grandes profundidades. La campana de inmersión había sido designada como B3 porque era el tercer casco presurizado que utilizaba el diseño Beebe-Barton.

Escoltados por un cámara y por un técnico de sonido, Zavala y Kane subieron al puente después de la entrevista delante de la batisfera. Austin presentó a Kane al capitán Mike Gannon, un veterano de la NUMA, que extendió una carta náutica sobre la mesa y señaló la isla Nonsuch en el extremo nordeste del archipiélago.

—Fondearemos lo más cerca posible de la posición original de Beebe —explicó el capitán—. Estaremos a unas ocho millas de tierra con poco más de novecientos metros de agua debajo de la quilla.

—Nos decidimos por una ubicación menos profunda que la original para poder filmar el fondo marino —dijo Austin—. ¿Cuál es el pronóstico del tiempo?

—Se espera una tormenta para esta noche, pero tendría que despejar antes del amanecer —respondió Gannon.

Austin miró a Kane.

—Nosotros hemos llevado todo el peso de la conversación, Doc. Dígame, ¿qué espera conseguir de esta expedición?

Kane dedicó a la pregunta un momento de reflexión.

—Milagros —contestó con una sonrisa misteriosa.

—¿Qué quiere decir?

—Cuando Beebe informó de que había recogido peces fosforescentes en las redes de arrastre, sus colegas científicos no le creyeron. Beebe confiaba en que la batisfera reivindicaría su investigación. La comparó con un paleontólogo capaz de borrar el tiempo y ver sus fósiles con vida. Como Beebe, mi esperanza es destacar los milagros que se encuentran debajo de la superficie oceánica.

—¿Milagros biomédicos? —preguntó Austin.

La expresión soñadora de Kane desapareció, y pareció contenerse.

—¿Qué quiere decir con biomédicos? —La voz de Kane mostró una inesperada dureza. Miró a la cámara de vídeo.

—Busqué Bonefish Key en Google. Su página web menciona un sustituto de la morfina que su laboratorio desarrolló a partir del veneno de un caracol. Me preguntaba si habría encontrado algo parecido en el océano Pacífico.

Kane sonrió.

—Solo hablaba metafóricamente como un microbiólogo oceánico.

Austin asintió.

—Hablemos de milagros y metáforas mientras cenamos, Doc.

Kane bostezo.

—Estoy a punto de dormirme de pie —dijo—. Lamento

ser una molestia, capitán, pero me pregunto si podrían servirme un bocadillo en el camarote. Será mejor que duerma un poco para estar fresco para la inmersión de mañana.

Austin dijo que vería a Kane a primera hora. Observó a Kane con expresión pensativa cuando el científico dejó el puente, y se preguntó la razón de la respuesta tan dura a una pregunta normal. Luego reanudó su conversación con el capitán.

A la mañana siguiente el barco de la NUMA siguió el rumbo que había tomado la expedición de Beebe, para dirigirse al mar a través de Castle Roads, entre los altos acantilados y los viejos fuertes, y entraron en aguas abiertas en cuanto dejaron atrás Gurnet Rock.

La tormenta había pasado y el único rastro era una fuerte marejada. El barco continuó su travesía durante otra hora antes de echar el ancla.

La campana de inmersión había sido sometida a docenas de ensayos, pero Zavala quería efectuar un descenso no tripulado antes del principal. Una grúa levantó la batisfera cerrada y la hundió en el agua hasta la marca de los dieciséis metros. Pasados quince minutos, subieron la B3 a la cubierta y Zavala inspeccionó el interior.

—Más seco que un arenque —afirmó Zavala.

—¿Preparado para el baño, Doc? —preguntó Austin.

—Llevo preparado casi cuarenta años —respondió Kane.

Zavala tiró al interior dos colchones inflables y un par de mantas.

—Beebe y Barton se sentaron en el frío acero —dijo—. He decidido que es necesario un mínimo de comodidad.

Kane, por su parte, sacó dos gorros de una bolsa y dio uno a Zavala.

—Barton se negó a sumergirse a menos que llevase su gorro de la suerte.

Zavala se encasquetó el gorro. Luego entró por la escotilla

de la batisfera con cuidado de no engancharse la cazadora y los pantalones acolchados en los pernos de acero que la rodeaban. Se acurrucó junto a un panel de control. Kane entró después y se colocó junto a uno de los ojos de buey. Zavala puso en marcha el suministro de aire y avisó a Austin:

—Cierra la escotilla, Kurt, que aquí dentro hay corriente.

—Te espero para tomar unos margaritas cuando subas. —Austin dio la orden de que sellasen la batisfera.

Una grúa levantó la tapa de la escotilla de doscientos kilos para ponerla en su lugar. La tripulación utilizó una llave de tubo eléctrica para atornillar las cuatro grandes tuercas. Kane estrechó la mano de Austin a través de una abertura de diez centímetros en el centro de la escotilla que permitía meter y sacar instrumentos sin necesidad de abrir la pesada tapa. Un mecánico colocó un tornillo en el agujero para sellarlo.

Austin cogió el micrófono conectado al sistema de comunicaciones de la batisfera y advirtió a los buceadores de que estaban a punto de levantarlos. La grúa se puso en marcha y levantó la B3 de la cubierta como si la esfera de acero de dos mil setecientos kilos y su carga humana fuese una pluma, la pasó por encima de la borda y la mantuvo suspendida a unos seis metros por encima de las olas.

Austin llamó a la batisfera por radio y recibió la autorización de Zavala para la inmersión.

A través de los ojos de buey de la B3, los submarinistas vieron los rostros de los equipos de arriamiento y de filmación, partes del barco y el cielo antes de que las ventanillas quedasen tapadas por las burbujas y la espuma verde. La B3 tocó la superficie de las aguas cristalinas y se sumergió en el mar entre dos olas.

La grúa arrió la campana de inmersión hasta que estuvo justo por debajo de la superficie.

La voz de Zavala con un sonido metálico llegó por el altavoz colocado en un trípode en la cubierta.

—Gracias por el suave amerizaje —dijo.

—El personal de esta grúa podría sumergir este donut en una taza de café —afirmó Austin.

—No menciones el café ni ningún otro líquido —pidió Zavala—. El baño está fuera de la batisfera.

—Lo siento. La próxima vez te sacaremos un pasaje en camarote de primera clase.

—Te agradezco la oferta, pero mi principal preocupación es asegurarme de que no nos mojaremos los pies. Siguiente parada...

La grúa soltó quince metros de cable, y la batisfera se detuvo para una última inspección de seguridad. Zavala y Kane examinaron la campana para ver si había filtraciones y prestaron una atención especial a los sellos aislantes alrededor de la escotilla.

Tras comprobar que el habitáculo era estanco, Zavala hizo una rápida revisión del suministro y la circulación del aire, así como de los sistemas de comunicaciones. Las luces de los testigos mostraban que todos los equipos electrónicos de la batisfera funcionaban a la perfección. Llamó a la nave de apoyo.

—Aislado a más no poder, Kurt. Todos los sistemas en marcha. ¿Preparado, Doc?

—¡Ya podemos bajar! —dijo Kane.

Los espumosos brazos del mar envolvieron la batisfera como si fuese el hijo pródigo, y con solo una pequeña nube de burbujas para marcar su descenso, la esfera y sus dos pasajeros comenzaron su viaje de novecientos metros de profundidad al reino de Neptuno.

5

Los pasajeros de la B3 estaban encerrados en una celda de acero que habría desafiado a Harry Houdini, pero sus imágenes llegaban a todo el mundo. Un par de cámaras en miniatura montadas en la pared interior transmitían las imágenes de la cabina de la batisfera a través de un cable de fibra óptica hasta la antena ubicada en el mástil del *Beebe*, donde las señales eran retransmitidas a un satélite de comunicaciones y de inmediato proyectadas en los televisores de los laboratorios y aulas de todo el globo.

A miles de millas náuticas de las Bermudas, una boya de comunicaciones roja y blanca que flotaba en una remota sección del océano Pacífico, retransmitía las imágenes a una sala en penumbra a cien metros por debajo de la superficie. Una hilera de pantallas resplandecientes instaladas en la pared de la sala semicircular mostraban las imágenes verdosas de los innumerables peces que pasaban por delante de las cámaras como confeti arrastrado por el viento.

Una docena o más de hombres y mujeres estaban reunidos delante de la única pantalla que no mostraba el fondo marino. Todas las miradas permanecían atentas a una representación del globo terráqueo en azul y negro y las letras NUMA. Mientras miraban, el globo desapareció y fue reemplazado por la imagen del abarrotado interior de la B3 y sus dos pasajeros.

—¡Hurra! —exclamó Lois Mitchell, que acompañó el grito agitando un brazo en el aire—. Doc va de camino. Y lleva su gorro de la suerte.

Los demás se sumaron al aplauso, y luego guardaron silencio cuando Max Kane comenzó a hablar con un pequeño fallo de sincronización entre sus palabras y los movimientos de los labios. Se inclinó hacia la cámara, con los ojos y las mejillas hinchados por la distorsión de la lente.

—Hola a todos. Soy el doctor Max Kane, director del Centro Marino de Bonefish Key, y les hablo desde el interior de una réplica de la batisfera Beebe-Barton.

—Nadie como Doc para colar una mención del laboratorio —comentó un hombre de pelo canoso sentado a la derecha de Lois.

—Nos encontramos en aguas de las Bermudas —continuó Kane—, donde nos disponemos a recrear la histórica inmersión a novecientos metros que realizó la batisfera Beebe-Barton en 1934. Esta es la tercera batisfera, así que hemos abreviado su nombre a B3. Al mando está Joe Zavala, piloto de sumergibles e ingeniero marino de la National Underwater and Marine Agency. Joe es el responsable del diseño de la réplica.

Zavala había instalado unos controles activados por la voz que permitían a los buceadores cambiar las tomas de las cámaras. Su rostro reemplazó al de Kane en la pantalla, y comenzó a describir las innovaciones técnicas de la B3. Lois solo escuchaba a medias, más interesada en el apuesto ingeniero de la NUMA que en su charla.

—Envidio a Doc —comentó sin desviar la mirada del rostro de Zavala.

—Yo también —afirmó el hombre de pelo canoso, un biólogo marino llamado Frank Logan—. ¡Qué gran oportunidad científica!

Lois esbozó una sonrisa como si disfrutase de una broma privada. Su deseo de estar en los estrechos confines de la batisfera con el apuesto Zavala no tenía nada que ver con la ciencia. Bueno, quizá sí con la biología.

La cámara pasó de nuevo a Kane.

—Gran trabajo, Joe —dijo Kane—. En este momento, me gustaría saludar y dar las gracias a todos quienes ayudaron a hacer posible este proyecto. La National Geographic, la New York Zoological Society, el gobierno de las Bermudas... y la NUMA, por supuesto. —Acercó su rostro a la cámara, un movimiento que lo hizo parecer un mero sonriente—. También quiero saludar a todos los ocupantes del Davy Jones's Locker.*

En la sala se oyeron gritos y aplausos.

Logan era un hombre de habla suave y por lo general muy reservado, pero se palmeó el muslo dominado por el entusiasmo.

—¡Caray! —exclamó—. Qué agradable por parte del doctor saludarnos a todos los que continuamos trabajando aquí abajo, en el Locker. Es una pena que no podamos devolverle el favor.

—Es algo que la técnica nos permite, pero no es aconsejable —señaló Lois—. En lo que concierne al resto del mundo, este laboratorio submarino no existe. Lo más probable es que solo seamos una línea en un presupuesto del congreso, disfrazados como un pedido de inodoros de quinientos dólares para la marina.

Una sonrisa apareció en el rostro de Logan.

—Lo sé, pero así y todo es una pena que no podamos felicitar a Doc. No se me ocurre nadie más que lo merezca tanto, después de todo lo que ha hecho. —Notó por la expresión en el rostro de Lois que había cometido un error y añadió—: Tú también te mereces buena parte del mérito, Lois. Después de todo, que tu trabajo esté llevando el Proyecto Medusa a su

* Nombre dado al fondo marino como sepultura de los marineros muertos en el mar. (N. del T.)

conclusión ha permitido que Max se marchara para la inmersión en la batisfera.

—Gracias, Frank. Todos hemos renunciado a nuestras vidas normales para estar aquí.

Se oyó una suave campanada en la sala, y una luz verde parpadeó sobre una de las pantallas de televisión que mostraba lo que parecía una diadema de diamantes sobre un terciopelo negro.

—Ya que hablábamos de tareas administrativas —dijo Logan con una sonrisa irónica—, tu visitante está a punto de llegar.

Lois frunció la nariz.

—Maldita sea. Quería presenciar el resto de la inmersión de Doc.

—Trae a tu invitado aquí para que pueda ver el espectáculo —propuso Logan.

—¡Ni hablar! Me librare de él lo más rápido que pueda —respondió Lois y se levantó de la silla.

Lois Mitchell medía casi un metro ochenta de estatura, y próxima a cumplir los cincuenta, pesaba unos pocos kilos más de los que habría preferido. La voluptuosa figura debajo del holgado chándal no se ajustaba a los canones de belleza contemporáneos, pero los artistas de otros tiempos habrían babeado al ver sus curvas y la piel tersa, y la manera en que sus cabellos negros le caían sobre los hombros.

Salió de la sala y bajó una escalera de caracol hasta un pasillo iluminado con focos de gran potencia. El pasillo en forma de tubo comunicaba con una pequeña habitación ocupada por dos hombres que se encontraban delante de un panel de instrumentos y de cara a una puerta doble blindada.

—Hola, Lois —saludó uno de los hombres—. La llegada será en cuarenta y cinco segundos. —Señaló una pantalla instalada en el panel.

El grupo de luces brillantes en la pantalla de la sala de control se habían convertido en un vehículo sumergible que descendía poco a poco a través del agua turbia. Se parecía a un gran helicóptero de carga al que le hubiesen quitado los rotores y era impulsado por turbinas de propulsión variable colocadas en el fuselaje. Había dos figuras en la cabina.

La habitación reverberó con los zumbidos de los motores. Un diagrama del laboratorio en el panel de control comenzó a parpadear, era la señal de que se habían abierto las compuertas de la esclusa de aire. Después de unos momentos, las luces dejaron de parpadear, para indicar que las compuertas se habían cerrado. El suelo vibró con el funcionamiento de las poderosas bombas. En cuanto acabó el vaciado del agua de la esclusa de aire, dejaron de funcionar las bombas y una luz verde se encendió sobre las compuertas. El técnico apretó un botón en el panel de control y estas se abrieron. Un olor salobre inundó la sala. El sumergible descansaba en el interior de una cámara circular con cubierta cupular. El agua de mar chorreaba del fuselaje y se desagotaba por los desagües.

Se abrió una escotilla en el costado del sumergible y salió el piloto. Los hombres a cargo del panel de control fueron a ayudarle a descargar las cajas de suministros de la bodega detrás de la cabina.

Lois se acercó para saludar al hombre que salía por la escotilla de los pasajeros. Era unos cinco centímetros más alto que ella y vestía vaqueros, zapatillas, sudadera y una gorra con el logo de la compañía que se encargaba de la seguridad del laboratorio.

Le tendió la mano.

—Bienvenido a Davy Jones's Locker. Soy la doctora Lois Mitchell, directora asistente del laboratorio durante la ausencia del doctor Kane.

—Encantado de conocerla, señora —dijo el hombre con un fuerte acento sureño—. Me llamo Phelps.

Lois había esperado encontrarse a una persona de aspecto militar, como los guardias que había visto en los viajes al barco nodriza, donde el personal del laboratorio subía a descansar, pero Phelps tenía el aspecto de haber sido montado a partir de recambios. Los brazos eran demasiado largos para el cuerpo, las manos demasiado grandes para los brazos, la cabeza demasiado grande para los hombros. Con los ojos oscuros de mirada triste y una boca grande acentuada por un gran bigote, tenía el aire de un sabueso. Llevaba el pelo, de castaño oscuro, largo y lucía unas grandes patillas.

—¿Ha tenido buen viaje, señor Phelps?

—No habría podido ser mejor, señora. Lo que más me gustó fue ver las luces en el fondo. No dejaba de pensar que podía tratarse de la Atlántida.

Lois se encogió por dentro al escuchar la exagerada comparación con la ciudad perdida.

—Me alegra escucharlo. Acompáñeme a mi despacho y veremos de qué manera podemos ayudarle.

Salieron de la esclusa de aire y fueron por otro pasillo hasta una escalera de caracol que daba acceso a una sala circular en penumbra. Los peces apoyaban las bocas en la cúpula transparente de la cubierta, y creaban la ilusión de que el mar amenazaba con entrar.

Phelps miró a un lado y a otro sin disimular el asombro.

—¡Menuda vista submarina! Es increíble, señora.

—La gente lo encuentra hipnótico al principio, pero te acostumbras. Estamos en el despacho del doctor Kane. Lo ocupo mientras él está ausente. Siéntese. Por favor, deje de llamarme señora. Me hace sentir como si tuviese cien años. Prefiero doctora Mitchell.

—La verdad es que se la ve muy bien para tener cien años, señora... perdón, doctora Mitchell.

Lois se encogió de nuevo y aumentó la intensidad de las luces en la sala para que la vida marina fuese menos visible y no los distrajese tanto. Abrió una nevera pequeña, sacó dos botellas de agua mineral y dio una a Phelps. Se acomodó detrás de la mesa de plástico y cromo de un diseño muy sencillo.

Phelps acercó una silla.

—Quiero darle las gracias por su valioso tiempo, doctora Mitchell. Sin duda debe de tener muchas cosas más interesantes que hacer que hablar con un tipo de seguridad.

«Si usted lo supiese», pensó Lois. Dirigió al visitante una amable sonrisa.

—¿En qué puedo ayudarle, señor Phelps?

—Mi compañía me ha enviado para descubrir los puntos débiles en la seguridad del laboratorio marino.

Lois se preguntó a qué idiota se le habría ocurrido mandar a Phelps para desperdiciar su tiempo. Se reclinó en la silla y señaló hacia la cúpula transparente.

—Tenemos cien metros de océano que nos separa de la superficie. Es mejor que cualquier foso en un castillo. Hay un buque en superficie con guardias de su compañía, armados hasta los dientes y respaldados, si es necesario, por efectivos y buques de la marina estadounidense. ¿Cómo podríamos estar más seguros?

Phelps frunció el entrecejo.

—Con el debido respeto, doctora Mitchell, lo primero que aprendes en este negocio es que no hay sistemas de seguridad en el mundo que no puedan fallar.

Lois no hizo caso del tono condescendiente.

—Muy bien. Comencemos con un recorrido virtual de las instalaciones.

Giró la silla y pulsó sobre un teclado. Un diagrama en tres dimensiones que parecía una serie de globos unidos por tubos apareció en la pantalla.

—El laboratorio está formado por cuatro grandes esferas dispuestas en un esquema romboidal y unidas por pasillos tubulares —comenzó Lois—. Estamos en la parte superior de la esfera de la administración... aquí. Debajo de nosotros se encuentran el alojamiento de la tripulación y el comedor. —Movió el cursor para señalar la otra esfera—. Aquí tenemos el centro de control, algunos laboratorios y los almacenes. Esta esfera contiene una pequeña planta nuclear. El suministro de aire se realiza a través de un ciclo de agua-oxígeno, con tanques de reserva para las emergencias. Estamos a unos centenares de metros del borde de un cañón abisal.

Phelps señaló una forma hemisférica en el centro del rectángulo.

—¿Es aquí donde entró el sumergible?

—Así es —confirmó Lois—. Los minisubmarinos colocados en la parte inferior del módulo de tránsito se utilizan para recoger muestras en el cañón, pero también sirven para evacuar el laboratorio, y hay cápsulas de escape disponibles como último recurso. La esclusa de aire está conectada con pasillos reforzados que dan acceso al personal desde cualquier módulo y contribuyen a la fortaleza estructural del complejo.

—¿Qué hay en el cuarto módulo? —preguntó Phelps.

—Es alto secreto.

—¿Cuántas personas trabajan en el complejo?

—Lo siento, otra vez alto secreto. Yo no hago las reglas.

—No pasa nada —dijo Phelps—. Es una magnífica obra de ingeniería.

—Hemos sido afortunados porque la marina ya tenía el laboratorio disponible. En principio se había diseñado como un observatorio submarino, los componentes se construyeron en tierra, totalmente equipados, y fueron remolcados hasta aquí en barcazas especiales. Las unieron, procedieron a montar las partes como si fuese un mecano y lo bajaron al fondo en una pieza. Por fortuna, no estamos a grandes profundidades, y el fondo marino es muy nivelado. Es lo que ellos llaman una entrega llave en mano. El complejo no está destinado a ser permanente, así que utiliza aire comprimido para conseguir la flotación negativa. Se puede recuperar y trasladar a otro sitio.

—Si no es mucha molestia —dijo Phelps—, me gustaría ver las zonas no restringidas.

Lois Mitchell frunció el entrecejo, una muestra de que estaba haciendo aquello bajo presión. Cogió el teléfono interno y llamó a la sala de control.

—Hola, Frank. Esto va a durar un poco más de lo que esperaba. ¿Alguna novedad con Doc? ¿No? Vale, me mantendré en contacto.

Colgó el teléfono con más fuerza de la necesaria y se irguió en toda su estatura.

—Venga, señor Phelps. Me disculpará la expresión, pero lo haremos a toda leche.

A cincuenta millas del laboratorio submarino, la ondulante superficie del mar oscuro estalló en una nube de espuma. Un cilindro de aluminio de seis metros de largo salió del centro del géiser hacia el cielo en un ángulo agudo y dejó atrás una estela blanca con forma de abanico, para volver a dirigirse hacia las olas en una trayectoria curva.

En cuestión de segundos, el misil se había estabilizado y volaba a ocho metros por encima de las olas, tan bajo que su paso dejaba una estela en el agua. Impulsado por el motor de combustible sólido, el misil aceleró rápido, y en cuanto se hubo desprendido del cohete impulsor y las turbinas se pusieron en marcha, alcanzó su velocidad de crucero de ochocientos kilómetros por hora.

Una serie de sofisticados sistemas de guía lo mantenían hacia el objetivo con la misma precisión que si hubiera sido guiado por un piloto experto.

El objetivo era un barco de casco gris fondeado cerca de la boya roja y blanca que marcaba la ubicación del laboratorio submarino. El nombre pintado en la popa era *Proud Mary*, y estaba registrado en las islas Marshall como nave de exploración. La nave esperaba junto a la boya el regreso del sumergible con Phelps a bordo.

La propietaria del barco era una empresa que suministraba naves a las compañías de seguridad internacionales que necesitaban de servicios marítimos. Suministraban de todo, desde lanchas rápidas y fuertemente armadas hasta barcos con capacidad para transportar a un ejército de mercenarios a cualquier parte del mundo.

Con la misión de proteger el laboratorio submarino, el *Proud Mary* llevaba dos docenas de guardias expertos en el uso de todo tipo de armas pequeñas además de un impresionante dispositivo de aparatos electrónicos que vigilaban cualquier barco o avión que se acercase al lugar. También servía como garaje del sumergible que transportaba a las personas que iban y venían del laboratorio, así como las provisiones.

En su salida del océano, el misil había aparecido en la pantalla del radar del barco solo unos segundos. El operador había relajado la atención a causa de la inactividad; estaba enfrascado en la lectura de una revista de motos cuando el misil hizo su breve aparición, antes de desaparecer de la vista de la vigilancia electrónica. El *Proud Mary* también disponía de sensores infrarrojos, pero incluso si el misil hubiese estado volando a mayor altura, no habrían podido captar la baja temperatura de los motores.

Sin ser visto, el misil continuó su trayectoria hacia la nave con una carga de media tonelada de explosivos de gran potencia en la cabeza.

Lois Mitchell y Gordon Phelps caminaban por el pasillo que llevaba a la sala de control cuando oyeron un sonoro golpe que pareció provenir desde muy por encima de sus cabezas. Lois se detuvo y se volvió poco a poco con los oídos atentos, preocupada por si fuese la indicación de un fallo en los sistemas.

—Nunca antes había oído nada parecido. Ha sonado como un camión que choca contra un muro. Debería ir a comprobar que todos los sistemas del laboratorio funcionan.

Phelps consulto su reloj.

—Por el sonido, diría que las cosas van un poco por delante del horario previsto —comentó.

—Será mejor que vaya a ver la situación en la sala de control.

—Buena idea —dijo Phelps con un tono amable.

Caminaron hacia la puerta al final del pasillo. A unos pocos pasos del módulo de control, se abrió la puerta y apareció Frank Logan. En su rostro pálido se veía una expresión de entusiasmo, y sonreía.

—¡Lois! Venía a buscarte. ¿Has oído aquel extraño...?

Logan se interrumpió y la sonrisa desapareció en el acto. Lois se volvió para ver qué miraba.

Phelps sujetaba una pistola en la mano, junto al muslo.

—¿Qué pasa? —le preguntó—. No permitimos armas en el laboratorio.

Phelps le dedicó una mirada avergonzada.

—Como dije, ningún sistema de seguridad es a prueba de fallos. El laboratorio está bajo una nueva dirección, doctora Mitchell.

Aún hablaba con suavidad, pero su voz había perdido el tono obsequioso que Lois había encontrado tan irritante y ahora tenía una dureza que no había notado antes. Phelps ordenó a Logan que se colocase junto a Lois para poder vigilarlos. Mientras Logan obedecía, se abrió la puerta de la sala de control y salió un técnico; Phelps movió el arma en un gesto instintivo. El técnico se detuvo, pero Logan, al ver la momentánea distracción, intentó arrebatarle el arma.

Forcejearon, pero Phelps era más joven y fuerte y habría acabado por imponerse incluso si el arma no se hubiese disparado. El estampido apenas se oyó debido al silenciador atornillado al cañón, pero una mancha roja apareció en la pechera de la bata de Logan. Le fallaron las piernas y cayó al suelo.

El técnico se encerró en la sala de control. Lois se arrodilló junto al cuerpo inmóvil de Logan. Abrió la boca para gritar, pero no lo hizo.

—¡Lo ha matado! —acabó por decir.

—Joder, no era mi intención —dijo Phelps.

—¿Qué quería hacer?

—Ahora no tenemos tiempo para hablar de eso, señora.

Lois se levantó y se enfrentó a Phelps.

—¿También va a dispararme?

—No, a menos que me vea obligado, doctora Mitchell. No se le ocurra hacer ninguna locura como su amigo. Detestaríamos perderla.

Lois miró desafiante a Phelps antes de ceder bajo la implacable mirada.

—¿Qué quiere?

—Por ahora, que reúna a toda su gente.

—Luego, ¿qué?

Phelps se encogió de hombros.

—Luego... iremos a dar a un breve paseo.

6

Los tripulantes de la B3 habían decidido transmitir sus comentarios al estilo de los locutores de deportes. Joe Zavala se encargaría de cada nueva observación y Max Kane las complementaría con los textos de William Beebe.

Cuando estaban a noventa y cinco metros de profundidad, Kane anunció:

—El *Lusitania*, el transatlántico torpedeado, reposa a este nivel.

A los ciento diecisiete, comentó:

—Esta era la profundidad mayor alcanzada por un submarino cuando Beebe hizo la inmersión con la batisfera.

Cuando la batisfera llegó a los doscientos metros, Kane se quitó el gorro de la suerte y lo sostuvo con las manos.

—Hemos entrado en lo que Beebe llamó la Tierra de los Perdidos —dijo en voz baja—. Es el reino que pertenece a los hombres y a las mujeres que han desaparecido en el mar. Desde los tiempos de los fenicios, millones de seres humanos han descendido hasta aquí, pero todos ellos lo hicieron muertos, víctimas de las guerras, las tempestades o los actos divinos.

—Un pensamiento muy alegre —observó Zavala—. ¿Es por eso que ha saludado al Davy Jones's Locker... adonde van los marineros ahogados?

Zavala había instalado un interruptor para apagar la cámara de televisión y el micro. Kane acercó una mano y dijo:

—Joe y yo vamos a tomarnos un breve descanso. Volveremos con más observaciones en unos minutos. —Apretó el interruptor—. Necesito una pausa —añadió con una sonrisa—. Preguntó por el Locker... Es el sobrenombre que mis colegas han puesto al laboratorio.

—¿El centro marino en Bonefish Key? —preguntó Zavala.

Kane miró a la cámara.

—Así es, Bonefish Key.

Zavala se preguntó por qué alguien querría comparar una soleada isla de Florida en el golfo de México con el oscuro dominio de los ahogados. Se encogió de hombros para sus adentros. Los científicos eran unos tipos raros.

—Beebe puede parecer morboso, pero tenía una visión relativamente benigna del océano —contestó Kane—. Sabía que los peligros eran reales; así y todo, consideraba que los riesgos de las profundidades eran una exageración.

—Los millones de víctimas que mencionó pueden estar en desacuerdo —señaló Zavala—. Respeto todo lo que Beebe y Barton hicieron, Doc, pero desde el punto de vista de un ingeniero, diría que tuvieron muchísima suerte al no convertirse en parte de la Tierra de los Perdidos. Que la batisfera original no sufriese un accidente se puede considerar casi un milagro.

Kane recibió ese severo comentario con una risa.

—Beebe era realista y, al mismo tiempo, un soñador —manifestó—. Comparó la batisfera con un guisante hueco que se balanceaba en una tela de araña a cuatrocientos metros debajo de la cubierta de un barco que rolaba en mitad del océano.

—Poético, pero no desacertado —asintió Zavala—. Por eso incorporé varias características de seguridad a la nueva campana de inmersión.

—Me alegro de que lo hiciese —dijo Kane. Conectó de nuevo el micro y la cámara, y devolvió su atención a la escena visible a través del ojo de buey.

La B3 se balanceaba con suavidad de vez en cuando, pero su descenso lo señalaban más los cambios de luz que se percibían a través de los ojos de buey que cualquier sensación de movimiento. El cambio de color más drástico se produce al principio de una inmersión. El rojo y el amarillo desaparecen del espectro como si fuesen borrados con una esponja. Dominan el verde y el azul. Más abajo, el color del agua pasa al azul marino y por último se convierte en un negro absoluto.

En las primeras etapas de la inmersión, las anguilas plateadas, los peces piloto, las nubes de copépodos, las hileras de sifonóforos que parecían encajes pasaban por delante de los ojos de buey como diminutos fantasmas, junto con gambas, calamares translúcidos y caracoles tan pequeños que parecían burbujas marrones. Unas siluetas largas y oscuras se atisbaban donde acababa el rayo de luz del foco de la B3.

Zavala apagó el foco a los doscientos treinta y tres metros de profundidad. Echó una ojeada a través del ojo de buey y murmuró una exclamación de aprecio en español. A Zavala, que había crecido en Santa Fe, le pareció estar contemplando el cielo de Nuevo México en una noche clara de invierno. La oscuridad se veía tachonada con estrellas, algunas solas, otras en grupo, otras titilando continuamente, otras solo una vez. Había hilos luminiscentes y resplandecientes manchas que podían haber sido novas o constelaciones en un escenario celestial.

En la cabina reinaba el silencio de una catedral, el sonido más fuerte era el zumbido del motor de ventilación, y cuando Kane vio una forma ondulante flotando junto al ojo de buey, su reacción sonó como un disparo.

—¡Caray! —exclamó Kane—. Una medusa platillo.

Zavala sonrió ante el entusiasmo de Kane. Si bien no podía negarse la belleza de los ondulantes movimientos de la medusa, la criatura al otro lado del ojo de buey de la batisfera solo medía unos centímetros de diámetro.

—Me ha pillado por un momento, Doc. Creía que había visto al monstruo del lago Ness —dijo Zavala.

—Esto es mucho mejor que Nessie. Las medusas están entre los animales más fascinantes y complejos de la faz de la tierra o debajo del mar. Mire aquel grupo de peces iluminados como el Strip de Las Vegas... peces linterna... ¡Eh! —gritó Kane—. ¿Qué ha sido eso?

—¿Ha visto a una sirena, Doc? —preguntó Zavala.

Kane apoyó el rostro en el ojo de buey.

—No sé qué he visto —respondió—, pero sé que era grande.

Zavala encendió el foco. Cuando el rayo de luz verde con los bordes violáceos atravesó la oscuridad, miró a través del ojo de buey.

—Sea lo que sea, ha desaparecido —avisó.

—Beebe vio un pez muy grande que a su juicio podía haber sido un tiburón ballena —dijo Kane a la cámara—. Hasta la inmersión de la batisfera, sus compañeros científicos nunca creyeron que hubiese visto peces con dientes resplandecientes y la piel de neón. Fue el último que se rió cuando demostró que en las profundidades abisales abundaban las extrañas criaturas.

—Cada vez son más extrañas —comentó Zavala y se señaló a sí mismo—. Los habitantes de estos pagos deben de creer que usted y yo somos unas presencias muy poco apetitosas en sus dominios.

La carcajada de Kane resonó en las paredes curvas de la batisfera.

—Mis disculpas al público que nos escucha, espero que no haya estropeado sus altavoces. Pero Joe tiene razón: los humanos tenemos derecho a estar donde estamos en este momento. La presión en el exterior de la esfera es de treinta y ocho kilos por centímetro cuadrado. Tendríamos el aspecto de medusas si no fuese por el cascarón de acero que nos protege... Eh, allí hay más peces linterna. Son preciosos. Mire, allí... ¡Caray!

El descenso de la batisfera había sido suave y sin desviaciones, pero de pronto una fuerte vibración sacudió la esfera mientras Kane hablaba. La B3 primero se levantó y después bajó, en cámara lenta. El científico miró en derredor con los ojos casi desorbitados, como si esperase ver el mar entrando a través de las paredes de la esfera.

Zavala llamó a la nave de apoyo.

—Por favor, Kurt, deja de jugar al yoyó con la B3.

Una inusual sacudida bajo el casco del barco había hecho que de pronto el cable se aflojase. El operador de la grúa se percató y puso en marcha el motor para tensarlo.

—Lamento el vaivén —dijo Austin—. El cable se aflojó con el oleaje de través, y nos movimos demasiado rápido cuando intentamos ajustarlo.

—No tiene nada de especial a la vista de la cantidad de cable que estáis soltando.

—Ahora que has sacado el tema, quizá quieras echar un vistazo al medidor de profundidad.

Zavala miró la pantalla y tocó el hombro de Kane. El científico se apartó del ojo de buey y vio el dedo de Zavala que señalaba el medidor.

Novecientos un metros.

Habían superado la histórica inmersión de la primera batisfera por sesenta centímetros.

Max Kane abrió la boca hasta que la barbilla le quedó a la altura de la nuez.

—¡Estamos aquí! —anunció—. A más de novecientos metros de profundidad.

—Y casi nos hemos quedado sin cable —avisó Kurt Austin—. El fondo marino está a unos quince metros debajo de vosotros.

Kane chocó palmas con Joe Zavala.

—No me lo puedo creer —dijo. Se le había enrojecido el rostro por el entusiasmo—. Querría aprovechar este momento para dar las gracias a los intrépidos William Beebe y Otis Barton —continuó—, por abrir el camino que nosotros hemos seguido. Lo que hemos hecho hoy es un tributo a su coraje. Estaremos ocupados fotografiando el fondo marino, así que cortaremos la transmisión durante unos minutos. Volveremos a estar con ustedes cuando lleguemos a la superficie.

Cortaron la transmisión, se colocaron junto a los ojos de buey con las cámaras y tomaron docenas de fotos de las extrañas criaturas fosforescentes que habían atraído las luces de la batisfera. Zavala verificó el tiempo que llevaban abajo y dijo que era el momento de ascender.

Kane sonrió y señaló hacia la superficie.

—Subamos.

Zavala llamó a Austin por la radio y le comunicó que estaban preparados para emerger.

La B3 se sacudió ligeramente, vibró y luego se bamboleó de un lado a otro.

Zavala se sentó de nuevo.

—Aquí abajo nos estamos sacudiendo un poco, Kurt. ¿Se está levantando mar? —preguntó.

—Es un espejo. Se ha parado el viento y no hay marejada.

—¡Joe —gritó Kane—, ahí está de nuevo... el enorme pez! —Señaló con el índice el ojo de buey.

Una sombra pasó cerca del final del rayo de luz y se volvió hacia la batisfera.

Cuando Zavala apoyó el rostro en el cristal del ojo de buey, se le erizaron todos los pelos de la cabeza. Miraba tres ojos brillantes, uno encima de los otros dos.

Tuvo poco tiempo para analizar sus impresiones. La esfera se sacudió de nuevo.

—Estamos notando oscilaciones del cable cerca de la superficie —avisó Kurt—. ¿Qué está pasando?

Hubo otra violenta sacudida.

—Hay algo ahí fuera —dijo Zavala.

—¿De qué hablas? —preguntó Austin.

Zavala no lo tenía muy claro, así que se levantó a responder:

—Súbenos.

—Sujetaos —dijo Austin—. Ponemos en marcha la grúa.

La batisfera pareció estabilizarse. El cambio de los números en el indicador de profundidad señaló el ascenso hacia la superficie. Kane mostró una sonrisa de alivio, pero la expresión en su rostro se congeló cuando la batisfera se sacudió de nuevo. Un segundo más tarde, los dos hombres levitaban en la B3 como si estuviesen en un ascensor que se precipitaba.

La batisfera había entrado en caída libre.

7

Austin se apoyó en la borda y vio cómo el cable de sujeción de la B3 oscilaba como una cuerda de violín pulsada. Habló a través del micrófono que le conectaba con la batisfera.

—¿Qué pasa, Joe? El cable se está volviendo loco.

Escuchó un caos de voces ininteligibles, palabras ininteligibles sobre un fondo de ruidos metálicos. Entonces el cable dejó de moverse y se cortó la línea de teléfono.

Austin prestó mucha atención. Nada. Ni siquiera el crepitar de la estática. Se quitó los auriculares y observó las conexiones. Todo estaba en orden. Cogió la radio que llevaba enganchada en el cinturón y llamó al capitán en el puente.

—He perdido la comunicación oral con la B3. ¿Llega la transmisión de vídeo?

—No, desde que se interrumpió —informó el capitán.

—¿Ha comprobado los sistemas de reserva? —preguntó Austin.

A diferencia de la batisfera original, que había estado conectada a la superficie por un único cable telefónico, la B3 estaba equipada con varios cables de comunicaciones por si alguno fallaba en el hostil entorno de las profundidades.

—Así es, Kurt, nada. Se han cortado todos los sistemas.

Un gesto de preocupación apareció en el rostro bronceado de Austin. No tenía sentido. Si un sistema fallaba, era reemplazado de inmediato por otro. Zavala había alardeado de que los instrumentos diseñados para la B3 eran equiparables al de un avión de pasajeros.

Austin indicó al encargado de la grúa que recogiese el cable. Mientras salía del agua y se enroscaba en el tambor, la voz del encargado sonó en los auriculares de Austin.

—Eh, Kurt, aquí hay algo que no va bien. No hay resistencia del peso en el otro extremo. El cable sube muy rápido y sin problemas. Es como recoger el sedal después de que se te ha escapado el pez.

Austin le pidió que acelerase la recuperación de la batisfera, y el cable salió del mar todavía más rápido. La tripulación de arriamiento se había congregado junto a la borda y observaba en silencio la recogida del cable. El equipo de filmación de la NUMA, al notar la tensión reinante, había dejado de filmar.

—Casi en la superficie —avisó el encargado—. ¡Cuidado con la cabeza!

Disminuyó la velocidad de recogida, pero así y todo el cable restalló como un látigo cuando salió del agua, sin la batisfera en el extremo. Pasó el cable por encima de la borda y puso el motor en marcha atrás para dejar que varios metros de cable se enrollasen en la cubierta. Austin se acercó al rollo y recogió el extremo del cable.

Un cámara que estaba cerca vio a Austin sostener el extremo del cable.

—¡El maldito cable se ha cortado! —exclamó.

Austin sabía que el cable podía resistir diez veces el peso de la B3. Lo observó con atención. El corte era recto como las cerdas de un pincel. Se volvió hacia el oceanógrafo de la NUMA que había escogido el lugar de la inmersión.

—¿Hay allí abajo algo, un atolón de coral o unas rocas, que hayan podido cortar el cable? —preguntó.

—El fondo es plano como una mesa de billar —respondió el oceanógrafo, casi como si se sintiese ofendido por la pregunta—. Hay una alfombra de algas, pero nada más. No hay otra cosa que fango. Por eso seleccionamos este punto. Hicimos un perfil del fondo antes de formular nuestras recomendaciones.

El capitán Gannon, que se encontraba en el puente, había visto a Austin observar el cable. Bajó a cubierta y maldijo con ganas cuando Austin le mostró el extremo cortado.

—¿Qué demonios ha ocurrido?

Austin sacudió la cabeza.

—Ojalá lo supiese.

—Los periodistas a bordo de las lanchas han estado llamando —dijo el capitán—. Quieren saber qué ha pasado con la transmisión de vídeo.

Austin echó una ojeada a las lanchas que rodeaban al *Beebe* y que se mantenían apartadas por la vigilancia de una patrullera de los guardacostas.

—Diles que tenemos un problema con el cable de fibra óptica. Necesitamos tiempo para descubrir qué ha pasado.

El capitán llamó al puente, retransmitió la sugerencia de Austin y colgó la radio de nuevo en su cinturón.

—Saldrá todo bien, ¿no, Kurt? —preguntó Gannon, con una mirada de viva preocupación—. Las bolsas de flotación de la B3 los traerán a la superficie, ¿no es así?

Austin entrecerró los ojos para protegerse del resplandor del sol en la superficie del agua.

—La batisfera está muy abajo; vamos a esperar un rato. Pero deberíamos preparar un ROV por si necesitamos echar una mirada.

A pesar de la aparente serenidad, Austin sabía que con el paso de cada minuto disminuía la posibilidad de una emersión con las bolsas de flotación. La batisfera podía utilizar las baterías para la luz, pero el aire acabaría por agotarse. Esperó unos pocos minutos más y luego llamó al capitán para recomendarle que lanzasen el ROV.

El vehículo operado por control remoto era lo que se llamaba un percherón para la exploración submarina. Controlado a través de un cable, un ROV podía sumergirse, maniobrar en espacios muy estrechos y transmitir imágenes de televisión, cosa que permitía al operador viajar por las profundidades sin abandonar la comodidad del barco.

El capitán había escogido un vehículo de tamaño medio, más o menos de las dimensiones y la forma de un baúl, que podía funcionar hasta una profundidad de dos mil metros. Seis impulsores permitían situar al vehículo con una gran precisión; estaba equipado con dos brazos mecánicos para la recogida de muestras y con varias cámaras, incluida una de alta definición en color.

Un pescante telescópico situado en estribor levantó al ROV del soporte y lo bajó hasta el mar. Austin observó cómo se hundía en medio de una nube de burbujas verde pálido seguido por el cable y luego fue hasta el centro de control remoto ubicado en un contenedor en la cubierta principal.

Las imágenes llegaban a través del cable del ROV conectado a una consola desde donde los movimientos eran controlados por el piloto con un joystick. Las imágenes se mostraban en una pantalla grande sobre la consola. El rumbo y la velocidad del ROV aparecían en una combinación de letras y números en la parte superior de la pantalla, junto con el tiempo transcurrido.

El ROV, en un descenso en espiral, recorrió en minutos la misma distancia que a la batisfera le había llevado horas. El vehículo pasó entre cardúmenes, y los peces se dispersaron como hojas arrastradas por el viento, mientras bajaba hacia las profundidades.

—Nivelando —avisó el piloto.

Colocó el vehículo en un picado de ángulo suave, como un avión que se prepara a aterrizar. Los focos gemelos alumbraron un fondo marrón verdoso que parecía hojas de espinaca ondulando con la corriente. No había ninguna señal de la Batisfera 3.

—Comience una búsqueda en pasadas paralelas, de treinta metros de longitud —dijo Austin.

El ROV navegó a unos ocho metros por encima de la vegetación. Acabó la primera pasada y luego regresó separado cinco metros de la primera. El indicador de velocidad mostraba que el ROV se movía a cinco nudos por hora.

Austin abrió y cerró los puños, impaciente con la lentitud de la exploración. Otros tripulantes se habían reunido delante de la pantalla, pero nadie hablaba, excepto Austin y el piloto en su rápida comunicación. Austin borró de su mente todo lo que pasaba en el contenedor y se concentró en la pantalla como si estuviese montado en el ROV.

Pasaron otros cinco minutos.

El movimiento adelante y atrás del ROV era similar al de una cortadora de césped. La imagen transmitida por el ojo electrónico siempre mostraba la misma alfombra de marrón verdoso.

—Espere —dijo Austin. Había visto algo—. Vaya a la izquierda.

Con un toque del joystick, el piloto hizo girar al vehículo de forma tal que quedó en perpendicular a la trayectoria original. Los focos gemelos alumbraron un montículo de fango alrededor del borde de un cráter. Una silueta con forma de cúpula y cubierta de fango asomaba en el centro. Austin comprendió por qué la B3 no había vuelto a la superficie; las bolsas de flotación estaban enterradas en el fondo. Pidió al piloto que apartase el fango de la batisfera. Los impulsores del ROV levantaron una espesa nube marrón que apenas si consiguió limpiar un poco el fango.

A petición de Austin, el piloto posó el ROV en el fondo y apuntó los focos a la esfera. Austin observó la imagen, al tiempo que la evaluaba con su entrenamiento y experiencia.

Estaba calculando el desafío técnico que significaba librar al B3 de las garras del mar cuando una sombra apareció en el lado derecho de la pantalla. Algo se movía. Había estado allí por un instante y luego se había esfumado.

—¿Qué ha sido eso? —preguntó el piloto.

Antes de que Austin pudiese dar una respuesta, la pantalla se quedó en blanco.

8

Zavala yacía de lado, con el brazo derecho prisionero debajo de la cadera y el izquierdo apretado contra el techo. Tenía las piernas inmovilizadas por un peso blando. No hizo caso de los fuertes pinchazos bajo la oreja, levantó la cabeza y vio a Kane tumbado boca abajo sobre sus rodillas.

En la penumbra, Zavala vislumbró que la cabina se había convertido en un revoltijo de papeles, neceseres, prendas, botellas de agua, cojines y otros objetos sueltos. Zavala buscó los auriculares y se los acercó a una oreja. Silencio. Probó también los auriculares de Kane. Ni rastro de estática.

La pérdida de comunicación era grave, pero la naturaleza optimista de Zavala no le permitió quejarse de la mala suerte. Movió una pierna, sacó el pie y lo utilizó para apartar el cuerpo de Kane de la otra pierna. El científico quedó tumbado boca arriba, y un gemido escapó de sus labios.

El doloroso esfuerzo provocó náuseas a Zavala. Cogió el botiquín de primeros auxilios, rompió una ampolla de sales y se la pasó por debajo de la nariz. El olor acre lo reanimó en el acto.

Se quitó el gorro de la buena suerte. Con las yemas de los dedos se tocó el cuero cabelludo y encontró un chichón del tamaño de un huevo. Vertió agua de una cantimplora en una venda y la apoyó con suavidad en el chichón. La leve presión era dolorosa, pero disminuyeron los latidos.

Zavala colocó un cojín debajo de la cabeza de Kane, le quitó la gorra y le aplicó la compresa. Kane hizo una mueca y abrió los ojos.

—Ay —exclamó. Una buena señal.

Zavala disminuyó la presión, pero mantuvo la compresa en su lugar.

—Lo siento, Doc. Florence Nightingale no ha podido venir, así que tendrá que apañárselas conmigo —dijo Zavala—. Intente mover los dedos de los pies y de las manos.

Kane flexionó las manos y movió los dedos de los pies, y luego dobló las rodillas con un gesto de dolor.

—Al parecer, no hay nada roto.

Zavala lo ayudó a sentarse y le dio la cantimplora. Esperó a que Kane bebiese un par de tragos y le preguntó:

—¿Qué recuerda, Doc?

Kane frunció los labios mientras pensaba.

—Miraba a través del ojo de buey y transmitía mis observaciones. —Echó un vistazo a los auriculares.

—No se moleste —dijo Zavala—. Los auriculares no funcionan.

El rostro de Kane adquirió el color de la harina.

—¿No estamos conectados con la superficie?

—Por el momento... Continúe hablando.

Kane respiró a fondo.

—Vimos algo que parecía un pez muy grande o una ballena. Luego floté y noté el golpe. Después, nada de nada. ¿Y usted?

Zavala señaló con el pulgar hacia arriba.

—La misma historia. Despegué del suelo y me estrellé contra el techo. Puse una mano para suavizar el golpe, pero lo único que conseguí por el esfuerzo fue dañarme el brazo. Ha sido una suerte tener la cabeza dura.

—Por el sonido, es probable que el cable se soltase del tambor.

Zavala no dijo nada.

—No lo entiendo —añadió Kane—. ¿Cómo es que todavía no nos han subido? —Advirtió que la batisfera estaba inmóvil y pareció contener el aliento—. No nos movemos, Joe. ¿Qué nos ha pasado?

Zavala quería evitar el pánico, pero de nada servía disimular la gravedad de la situación.

—Al parecer estamos posados en el fondo, Doc.

Kane miró el panel de instrumentos y vio que los sistemas funcionaban con las baterías.

—Sí aún estuviésemos sujetos, dispondríamos de energía. ¡Demonios! El cable ha tenido que cortarse.

—Eso es casi del todo imposible. Puede haber otras razones para la rotura. Hablamos de mantener el contacto por un cable a través de más de novecientos metros de profundidad. ¿Recuerda que Beebe comparó la batisfera con un guisante sujeto a una telaraña? Ningún sistema hecho por el hombre está libre de fallos, pero esto no es el *Titanic*. Incluso si ya no estamos conectados a la superficie, tenemos otras opciones.

Kane se animó.

—¡Claro, por supuesto! El sistema de flotación.

Zavala consiguió sonreír.

—¿Qué le parece si subimos al bar del *Beebe* y nos preparamos unos cuantos margaritas?

—¿A qué estamos esperando? —Kane se mostraba tan contento como un condenado a muerte indultado en el último minuto.

Zavala cogió una bolsa de la pared y pidió a Kane que limpiase la cabina. El trabajo ayudaría a mantener los ánimos del científico.

—Las botellas de aire comprimido están en el centro de la plataforma, y conectadas a las bolsas de flotación colocadas en los patines —explicó Zavala—. Cuando se aprieta el interruptor, se abren las tapas en los costados de los patines, el aire comprimido hincha las bolsas en un momento y nos llevan a la superficie, donde el barco nos recogerá.

Kane se frotó las manos, entusiasmado.

—Margaritas, allá vamos.

Zavala se acercó al panel de instrumentos.

—Curioso, ¿no? Hemos tenido que resolver mil y un problemas para llegar al fondo del mar, y cuando al fin lo conseguimos, queremos volver a casa.

—¿Qué tal si discutimos las implicaciones filosóficas en la cubierta de *Beebe*? —dijo Kane—. Nada me haría más feliz que poder estirar las piernas.

Zavala volvió su atención a una caja de plástico atornillada a la pared junto al panel de instrumentos. Levantó la tapa para dejar a la vista un botón rojo con una flecha que señalaba hacia arriba.

—Es un proceso en dos pasos —explicó—. Este botón monta el sistema y otro idéntico en el panel de control lo activa. Cuando diga ya, oprima el interruptor, y yo haré lo mismo con el mío. No lo suelte. Hay una demora de diez segundos.

Kane apoyó el dedo en el botón que le había indicado Zavala.

—Preparado.

—Ya —dijo Zavala.

Zavala había probado el sistema de escape en una piscina y se preparó para una explosión sorda y el siseo del aire, pero no pasó nada al cabo de los diez segundos. Pidió a Kane que probase de nuevo. Tampoco ocurrió nada. Miró el indicador de fallos, donde los chivatos habrían señalado cualquier desperfecto, pero ninguno de los testigos marcaba una avería.

—¿Por qué no funciona? —preguntó Kane.

—Algo ha tenido que trabarse cuando golpeamos contra el fondo. No se preocupe, tengo programado un sistema de reserva.

Zavala pulsó sobre un teclado para enviar la señal por otra vía y pidió a Kane que lo intentase de nuevo. Una vez más, se repitió el fallo. Tendrían que utilizar el sistema manual. Zavala abrió la tapa de otra caja y enganchó los dedos en un tirador pegado a un cable. Al tirar del cable, explicó, se generaría una descarga eléctrica que pondría en marcha el mecanismo de flotación.

Apretó las mandíbulas y tiró. No pasó nada. Lo intentó varias veces más, sin ningún resultado. El mecanismo manual no se activaba.

Kane observó estos inútiles intentos con creciente preocupación.

—¿Qué pasa? —preguntó.

Zavala apartó la mano del tirador. Miró al vacío y dejó que su mente recorriese todas las conexiones del sistema de flotación. Su mirada se dirigió al ojo de buey.

Encendió el foco y le extrañó no ver ningún resplandor. Se acercó al ojo de buey. Cogió una linterna del soporte en la pared, iluminó a través del cristal y se protegió los ojos para evitar los reflejos. La luz no atravesaba la oscuridad. Entregó la linterna a Kane.

—Eche una ojeada.

Kane miró a través del ojo de buey.

—Demonios, hay un fango negro pegado a los ojos de buey.

—Caímos con demasiada fuerza. No le pasa nada al sistema. El fango traba las tapas de los flotadores.

Kane permaneció en silencio durante unos momentos. Cuando habló, su voz era un susurro.

—Estamos en un aprieto, ¿verdad?

Zavala sujetó con fuerza una de las muñecas de Kane.

—Cálmese, Doc —dijo con un tono firme.

Sus miradas se cruzaron por un momento, y el científico dijo:

—Lo siento, Joe, usted está al mando.

Zavala aflojó la mano.

—No pretendo comportarme como si no pasase nada. Estamos en un aprieto, pero eso no significa que sea irresoluble. La gente en el *Beebe* sabe que algo ha ocurrido... y tienen nuestra posición.

—¿De qué servirá si el cable está roto? Aún tienen que encontrar la manera de izarnos.

—Estoy seguro de que Kurt hallará la solución.

Kane soltó una exclamación.

—¡Austin es un tipo extraordinario, pero no hace milagros!

Zavala recordó las innumerables ocasiones en las que el coraje y los recursos de Austin los habían sacado del borde del desastre.

—Llevo años trabajando con Kurt y muchas veces ha sido capaz de obrar milagros. Si hay alguien que puede sacarnos de aquí, es él. Nos quedan más de tres horas de aire y suficiente energía para darnos luz y calor. Nuestros mayores problemas serán el aburrimiento y el baño. —Cogió una bolsa de plástico—. Esta tendría que servir para hacer nuestras necesidades. Dado que estamos en esto juntos, quizá deberíamos saber más el uno del otro. Hábleme de su trabajo.

El rostro de Kane se iluminó y pareció olvidar el claustrofóbico entorno.

—Mi especialidad son los cnidarios, un filo o categoría de animales del que forman parte las medusas. Poca gente cree que las medusas sean algo excitante.

—Pues yo creo que sí lo son —afirmó Zavala—. Una vez me picó una fragata portuguesa. El encuentro fue extremadamente doloroso.

—La fragata portuguesa no está considerada como una verdadera medusa, sino como una colonia de diferentes organismos que viven en simbiosis. Los tentáculos están provistos con miles de nematocistos (el aparato venenoso) y crecen hasta tener una longitud de veinte metros. Sin embargo, el tamaño no lo es todo. Tuvo suerte de no encontrarse con la pequeña avispa de mar, también conocida como medusa de caja. La picadura de esa criatura podría haber hecho que acabase en la morgue.

—En aquel momento no me creí afortunado —señaló Zavala al recordar la ardiente picadura—. ¿Cuál es el objetivo de la investigación?

—Mi laboratorio se ocupa de la biomedicina marina. Creemos que el océano llegará a ser en el futuro la más importante fuente de compuestos farmacéuticos.

—¿Como la selva amazónica?

—Hay mucho interés por el Amazonas, pero creemos que el océano superará de lejos cualquier cosa que haya sido encontrada en la selva.

—¿Habla de medusas en lugar de jaguares?

—Hay más similitudes que diferencias entre la tierra y el mar. Vea el caso del curare. Los indios del Amazonas lo utilizan como un veneno paralizador aplicado en las puntas de las flechas, pero sus propiedades como relajante muscular lo convierten en algo útil como medicamento.

—¿Ve el mismo potencial en las medusas?

—Claro que sí, y más. En las medusas, los pulpos, los calamares y caracoles, criaturas sencillas a primera vista pero con complejos sistemas de alimentación y defensa.

—¿Qué clase de trabajo estaba haciendo en el océano Pacífico? —preguntó Zavala.

—Estaba trabajando en un proyecto que podría afectar a todos los hombres, mujeres y niños del planeta.

—Ahora sí que ha captado mi atención. Cuénteme más.

—No puedo —respondió Kane—, está clasificado como de máximo secreto. Ya he explicado demasiado. Si le cuento más, tendría que matarlo.

Comprendió lo absurdo de la amenaza dadas las graves circunstancias, y comenzó a reír sin control. Zavala dominó su propia risa.

—Reírse consume demasiado oxígeno.

Kane recuperó la seriedad.

—¿De verdad cree que Austin vendrá en nuestro auxilio?

—Nunca ha fallado antes.

El científico hizo el gesto de cerrarse la boca con una cremallera.

—Entonces la naturaleza de nuestro trabajo tendrá que

continuar siendo secreta... por si hay la más mínima posibilidad de que nos saquen de esta condenada bola de acero.

Zavala rió por lo bajo.

—Creo que se ha acabado su romance con el mundo de Beebe.

Kane consiguió esbozar una sonrisa.

—Su turno, Joe. Dígame cómo llegó a la NUMA.

—El almirante Sandecker me contrató cuando acabé la carrera. Necesitaba un buen mecánico.

Zavala se mostró tan modesto como de costumbre. Hijo de inmigrantes mexicanos, se había licenciado en ingeniera naval en el New York Maritime College. Tenía un don natural para la mecánica y era un experto en todo tipo de sistemas de propulsión, capaz de reparar, modificar o restaurar cualquier motor —de automóvil, barco o avión— ya fuese de vapor, diésel o eléctrico.

Sandecker había recibido informes de aquel joven y brillante estudiante y lo había contratado antes de que recibiese su título. Era el principal diseñador de sumergibles tripulados y no tripulados de la NUMA. También era un excelente piloto de aviones.

—Al escucharle, cualquiera creería que la NUMA le contrató para cambiar neumáticos en el taller mecánico de la agencia —comentó Kane. Miró el interior de la batisfera—. No estaríamos vivos de no haber sido por las modificaciones que realizó en la B3.

Zavala se encogió de hombros. A pesar de sus palabras, sabía que el rescate era problemático. Utilizar menos aire solo prolongaría lo inevitable. Echó una mirada al panel de control: les quedaban poco más de dos horas de margen. Adormilado por los efectos del aire viciado, cerró los ojos e intentó no pensar en el suministro que se agotaba.

9

Una vez más, Austin observó, con los labios apretados, cómo el cable salía del océano sin su carga. Maldijo ante la pérdida del ROV y llamó al capitán, que estaba en el puente.

—El cable del ROV ha sido cortado de la misma manera que el de la batisfera —dijo—. Es como si alguien hubiese empleado unas tijeras de podar.

—¡Es una locura! —afirmó el capitán Gannon. Se calmó y preguntó—: ¿Debo enviar otro ROV?

—Espere unos momentos —contestó Austin—. Necesito un par de minutos para pensarlo.

Austin contempló la superficie azul zafiro del mar. Apartó cualquier pensamiento de los dos hombres encerrados en una bola de acero a novecientos metros debajo del casco y se concentró en la recuperación de la batisfera como un problema de salvamento. Su ágil mente comenzó a formular un plan de rescate y a pensar en el equipo que necesitaría para aplicarlo.

Llamó de nuevo al capitán.

—Tengo una idea, pero necesito su ayuda.

—Dígame lo que quiere y es suyo, Kurt.

—Gracias, capitán. Me reuniré con usted en el taller.

El taller de máquinas del *Beebe*, situado debajo de la cubierta principal, era un componente vital en las operaciones del barco. Una nave de investigación no es más que una plataforma que permite a los científicos entrar en las profundidades con instrumentos o vehículos submarinos. Las poderosas fuerzas oceánicas castigaban la nave constantemente. El taller mantenía el barco en funcionamiento, con solo tres mecánicos, incluido el jefe, y un impresionante equipo de herramientas de todo tipo para cortar, moldear, tornear y soldar...

Hasta ahora, Austin había tenido al taller ocupado con las necesidades específicas planteadas por el arriamiento de la batisfera. Como director del proyecto, había establecido una estrecha relación profesional con el jefe, un gigante llamado Hank, a quien le gustaba acabar los trabajos y también las palabras: «Lo bastante bueno para un trabajo del gobierno».

Hank debía de haberse enterado de la situación de la B3 porque recibió a Austin con un rostro sombrío.

—¿En qué puedo ayudar, Kurt?

Austin desplegó el diagrama de la B3 y lo colocó sobre una mesa. Señaló la argolla metálica con forma de herradura que permitía enganchar el cable en la parte superior de la esfera.

—Tengo que sujetar la batisfera aquí. —Austin dibujó un gancho sujeto al extremo del cable y lo mostró a Hank—. ¿Puede tenerlo preparado en menos de una hora?

—Cuarenta y cinco minutos como máximo —contestó Hank—. Empalmaré el cable a un gancho de recambio. Pero, debo ser sincero, no puedo darle algo capaz de resistir durante los novecientos metros hasta la superficie.

—Solo me interesan los primeros cinco o seis metros —manifestó Austin—. Una vez que la B3 este libre del fango, podrá poner en marcha su propio sistema de flotación.

—Sujetar el gancho en la argolla será difícil a esa profundidad —señaló Gannon—. El espacio entre la argolla y la parte superior de la B3 es de unos centímetros. —Separó el pulgar y el índice—. Sería como intentar sujetar algo de este tamaño desde un helicóptero a novecientos metros de altitud. En mi opinión, es casi imposible.

—No estoy de acuerdo —dijo Austin—. Sería del todo imposible. Es por eso que no lo haré desde la superficie.

—¿Cómo piensa...? —Una expresión pensativa apareció en el rostro del capitán—. ¿*Burbujas*?

—¿Por qué no? Lo han probado a mil seiscientos metros.

—Pero...

—Hablemos en el centro de control —dijo Austin.

El centro de control del traje de buceo atmosférico era un cajón de seis metros de largo y estaba junto al garaje del barco, donde se guardaban los vehículos sumergibles y otros equipos autónomos que se empleaban a grandes profundidades. Disponía de una consola separada de los controles de los sumergibles y tenía un taller donde guardaban a *Burbujas*.

Austin y Gannon se detuvieron ante la figura antropomórfica de metal que recordaba al hombre Michelin. La cúpula transparente que remataba la figura podría haber sido la de una máquina expendedora de gomas de mascar.

Burbujas era, técnicamente hablando, un traje de buceo atmosférico, o ADS (siglas de Atmospheric Diving Suite), pero se lo consideraba como un sumergible antropomórfico. Un submarinista que utilizase el ADS podía bajar a grandes profundidades sin preocuparse por la presión exterior o por la necesidad de hacer paradas de descompresión. El abultado sistema de soporte vital en la espalda del cuerpo de aluminio, o casco, como era conocido, podía sustentar al piloto de seis a ocho horas, y más tiempo en una emergencia.

Burbujas era un ADS experimental propiedad de la marina norteamericana. Era el sucesor del Hardsuit 2000, que había sido desarrollado para el rescate submarino. La nave de investigación disponía del *Burbujas* como una gentileza, y lo devolvería cuando se encontrase con un navío de la armada cerca de las Bermudas una vez acabada la expedición de la B3.

Gannon sacudió la cabeza con gran energía y puso los brazos en jarras.

—No puedo dejar que lo haga, Kurt —afirmó el capitán—. *Burbujas* es un prototipo, no ha superado todavía todas las pruebas. Según lo último que he oído, se sabe que es seguro solo hasta los ochocientos metros.

—Joe le diría que cualquier ingeniero experto añade un amplio factor de seguridad —señaló Austin—. El Hardsuit 2000 llegó a los mil metros en las inmersiones de prueba.

—Pero fueron inmersiones de prueba, no operativas. Es un hecho.

Austin miró al capitán fijamente con sus ojos azul coral.

—También es un hecho que Joe y Kane morirán helados o asfixiados si no hacemos algo al respecto.

—¡Maldita sea, Kurt, lo sé! Pero tampoco quiero que alguien más muera innecesariamente.

Austin comprendió que había hablado con excesiva dureza y dio marcha atrás.

—Yo tampoco. Así que esta es mi oferta: prepare a *Burbujas* para la inmersión. Yo llamaré a la marina, y les preguntaré los límites de inmersión y me atendré a lo que me digan.

Gannon había aprendido hace tiempo que Austin era una fuerza primaria, tan irreprimible como el viento del este.

—¡Qué diablos! —exclamó el capitán con una sonrisa torcida—. Me ocuparé de preparar a *Burbujas*.

Austin levantó el pulgar y fue a toda prisa al puente. Llamó a la Unidad de Inmersiones Profundas de la marina, en California. Escuchó con creciente impaciencia una grabación y habló con varias personas antes de dar con un oficial subalterno del Destacamento de Apoyo de Sistemas de Inmersión. Austin le hizo un rápido resumen de la situación.

El oficial silbó por lo bajo.

—Comprendo su problema, señor, pero no puedo darle permiso para utilizar el Hardsuit. Eso tendría que venir de más arriba. Le pasaré la llamada.

—Ya me ocuparé de hablar con los jefazos —dijo Austin con una mal velada irritación—. Solo quiero saber si el nuevo Hardsuit puede sumergirse a novecientos metros.

—Eso es lo que las pruebas debían determinar —manifestó el oficial—. Los puntos débiles del ADS siempre han sido las articulaciones. Con el nuevo diseño, en teoría es posible descender más. Quizá hasta los mil seiscientos metros. Pero si hay el más mínimo fallo, tendrá un fracaso total.

Austin le dio las gracias y dijo que hablaría con los oficiales superiores, aunque no precisó en qué momento. Esperaba no estar disponible para cuando reaccionase la burocracia de la marina.

Mientras hablaba del Hardsuit con el oficial, un inquietante pensamiento había estado rondándole la cabeza como un mosquito hambriento. Volvió de nuevo al centro del control del ROV, donde la joven técnica que había manejado el vehículo continuaba en su puesto. Le pidió que pasase el último minuto de la filmación. Ella movió el ratón y el fondo marino, novecientos metros más abajo, apareció en la pantalla. Austin observó de nuevo al ROV planear como un pájaro por encima de la ondulante vegetación que cubría el fondo. La cámara muy pronto mostró el impacto de la B3, y luego la cúpula de la batisfera que sobresalía del cráter.

—Congele la imagen —pidió Austin. Señaló una zona oscura en la parte superior izquierda de la pantalla—. Ahora, páselo a cámara lenta.

La sombra desapareció de la pantalla.

La operadora del ROV miró la pantalla y se mordió el labio inferior.

—No recuerdo haber visto eso.

—Era fácil perderla —dijo Austin—. Todos estábamos dedicados a encontrar la batisfera.

La técnica se echó hacia atrás, se cruzó de brazos y miró la forma oblonga que apenas si era visible en el máximo alcance de la luz del foco.

—Puede que sea un pez o una ballena —comentó—, pero ahí hay algo que no acaba de cuadrar.

Austin le pidió que aumentase la imagen. Se deformó a medida que se ampliaba, pero de todas maneras vio que la sombra tenía una forma que se aproximaba a la de una manta. Le pidió que imprimiese la imagen y que reprodujese la última transmisión de la batisfera.

La técnica hizo la impresión, luego redujo la imagen de la sombra y la colocó en la parte superior derecha de la pantalla, que mostró a Kane. Estaba dando una excitada descripción de los peces luminiscentes que nadaban alrededor de la batisfera cuando de pronto se interrumpió para apretar el rostro en el ojo de buey.

«¿Qué ha sido eso?», preguntó Kane.

La cámara activada por voz pasó a Zavala.

«¿Ha visto a una sirena, Doc?»

De nuevo Kane.

«No sé qué he visto, pero sé que era grande.»

Austin cogió la hoja y se fue a la cubierta de popa. Las grandes puertas dobles del garaje estaban abiertas y habían sacado a *Burbujas* para dejarlo debajo de la grúa que lo levantaría de la cubierta.

Austin mostró a Gannon la imagen impresa.

—Este objeto rondaba a la B3 cuando se cortaron los cables.

El capitán sacudió la cabeza.

—¿Qué es esa cosa?

—Ni idea... —dijo Austin. Consultó su reloj—. Lo que sí sé es que la B3 se quedará sin aire y electricidad muy pronto.

—Estaremos listos en unos pocos minutos —informó el capitán—. ¿Ha hablado con la marina?

—Un ingeniero de la marina me ha dicho que, teóricamente, *Burbujas* puede sumergirse hasta los mil seiscientos metros.

—¡Vaya! —exclamó el capitán—. ¿Ha recibido el visto bueno para utilizar el ADS?

—Eso es algo que resolveré más tarde —respondió Austin con una rápida sonrisa.

—¿Por qué se me ha ocurrido preguntar? —se lamentó el

capitán—. Confío en que se dé cuenta de que me está haciendo cómplice del robo de una propiedad de la marina.

—Mírelo por el lado bueno. Podemos ser compañeros de celda en una prisión federal de aquellas que parecen un club de campo. ¿Cómo están las cosas?

Gannon se volvió al jefe de mecánicos, que estaba cerca.

—Hank y su equipo han realizado un soberbio trabajo —opinó el capitán.

Austin observó el trabajo hecho por los mecánicos y dio una palmada a Hank en la espalda.

—Bastante bueno para un trabajo del gobierno —afirmó.

El extremo cortado del cable de la batisfera había sido pasado a través de un gancho y luego vuelto sobre sí mismo en un nudo marinero clásico y sujeto con docenas de vueltas de alambre de acero. Austin agradeció al resto de los mecánicos la calidad del trabajo y, acto seguido, les pidió que sujetasen el gancho a la estructura de *Burbujas*.

Mientras el equipo se ocupaba de la tarea, Austin se apresuró a ir a su camarote. Se quitó los pantalones cortos y la camiseta para ponerse unas prendas térmicas, un suéter y calcetines de lana. Encima se colocó un mono y un gorro de lana. Si bien el ADS tenía un sistema de calefacción, la temperatura interior podía bajar a cinco grados o menos en las profundidades.

De nuevo en la cubierta, Austin explicó brevemente el plan de rescate. Al tiempo que hacía una súplica silenciosa a los dioses para que miraran con favor esa aventura, subió la escalera y acomodó su musculoso cuerpo en la mitad inferior del traje, que se dividía en dos partes en la cintura. Una vez colocada la parte superior, hizo una prueba de energía, comunicaciones y suministro de aire. Por último dio la orden de que lo arriasen al agua.

La estructura y el ADS fueron levantados de la cubierta y bajados al agua. Austin llamó para que lo detuviesen a una profundidad de diez metros a fin de hacer una nueva comprobación de los sistemas. Si bien todo funcionaba a la perfección, tenía muy en cuenta el hecho de que la inmersión a seiscientos sesenta y seis metros, una marca récord, había requerido años de planeamiento y varios equipos de especialistas para realizarla. Se hallaba muy lejos del alocado descenso hasta el fondo que estaba a punto de emprender.

El reloj digital en el casco del *Burbujas* le avisó de que a la batisfera le quedaba menos de una hora de suministro de aire.

Levantó la mano mecánica y quitó el gancho de la estructura. Una vez que tuvo el gancho bien seguro, dio la orden de que lo bajasen hasta el fondo.

Los cables de la grúa que sujetaban el traje y el gancho funcionaron al unísono para arriar a Austin. El rápido descenso provocó una nube de burbujas que le impedía ver con claridad el entorno. A medida que los minutos pasaban en el reloj digital, mantuvo un ojo atento al indicador de profundidades.

Después de rebasar los seiscientos sesenta y seis metros, Austin fue consciente de que el ADS se adentraba en territorio inexplorado, pero su mente estaba demasiado ocupada con otros asuntos para pensar en la posibilidad de que lo estaba llevando más allá de sus límites.

A setecientos metros, continuaba sin ningún problema visible, aunque notó un cambio en la velocidad del descenso.

La voz de Gannon sonó por el intercomunicador.

—Estamos disminuyendo la velocidad del descenso para que no haga un agujero en el fondo, Kurt.

—Se lo agradezco. Deténgame a los mil metros.

La grúa no tardó en parar la maniobra.

Una nube de burbujas se despejó alrededor de la cúpula que protegía su cabeza. Austin encendió las luces, que habrían sido inútiles durante el descenso. Los rayos amarillo pálido acentuaron la oscuridad tan carente de color que cualquier intento de describirlo en palabras habría estado condenado al fracaso.

Todos los sistemas funcionaban y las juntas continuaban herméticas. Austin pidió que soltasen un poco más de cable.

La grúa lo bajó poco a poco hasta que llegó a unos quince metros del fondo.

—Ahora está librado a sus propios recursos —avisó el capitán—. Iremos soltando cable a medida que se mueva.

Puntos fosforescentes, dispersos o agrupados, se veían más allá del alcance de los focos, y unos peces luminosos de extraño aspecto se acercaron a la máscara frontal del casco de Austin.

Movió el pie izquierdo y se pusieron en marcha dos impulsores verticales que lo levantaron poco más de un metro. Luego utilizó el pie derecho para accionar los impulsores horizontales, que lo llevaron hacia delante otro metro.

Austin probó a mover los brazos y las piernas, y descubrió que, incluso con la tremenda presión exterior, las dieciséis juntas bien engrasadas le permitían una asombrosa variedad de movimientos.

Puso en funcionamiento el zoom de la cámara y enfocó a un pez atraído por la luz.

—La imagen llega perfecta —comunicó el capitán—. Muy buena definición.

—Veré si encuentro algo para el álbum familiar. Avanzo.

Austin utilizó con habilidad los controles de los impulsores y llevó a *Burbujas* en un avance horizontal, un tanto inclinado hacia delante, seguido por el cable.

El ADS de trescientos cincuenta kilos perdió su torpeza y se movió a través del agua como si tuviese alas. Austin se fijó en una pequeña pantalla de sónar de color amarillo dorado. Con un alcance de quince metros de cada lado permitía un radio de acción de treinta metros. Marcaba su posición, rumbo y velocidad, así como la profundidad respecto al fondo.

Un objeto oscuro apareció en la pantalla, más o menos a unos ocho metros a su derecha y abajo.

Austin maniobró el ADS en un viraje cerrado a la derecha y descendió hasta que los focos se reflejaron en la pulida superficie de metal y plástico del ROV. Estaba tumbado de espaldas como un escarabajo muerto.

Gannon también lo vio.

—Gracias por encontrar a nuestro ROV. —La voz del capitán sonó por el intercomunicador.

—Ha sido un placer —respondió Austin—. La B3 debe de estar a un tiro de piedra.

Amplió el alcance de la búsqueda a treinta y tres metros, y luego giró poco a poco. El sónar captó otro objeto cercano. Al acelerar demasiado, dejó atrás la batisfera y tuvo que dar la vuelta con otro viraje cerrado.

Se detuvo a unos seis metros por encima de la B3. Había bajado la temperatura en el interior de *Burbujas*, y no obstante, el sudor perlaba su frente. Tenía clara la dificultad de la tarea en ese entorno hostil y que cualquier error cometido por la prisa podía ser fatal. Respiró profundamente, apretó el pedal del control vertical y comenzó su descenso hacia la batisfera prisionera en el fango.

10

La B3 se estaba convirtiendo rápidamente en un congelador de forma esférica a medida que el sistema de calefacción alimentado por las baterías libraba una batalla perdida contra el frío de las profundidades. Joe Zavala y Max Kane se habían envuelto en mantas como si fuesen indios navajos y estaban sentado espalda con espalda para conservar el calor. Los labios amoratados les impedían hablar, y sus pulmones se esforzaban por extraer hasta el último átomo de oxígeno del aire cada vez más enrarecido.

Zavala temía el momento en el que la energía eléctrica se agotaría del todo. No quería morir en la oscuridad. La batisfera disponía de un tanque de aire auxiliar, pero se preguntaba si valdría la pena prolongar la agonía. Al mismo tiempo, se resistía con tenacidad al deseo de renunciar y llenaba su mente con visiones de las montañas en los alrededores de Santa Fe. Cerró los ojos e imaginó que estaba descansando después de una excursión en invierno, y no atrapado en una esfera de acero hueca en el fondo del mar helado.

¡Clonc!

Algo había golpeado contra la batisfera. Zavala apoyó la cabeza en la pared, sin hacer caso del frío que se colaba a través de la piel metálica. Oyó cómo raspaban, a continuación hubo otro golpe y luego varios más.

El código Morse para la letra ka.

Luego, después de una angustiosa pausa, escuchó una a.

«Kurt Austin.»

Kane había estado sentado con la cabeza gacha y con los brazos alrededor de las rodillas. Apartó la barbilla del pecho y miró a Zavala con los ojos desenfocados.

—¿Qué ha sido eso? —preguntó, incapaz de articular bien las palabras debido al frío y a la falta de oxígeno.

De los labios agrietados de Zavala afloró la sombra de una sonrisa.

—Ha llegado la caballería.

Austin estaba en cuclillas en la parte superior de la batisfera como una araña y utilizaba la mano mecánica para marcar las letras. Un traje de inmersión de ese tamaño y forma lo hacía susceptible a las corrientes, y un remolino en el fondo amenazaba con apartarlo de su posición. Enganchó el cable en lo alto de la esfera, sujetó la mano mecánica en el cable para mantenerse y maniobró los impulsores del traje de forma tal que quedasen encarados hacia el fango que rodeaba la esfera.

Apretó el pedal y de inmediato quedó envuelto en una cegadora nube cenagosa que se posó al cabo de un momento. Apagó los focos del ADS. El débil resplandor que salía a través de los ojos de buey de la B3, que poco antes habían estado enterrados, indicaba que los sistemas aún funcionaban. Austin encendió y apagó las luces para llamar la atención de su compañero.

Zavala miró los destellos, y su mente se sacudió parte de la somnolencia inducida por el frío.

Kane también había visto las luces.

—¿Qué debemos hacer? —preguntó.

Zavala anhelaba la oportunidad de hacer algo, lo que fuese, para salir de ese embrollo, pero tenía claro que debían ser pacientes.

—Esperar —respondió.

Austin soltó la mano mecánica del cable y comenzó a transmitir un nuevo mensaje golpeando en la superficie de la batisfera. Solo consiguió enviar unas pocas letras antes de que el empuje de la corriente contra el traje lo apartase un par de metros. Recuperó el control y continuó enviando el mensaje.

La cámara del Hardsuit había estado transmitiendo las imágenes de sus esfuerzos a la nave situada en la superficie.

—¿Qué está pasando ahí abajo? —preguntó Gannon—. La imagen se oscureció, y ahora ha vuelto pero distorsionada.

—Espere —contestó Austin, y acabó de transmitir el mensaje.

—A la espera —respondió el capitán.

Los esfuerzos de Austin habían agotado sus fuerzas. El sudor le entraba en los ojos, y boqueaba como un pez fuera del agua.

—¡Arriba! —gritó a través del micrófono del traje.

Zavala había escuchado con atención los golpes que llegaban desde el exterior de la B3. Había captado las primeras letras. Después de una pausa, escuchó el resto.

«Flota».

«Demonios, Kurt, si pudiese, flotaría», se dijo.

La batisfera continuaba hundida en el fango, y Zavala oscilaba entre la furia y la desesperación. Quizá todo aquello era una alucinación provocada por la falta de oxígeno. Quizá se lo estaba imaginando todo. Se inventaba un rescate que solo existía en su mente.

Un timbre lo devolvió a la realidad.

Una luz roja parpadeaba enloquecida en el panel de control. Comprendió que la luz había estado encendiéndose y apagándose desde hacía un rato, pero la mente obnubilada no se había dado cuenta de que el sistema avisaba que el aire estaba a punto de acabarse.

Buscó la botella de reserva; a duras penas consiguió descolgarla de la pared y giró la válvula.

El aire llenó la cabina y en el acto despejó las brumas de su mente. Destapó de nuevo la caja donde estaba el tirador manual del sistema de flotación y esperó a que ocurriese algo.

Austin permaneció un par de metros por encima del fondo apuntando con los focos del Hardsuit en dirección a la parte superior de la B3. El cable se tensó a medida que, a novecientos metros por encima de su cabeza, la grúa comenzaba a izarla, pero la batisfera no se movió. Varias escenas terribles desfilaron por su mente: la sujeción reparada se rompería de inmediato y la esfera se vería atrapada en el remolino creado por el fango; Zavala se olvidaría de poner en marcha el sistema de flotación o este no funcionaría al ser activado; la peor de todas, que los dos hombres estuviesen inconscientes.

—El cable está tenso en el tambor —avisó Gannon—. ¿Pasa alguna cosa en su extremo?

Austin vio que la unión en el cable comenzaba a deshacerse.

—Continúe tirando —dijo.

Apretó las mandíbulas como si pudiese izar la B3 con la fuerza de voluntad. La batisfera permaneció en el mismo punto. El cable se deshizo un poco más.

—¡Muévete, maldita sea! —gritó.

Nubes de fango aparecieron alrededor de la batisfera. Luego la B3 se desprendió del fondo, disparada como el corcho de una botella, y se enderezó. Un tupido manto cenagoso la ocultó por un momento antes de que se levantase iluminada por los focos de *Burbujas*.

El grito de triunfo de Austin resonó por todos los altavoces de barco.

La B3 estaba a tres metros por encima del fondo y el fango

chorreaba por sus costados. Subió a seis metros, y Kurt seguía sin ver ninguna señal de las bolsas de flotación. ¿A qué esperaba Joe? Quizá las trapas que debían liberarlas estaban trabadas por el cieno.

Austin acompañó el lento ascenso de la batisfera, con la mirada fija en el cable y en el gancho. En el mismo momento en que el cable se rompía, de pronto se abrieron las tapas laterales de los patines y seis bolsas de flotación se hincharon a toda velocidad. La batisfera se sacudió adelante y atrás, luego se estabilizó y comenzó a ascender.

Austin observó la B3 hasta que se perdió de vista.

—Van de camino —avisó a Gannon.

—Usted es el siguiente —dijo el capitán—. ¿Cómo está?

—Estaré mucho mejor en cubierta.

Austin movió los impulsores para colocarse en una posición más o menos vertical, y ya estaba preparado cuando el Hardsuit se sacudió en el extremo del cable. En cuanto el ADS comenzó el largo viaje a la superficie, Kurt apagó las luces y vio que no se encontraba solo.

La oscuridad se hallaba salpicada con docenas de constelaciones. Estaba rodeado por unas luminiscentes criaturas marinas que flotaban en el lugar como estrellas. De vez en cuando, veía algo que se movía como las luces de un avión en el cielo nocturno. Entonces captó un movimiento a la izquierda. La constelación colgada al borde de su visión periférica parecía estar creciendo. Al girar la cabeza, vio lo que parecía un trío de resplandecientes ojos ámbar que se acercaban.

Una alarma se disparó en el cerebro de Austin. Había estado tan concentrado en el rescate que se había olvidado de la siniestra sombra que rondaba cerca cuando habían cortado los cables de la B3 y del ROV.

Los focos del Hardsuit se reflejaron en la pulida y oscura superficie de aquel artefacto con forma de lágrima alargada. Sería un sumergible de algún tipo, probablemente un vehículo sumergible autónomo, de los denominados AVS, porque no veía ningún cable. Los resplandecientes ojos que había visto sin duda eran sensores, pero Austin estaba más interesado en las afiladas mandíbulas metálicas que sobresalían del frontal del vehículo.

El AVS se movía rápido, a una profundidad donde las mandíbulas se cruzarían con el cable que lo llevaba a la superficie. Austin pisó el pedal de ascenso vertical. Hubo un segundo de demora antes de que los impulsores superasen la inercia del traje, y luego ascendió un par de metros. El atacante pasó por debajo, y las mandíbulas apresaron solo agua.

El vehículo hizo un amplio giro de costado, se elevó para mantenerse a la par y empezó a trazar un círculo para un siguiente ataque.

Gannon observaba el encuentro en pantalla.

—¿Qué demonios ha sido eso? —gritó el capitán.

—¡Algo que me quiere comer! —gritó Austin a su vez—. Súbame más deprisa.

El ágil AVS fue rápido a la hora de ajustar la estrategia y la velocidad. Al iniciar el segundo ataque, redujo la velocidad y siguió a su objetivo como un depredador cuya presa mostrara un comportamiento inesperado.

Austin esperó a que el sumergible estuviese a un par de metros y luego pisó el pedal. El *Burbujas* se elevó, pero no lo bastante rápido para repeler el atacante. Kurt levantó los brazos en una posición defensiva, rectos y juntos. Golpeó contra los manipuladores del AVS, pero no antes de que su garra metálica se clavase en el ojo central del aparato.

La cabeza de Austin golpeó contra el interior del casco. El impacto lo arrojó a un lado y comenzó a oscilar en el extremo del cable como un péndulo. El dolor le subía por el brazo izquierdo desde la muñeca.

El AVS se preparó para otro ataque, pero ahora avanzaba a baja velocidad y con unos movimientos erráticos de lado a lado como un sabueso que buscara la presa. Más que ir en línea recta hacia Austin, amagó un ataque frontal y luego se desvió hacia arriba en busca del cable. Debido a que Austin aún estaba mareado por el último ataque, tardó en dar potencia a los impulsores verticales. Las pinzas del AVS le sujetaron por el codo el brazo derecho, que tenía levantado, y apretaron.

Austin cogió el manipulador con la mano izquierda, y se impulsó hacia arriba y después hacia abajo, como si fuese un yoyó. Las pinzas estaban diseñadas para un movimiento en horizontal, y el peso del vehículo era una desventaja. La mandíbula se torció hasta quedar inservible. Luego la cuchilla se partió en la base. El AVS comenzó a sacudirse con gran violencia, se apartó de Austin y desapareció en la oscuridad.

—Kurt, ¿está bien? —La voz del capitán sonó a través de los auriculares de Austin—. ¡Por amor de Dios, contésteme!

—Estoy bien, capitán —consiguió decir Austin—. Súbame.

—Ascendiendo —dijo el capitán con un claro tono de alivio—. ¿Qué clase de música quiere escuchar mientras sube?

—Se lo dejo a su elección —respondió Austin. Estaba demasiado cansado para pensar.

Un momento más tarde, los compases de un vals de Johann Strauss sonaron por los auriculares, y comenzó su largo viaje a la superficie al ritmo de «Cuentos de los bosques de Viena».

Mientras lo izaban hacia el barco, fue vagamente consciente de que sujetaba la cuchilla del AVS en su garra metálica como si fuese un trofeo de caza.

11

A miles de millas del *William Beebe*, Lois Mitchell intentaba sofocar el tumulto en el comedor, donde Gordon Phelps los había encerrado a punta de pistola. Alguien había advertido la ausencia del biólogo marino, y cuando Lois dijo que Phelps había matado de un disparo al doctor Logan, la noticia dio lugar a un coro de voces cargadas de ira y miedo.

Lois intentó calmar el griterío. Como no lo consiguió, colocó varias tazas en el mostrador y las llenó de café. Esta sencilla acción consiguió tranquilizar los ánimos. En cuanto se acallaron las voces y pudo hacerse oír, Lois dedicó a todos una sonrisa.

—Siento no poder ofreceros un Starbucks Grande, pero de momento tendremos que conformarnos.

Su broma provocó el estallido de una joven ayudante de laboratorio, cuyos rostro pálido y ojos llorosos indicaban que estaba muy cerca de sufrir un ataque de histeria. Con una voz cargada de sollozos, la técnica preguntó:

—¿Cómo puedes estar tan tranquila sabiendo que el doctor Logan ha sido asesinado?

Lois, dispuesta a no rendirse al deseo de echarse a llorar, respondió:

—El doctor Logan yace en el pasillo fuera de la sala de control con una bala en el corazón. Intentó resistirse y lo mató el hombre que nos ha encerrado aquí. Si quieres evitar el mismo destino, te sugiero que respires varias veces a fondo y te calmes.

Con una mano temblorosa, Lois movió una taza a través del mostrador. La muchacha titubeó, luego cogió la taza y dio un sonoro sorbo. Lois les pidió que se sentasen a la mesa y describió su encuentro con Phelps y el asesinato de Logan. Un biólogo que había sido gran amigo de Logan se levantó de la silla y cogió un cuchillo de cocina del mostrador. Resumió su furia en una única palabra:

—¡Cabrón!

Lois permaneció en su asiento y miró al biólogo con una expresión tranquila.

—Tienes toda la razón —afirmó—. De hecho, el hombre que disparó al doctor Logan es peor que un cabrón, es un asesino; sin embargo, no es el momento de discutir su carácter. Quizá puedas atacarlo con el cuchillo, pero lo dudo, y después, ¿qué? Es obvio que Phelps no es el único involucrado. Nos enfrentamos a unas personas despiadadas que tienen los medios para entrar en una instalación fuertemente custodiada a cien metros por debajo de la superficie del mar. No sé cómo se enteraron de la existencia del laboratorio ni quiénes o cuántos son, pero nos encontramos sometidos a su merced.

El golpe del cuchillo contra el mostrador sonó como un trueno, y el biólogo volvió a sentarse.

—Tienes razón, Lois —admitió, derrotado—. Solo deseo saber qué quieren.

—Estoy segura de que nos lo dirán —respondió ella—. Mientras tanto, comamos algo. Es importante conservar nuestras fuerzas. ¡Dios mío...! —añadió con una sonora carcajada—. Hablo como la protagonista de esas películas de catástrofes que pide a todos que permanezcan tranquilos después de que el transatlántico haya quedado con la quilla al aire... o el avión se haya estrellado en la selva.

El comentario provocó unas cuantas sonrisas nerviosas. Dos científicos se levantaron para ir a la cocina y volvieron al poco rato con una bandeja con sándwiches de jamón, pavo y mantequilla de cacahuete. El miedo debía de haber aumentado el apetito de los científicos porque devoraron los sándwiches como si llevaran días sin comer.

Estaban recogiendo cuando el comedor reverberó con un fuerte zumbido. Todos dejaron de trabajar y prestaron atención. Después de unos momentos, cesó el zumbido y el suelo se sacudió, como si se hubiese producido un terremoto. Hubo una segunda sacudida y la habitación se balanceó.

Aquellos que aún estaban de pie lucharon para mantener el equilibrio, y sonaron unos gritos de alarma. Se hizo el silencio cuando se abrió la puerta y entraron dos hombres armados en el comedor para despejar el camino a Phelps. Los dos desconocidos vestían trajes de submarinista negros todavía mojados y empuñaban metralletas.

—Al parecer hemos llegado tarde para la comida —manifestó Phelps con una sonrisa.

—¿Qué le está pasando al laboratorio? —preguntó Lois, que se sujetaba al borde de la mesa para no caerse.

—¿No recuerda que le dije que haríamos un viaje? Están trasladando el laboratorio a un nuevo barrio.

Lois pensó que debía de estar perdiendo el juicio.

—Es imposible.

—En realidad no, doctora Mitchell. Solo tuvimos que enganchar el laboratorio a una grúa.

—¿Qué le ha pasado a nuestro barco de apoyo?

—Está inutilizado —respondió Phelps. Dio una orden a los dos hombres armados—: Lleven a estas personas a sus alojamientos.

Los pistoleros se apartaron para permitir el paso de los científicos.

—Gracias por permitir que mi gente se retire —dijo Lois.

Iba a seguir a sus colegas fuera del comedor, pero Phelps tendió una mano y le sujetó el brazo. Cerró la puerta, acercó una silla, y pidió a Lois que se sentase. Él también se sentó y se recostó en el respaldo.

—He estado leyendo su biografía, doctora Mitchell. Muy impresionante. Licenciada en biología marina por la Universidad de Florida, máster por el Instituto de Ciencias Marinas de Virginia y nada menos que doctora en biotecnología marina y biomedicina por el Instituto Scripps.

—¿Es una entrevista de trabajo? —preguntó Lois en un tono desabrido.

—Supongo que podría verlo de esa manera —respondió Phelps—. Ha estado haciendo un trabajo que interesa a mis jefes.

—¿Quiénes son sus jefes?

—Son unas personas un tanto tímidas. Solo piense en ellas como los que ingresan mi paga.

—¿Le pagaron para que matase al doctor Logan?

Phelps frunció el entrecejo.

—Eso no figuraba en los planes, doctora Mitchell. Aquello fue un accidente, pura y llanamente.

—Un accidente como secuestrar el laboratorio.

—Creo que podría decirlo así. Mire, doctora Mitchell, es probable que no le caiga bien, que me deteste, y no la culpo, pero es mejor para usted y para el personal que intentemos llevarnos bien porque tendremos que trabajar juntos.

—¿A qué se refiere?

—Mis jefes no me dijeron con precisión cuál es el cometido del laboratorio, pero oí que está relacionado con las medusas.

Lois no vio ninguna razón para callar.

—Así es. Estamos utilizando una sustancia que se encuentra en una variedad de medusa muy rara para desarrollar una vacuna de una variante del virus de la gripe que preocupa a mucha gente.

—Mis jefes dijeron que ya lo tenían casi acabado.

Vaya con el secretismo, pensó Lois.

—Es correcto —dijo—. Estamos a días de sintetizar la sustancia que servirá como base de la vacuna. Aún no ha respondido a mi pregunta sobre trabajar juntos.

—Cuando lleguemos a la nueva ubicación, continuará con sus investigaciones. Dispondrá de todo el laboratorio excepto la sala de control. Me informará de los resultados a diario. Yo transmitiré los informes a mis jefes. Por lo demás, la actividad será como siempre.

—¿Qué pasa si nos negamos a trabajar para usted?

—Sabemos que no podemos obligar a los científicos a hacer su trabajo golpeándoles con porras. Los dejaremos aquí librados a su suerte y los privaremos de comida y aire hasta que estén dispuestos a trabajar de nuevo. Las reglas son sencillas: si hacen huelga, morirán. No es idea mía, pero así son las cosas.

—Gracias por su amable consejo. Se lo transmitiré a mis colegas tan pronto como me permita volver con ellos.

Phelps se levantó y abrió la puerta.

—Puede irse ahora, si quiere.

Lois permaneció donde estaba.

—Un par de preguntas. ¿Qué pasará cuando acabemos nuestra investigación? ¿Va usted a matarnos o dejará que nos pudramos en el fondo?

Phelps era un hombre duro y un profesional veterano. Consideraba que su trabajo como mercenario estaba vinculado a una orgullosa profesión que se extendía a centenares y quizá miles de años. Más vieja que la prostitución, solía decir. Tenía su propio sentido del honor, que no le permitía hacer daño a una mujer, y menos a una tan atractiva como Lois Mitchell. Apartó los pensamientos peligrosos. No había lugar en su trabajo para relaciones personales, pero se juró mantener un ojo atento en Lois.

—Me contrataron para secuestrar este cómodo escondite y asegurarme de que continuasen trabajando. Mi contrato no dice nada de matarla a usted o a sus amigos. Saben que cuando el trabajo se acabe, tengo la intención de sacarla del laboratorio y dejarla en algún lugar cercano a la civilización. Quizá algún día nos encontremos en un bar en París o en Roma y nos divirtamos mucho con toda esta historia.

Lois no tenía el menor deseo de volver a ver a Phelps nunca más. Tampoco sabía si Phelps le decía la verdad o no. Notó que las fuerzas la abandonaban. Sintió como si la estuviesen ahogando, pese a que sus pulmones hiperventilaban. Se concentró en la respiración, inspiró y espiró con el diafragma, y al cabo de unos momentos el martilleo de su corazón comenzó a disminuir. Se dio cuenta de que Phelps no perdía detalle de su reacción.

—¿Está bien, doctora Mitchell?

Lois miró a lo lejos durante un momento, puso en orden sus pensamientos y se levantó de la silla.

—Ahora, si no le importa, querría volver a mi alojamiento.

—Estaré en la sala de control si me necesita.

Lois fue a su camarote. El suelo continuaba moviéndose y tuvo que caminar con las piernas bien separadas para no perder el equilibrio. De alguna manera, consiguió llegar al habitáculo. Se tumbó en la litera y se cubrió la cabeza con la manta, como si de esa manera pudiese aislarse del mundo, pero no sirvió de nada. Por fortuna, al cabo de unos pocos minutos, se sumergió en un sueño intranquilo.

12

El capitán Gannon frunció el entrecejo mientras miraba a través de las ventanas del puente cómo se encrespaba el mar. El tiempo había cambiado para peor en las horas transcurridas desde que la B3 había bajado a las profundidades. Negros nubarrones habían reemplazado a las nubes blancas de la mañana. La brisa que había saludado la llegada del barco había arreciado y comenzaba a levantarse una marejada. El agua tenía un color cada vez más plomizo a medida que se ponía el sol y la espuma coronaba las olas.

La nave de investigación había sido construida para soportar toda clase de condiciones meteorológicas, pero rescatar la batisfera y al agotado buceador habían sido operaciones delicadas incluso en la bonanza.

Gannon había apartado el barco de la última posición conocida de la batisfera a fin de dejarle lugar para emerger. La grúa de estribor aún seguía subiendo al ADS, y a Austin no le gustaría nada verse arrastrado por todo el océano, así que el barco solo podía moverse una corta distancia.

«Si alguien puede sobrevivir a este sufrimiento —pensó el capitán—, es Austin. Demonios, el hombre es una máquina en movimiento perpetuo.»

Tras haber bajado novecientos metros hasta el fondo del océano para liberar la batisfera, Austin mantenía una comunicación constante con el barco e informaba de su ascenso al puente a intervalos regulares, y añadía vívidas descripciones de la vida marina que observaba.

Los vigías estaban apoyados en las bordas o reunidos en la proa y en la popa. Una neumática ya estaba preparada en la rampa de popa debajo de una grúa puente. Dos buceadores con trajes de neopreno permanecían sentados en los flotadores a la espera de la señal para lanzarla al agua.

Los motores retumbaban en la sala de máquinas, las olas se estrellaban contra el casco y el viento, cada vez más fuerte, silbaba entre los aparejos. Por lo demás, una siniestra quietud se había apoderado de la nave.

El silencio lo rompió el grito de un vigía a través del intercomunicador del puente.

—¡Está a flote!

Gannon cogió el micro y, sin apartar la mirada de una mancha de espuma aparecida a cien metros a babor, dio la orden para lanzar la neumática.

Los buceadores empujaron la zódiac por la rampa y saltaron a bordo. La embarcación cabeceó sobre las olas mientras el poderoso motor fuera borda se ponía en marcha y navegaba alrededor del barco, arrastrando un cabo de recuperación como una cola prensil.

La zódiac aminoró hasta detenerse junto a unos montículos naranja que flotaban en la superficie. Bajaron el cable de arrastre al agua y uno de los submarinistas abandonó la neumática y desapareció debajo de las olas.

Todas las miradas estaban fijas en la maniobra. Cuando el submarinista asomó a la superficie y agitó el puño en el aire, se oyó una sonora exclamación. La B3 estaba enganchada. La grúa sacó la batisfera y las bolsas de flotación poco a poco a la superficie.

El equipo de recuperación cortó los flotadores, y de inmediato la grúa izó la batisfera y la depositó en la cubierta. Un operario quitó los tornillos con una llave eléctrica y retiraron la pesada escotilla.

La médica del barco metió la cabeza por la escotilla y vio un montón de mantas rodeadas por varios elementos del equipo.

—Hola —dijo con voz titubeante.

Zavala apartó la esquina de la manta y parpadeó para protegerse de la luz. Sonrió.

—Hola a ti también —respondió.

Austin todavía iba de camino a la superficie cuando Gannon le llamó para decirle que la batisfera estaba a bordo. Austin preguntó por el estado de Joe y de Doc.

—He visto anguilas muertas con más vida que ellos —comentó el capitán—. Pero la doctora dice que sufren de «ción»: deshidratación, privación de aire y... *agotación*.

Austin soltó un gemido que el capitán habría oído sin necesidad de la conexión de fibra óptica.

—Capitán, es usted un hombre cruel.

—Se pondrán bien —dijo Gannon con una risita—. Solo necesitan agua y descanso. He informado a la prensa de que la recuperación de la B3 ha sido un éxito. Por ahora, ningún detalle, pero alguien en alguna de las lanchas o en el helicóptero tuvo que haberse dado cuenta de que teníamos problemas. Más tarde, tendré que ocuparme de darles explicaciones... ¿Qué tal usted?

—Ansioso por salir de este traje de hojalata, pero por lo demás me siento bien. Una petición: la música clásica me hace dormir. ¿No hay nada más animado?

Minutos más tarde, Austin escuchaba a Mick Jagger cantando «You Can't Always Get What You Want».

Sonrió, totalmente de acuerdo con las palabras de la canción de los Rolling; con un poco de tiempo, podías conseguir lo que necesitabas... sobre todo si tenías amigos.

Los tripulantes de la B3 fueron llevados a toda prisa a la enfermería. Los acostaron en las camillas, les quitaron las prendas sucias, les curaron los golpes y cortes, y les hicieron un masaje para estimular la circulación. Luego la doctora los abrigó con una pila de mantas y los dejó dormir.

Cuando Joe Zavala despertó, lo primero que vio fue el rostro de Kurt Austin.

—Creo que no estoy en el cielo —protestó Zavala.

Austin levantó una botella de cristal marrón con una tapa de rosca.

Tequila.

—Quizá lo estés —dijo.

Los labios agrietados de Zavala se abrieron en una sonrisa.

—Una dulce visión para mis ojos cansados —comentó—. ¿Cuándo regresaste a bordo?

—Me sacaron del traje hará cosa de media hora —respondió Austin—. ¿Te sientes con ánimos para contarme qué pasó?

Zavala asintió.

—Deja que primero me caliente el exterior, y luego me calentaré por dentro.

Necesitó quince minutos debajo de la ducha más caliente que pudo soportar antes de que el calor volviese a sus huesos. Austin le sirvió un vaso de tequila, se lo alcanzó por encima de la puerta, y luego fue a su camarote para ducharse y cambiarse de ropa.

Cuando Austin regresó, Zavala se había vestido con las prendas que le había dejado Kurt y estaba sentado en una silla bebiendo tequila.

Austin le ayudó a ir hasta el comedor y pidió dos bocadillos. Se los comieron con voracidad. Zavala cerró los ojos y se reclinó en la silla.

—Creo que ha sido la mejor comida de mi vida —afirmó.

—Te llenaré la copa si me dices qué pasó con la batisfera —prometió Austin.

Zavala le acercó el vaso. El tequila ayudó a aflojarle la lengua, y describió a Austin la terrible experiencia de caer al fondo del mar y el problema para poner en marcha las bolsas de flotación.

—Sigo sin saber cómo pudo partirse aquel cable —se lamentó Zavala con un tono incrédulo.

—No se partió —dijo Austin.

Austin abrió el maletín que había llevado consigo y sacó un ordenador portátil, que dejó en la mesa. Mostró a Zavala el vídeo que la cámara del ADS había filmado de su encuentro con el AVS.

Zavala exclamó «olé» al ver que Austin esquivaba las letales pinzas. Cuando el vídeo acabó con Austin partiendo el brazo del AVS, comentó:

—Bonita faena, pero no dejes tu empleo para convertirte en torero.

—No tengo esa intención —manifestó Austin—. Dejemos a un lado la técnica del toreo... ¿Hasta qué punto sería difícil programar un AVS para que corte el cable de la batisfera?

—No es difícil, Kurt, pero sí sería mucho más complicado construir el AVS. Es un excelente trabajo de ingeniería. Muy ágil. Aprende de sus errores y es rápido en adaptarse. Es una pena que hayas tenido que averiarlo.

—Tienes razón, Joe. Tendría que haber dejado que me matase, pero es que tenía un mal día.

—Nos pasa a los mejores —dijo Zavala.

—¿Se te ocurre de dónde pudo haber venido? —preguntó Austin.

—Había por lo menos dos docenas de embarcaciones observando la inmersión de la batisfera. Esa voraz criatura pudo haber sido lanzada desde cualquiera de ellas. ¿Por qué crees que te atacó después de hundir la B3?

—Nada personal. Creo que fui lo que los militares llaman un daño colateral. —Señaló la pantalla—. Alguien lo envió contra la batisfera. Fue a por mí solo porque resultó que yo estaba en los alrededores.

—¿Quién querría cargarse el proyecto B3? —preguntó Zavala.

—Yo me he estado haciendo la misma pregunta —admitió Austin—. Vayamos a ver si Doc está despierto.

Kane no solo estaba despierto sino que se encontraba de muy buen ánimo. Se había duchado, puesto un albornoz y, repantigado en una silla, hablaba con la oficial médica.

—Ahora sé cómo se siente una sardina en lata —dijo—. Gracias por el rescate, Kurt. Me cuesta creer que el cable se cortase.

—No se cortó —dijo Zavala—. Kurt dice que lo cortaron.

—¿Que lo cortaron? —Kane lo miró boquiabierto—. No lo entiendo.

Austin mostró a Kane el vídeo del AVS.

—¿Sabe de alguien que quisiera tomarse todas estas molestias para enviar la batisfera al fondo? —preguntó.

Kane sacudió la cabeza.

—No. ¿Y usted?

—Joe y yo estamos en la misma situación —dijo Austin—. No se nos ocurre ninguna razón por la que alguien quiera acabar con un proyecto científico y educativo.

La voz de Gannon sonó por el altavoz.

—Hay una llamada para el doctor Kane —avisó el capitán—. ¿Puede responderla?

Austin cogió el auricular de la pared y lo pasó a Kane.

Kane escuchó a alguien en la línea, y dijo:

—¡Eso es imposible...! Sí, por supuesto... Estaré preparado.

En cuanto Kane colgó, Austin preguntó:

—¿Todo va bien?

—No —respondió Kane. Su rostro mostraba un color ceniciento—. Si me perdonan, tengo que hablar con el capitán.

Kane pidió a la doctora que lo ayudase a ir hasta el puente.

Austin miró la escotilla por un momento, se encogió de hombros y dijo a Zavala:

—Acompáñame al taller. Tengo que mostrarte algo.

La pinza que Austin había arrancado del AVS, estaba envuelta en una tela y sujeta a un tornillo de banco. Con unos gruesos guantes de trabajo, quitó la cuchilla de las mordazas. Medía un metro veinte de longitud y quince centímetros de ancho, estaba curvada por el borde interior y acababa en punta. Vio que era muy ligera y calculó que pesaba por lo menos diez kilos.

Zavala silbó por lo bajo.

—Hermoso —murmuró—, una nueva aleación metálica. Quien la construyó no esperaba que fuese retorcida en la junta con el AVS. Era su punto débil. El borde esta afilado como la espada de un samurái.

—Puedes ver cómo esta pareja de cuchillos podrían estropearte el día.

—Es una pena que Beebe no esté por aquí —comentó Zavala—. Podría cambiar su opinión sobre que los peligros de las profundidades eran puras exageraciones.

—El océano no fabricó esta cuchilla. Es obra del hombre. —Austin le dio la vuelta con mucho cuidado. El metal había sido forjado a la perfección excepto por un único fallo del tamaño de la cabeza de un alfiler a unos pocos centímetros de la rotura.

Austin envolvió la hoja en la tela y la colocó de nuevo en el tornillo de banco.

—Has estado horas con Doc... ¿Dijo alguna cosa que pudiese arrojar algo de luz en este misterio?

—Habló mucho de medusas, pero hay una cosa que destacó. —Zavala buscó en su memoria—. Mientras estábamos enganchados en el fango le pregunté por sus investigaciones. Dijo que estaba trabajando en una investigación que podía afectar a todos los hombres, las mujeres y los niños del planeta.

—¿Dio algún otro detalle?

Zavala sacudió la cabeza.

—Se lo pregunté. Me respondió que si me decía en qué trabajaba tendría que matarme.

El lado derecho de la boca de Austin se alzó en una sonrisa torcida.

—¿Dijo eso de verdad? Parece irónico, si tenemos en cuenta que os faltaba muy poco para sufrir lo que los periódicos llaman una muerte horrible.

—Nos reímos a placer, pero creo que era sincero.

Austin pensó en la respuesta de Zavala.

—¿Qué impresión te ha dado la llamada que Doc ha recibido hace unos minutos?

— Fue como si un caballo le hubiese dado una coz en el vientre.

—No hay ninguna duda de que le inquietó.

Austin propuso que hablasen de nuevo con Kane. Al salir a cubierta, vieron a Kane y al capitán. El científico aún caminaba con cierta dificultad, con Gannon a su lado, y cargaba con su macuto.

—Íbamos de camino para veros —explicó el capitán. Señaló las luces de un barco que se acercaba—. Es un guardacostas que viene a buscar al doctor Kane.

La embarcación se detuvo a unos cien metros del *Beebe*. Austin ayudó a Kane a ponerse el chaleco salvavidas y lo acompañó hasta la rampa de popa, donde le esperaban los tripulantes de la zódiac. Agradeció a Austin, a Joe y al capitán la ayuda.

—Lamento que se marche, Doc —dijo Austin.

—No lo lamenta tanto como yo. —Kane sonrió—. Las aventuras de Beebe no son nada comparadas con nuestra inmersión.

—¿Regresa a Bonefish Key?

—No, no de momento... Estaré en contacto.

Kane embarcó en la zódiac. La neumática cruzó la distancia hasta el guardacostas. Ayudaron a Kane a subir a bordo, y el barco se puso en marcha antes de que la neumática regresase al *Beebe*.

Austin, Gannon y Zavala miraron al guardacostas hasta

que se perdió de vista. El capitán preguntó a Austin si quería regresar a puerto por la mañana. Austin le propuso hacer un intento de recuperar el ROV perdido. Gannon dijo que, según el parte meteorológico, se esperaba buen tiempo después de que pasase la tormenta. Había preparado una operación de salvamento con el ROV más grande del barco, un monstruo mecánico al que llamaban *Humongous*.

—No sabemos gran cosa de Doc —comentó Zavala en cuanto se hubo marchado el capitán.

—Es hora de poner remedio a esta situación. Pediré a los Trout que hagan una visita a Bonefish Key. Mientras tanto, las reglas de la armada británica permiten una segunda ración de ponche.

—Esto es la NUMA, no la armada británica —puntualizó Zavala—, y te comunico que el tequila no es ponche.

—Quizá deba recordarte que estamos en aguas de las Bermudas y, por lo tanto, en territorio británico.

Zavala dio una palmada en la espalda a Austin y dijo algo en español.

—El español lo tengo un tanto abandonado —dijo Austin—. Por favor, traduce.

Zavala levantó la barbilla y olisqueó el aire como si hubiese olido algo desagradable.

—He dicho: Muy bien razonado, compañero.

13

El guardacostas llevó a Kane a tierra firme, donde un coche lo condujo hasta un avión que esperaba en el aeropuerto. Kane observó cómo las luces de las Bermudas se perdían en la distancia, después se apartó de la ventanilla e intentó encontrar algún sentido a las últimas veinticuatro horas. Lo ocurrido en la inmersión lo había dejado agotado. Los pensamientos se atropellaban en su mente, hasta que, por fin, cerró los ojos y se durmió. Le despertó el rebote del avión en el aterrizaje, y la voz del piloto a través del altavoz le comunicó que habían aterrizado en el Reagan National Airport de Washington.

El avión se dirigió hacia una sección reservada a los VIP. Un joven con un corte de pelo militar le recibió cuando bajó la escalerilla. Las gafas de sol ocultaban sus ojos, aunque era de noche, y su traje negro habría hecho babear a un teórico de las conspiraciones.

—¿Doctor Kane? —preguntó el joven, como si hubiese alguna duda.

La pregunta irritó a Kane, dado que era el único pasajero del avión.

—Sí —respondió—, soy yo. ¿Quién es usted?

—Jones —dijo el hombre sin mudar la expresión de su rostro—. Sígame.

Jones le guió hasta un Humvee negro, abrió la puerta trasera para Kane y luego se sentó delante junto al conductor, quien también vestía como un sepulturero. Tras salir del aeropuerto, fueron por George Washington Memorial Parkway como si no hubiese límites de velocidad, rodearon la ciudad y se dirigieron hacia Maryland.

Jones había permanecido en silencio durante el trayecto, pero cuando entraron en Rockville habló unos momentos por la radio. Kane oyó algo referente a la entrega de un paquete. Minutos más tarde, el Humvee se detuvo delante de un gran edificio de oficinas. El cartel de la fachada lo identificaba como la sede central de la Food and Drug Administration. Las ventanas del edificio estaban a oscuras excepto las de unos pocos despachos iluminados para el personal de limpieza.

Jones escoltó a Kane hasta una entrada lateral. Bajaron un piso en el ascensor y caminaron por un pasillo hasta una puerta sin señales. Jones llamó con discreción, abrió la puerta a Kane, que entró en una sala de conferencias similar a otros centenares de salas anónimas repartidas por todos los edificios del gobierno en la capital. La habitación tenía una moqueta verde pálido, y las paredes, color beige, estaban decoradas con reproducciones de pinturas. En un extremo había un atril y una pantalla de proyección. Una docena o más de personas estaban sentadas a una gran mesa de roble.

Kane caminó alrededor de la mesa para estrechar las manos de los presentes, y fue recibido con saludos y sonrisas por parte de todos excepto de un extraño que se presentó a sí mismo como William Coombs, en representación de la Casa Blanca.

Kane se sentó en la única silla vacía junto a un hombre que vestía el uniforme de teniente de la marina de Estados Unidos.

—Hola, Max —dijo—. ¿Qué tal tu viaje desde las Bermudas? —Se llamaba Charley Casey.

—Rápido —respondió Kane—. Me cuesta creer que hace unas pocas horas estaba a novecientos metros de profundidad.

—Vi la inmersión en la tele —dijo Casey—. Es una pena

que perdieseis el contacto con la superficie cuando las cosas comenzaban a ponerse interesantes.

—Interesante no es la mejor palabra —señaló Kane—. Pero no es nada comparado con la locura del laboratorio. ¿Alguna noticia?

El teniente sacudió la cabeza.

—Aún estamos intentando establecer contacto, pero no hemos tenido respuesta.

—¿No podría ser solo un fallo en el sistema de comunicaciones?

Casey miró a Coombs.

—Tenemos razones para creer que aquí hay algo más que un fallo en las comunicaciones —manifestó Casey.

—Estaría bien que informase al doctor Kane de los detalles tal como los conocemos, teniente Casey —intervino Coombs.

El teniente asintió, abrió una carpeta y sacó varios folios.

—Hemos elaborado un escenario a partir de las declaraciones de los testigos. La situación ha sido confusa, y aún están llegando informes, pero esto es lo que tenemos hasta ahora. Ayer, alrededor de las catorce hora local, dispararon un misil de crucero contra el *Proud Mary*, el barco de apoyo y vigilancia del laboratorio.

Kane sacudió la cabeza como muestra de su incredulidad.

—¿Un misil? ¡No puede ser!

—Me temo que lo es, Max. El misil alcanzó al barco en la banda de babor. Nadie resultó muerto, pero al menos hay una docena de heridos. El *Mary* es una nave muy fuerte. Permaneció a flote y transmitió una llamada de socorro. El crucero *Concord* apareció a las pocas horas y rescató a los supervivientes. Se hicieron repetidos intentos para comunicarse con el laboratorio. No hubo respuesta.

—Quizá la explosión dañó la boya de comunicaciones —sugirió Kane.

—Negativo. El crucero verificó la boya y encontró que no había sufrido ningún daño.

—¿Dónde estaba el sumergible de servicio del laboratorio cuando ocurrió todo eso?

—Poco antes del ataque, el sumergible había hecho una inmersión hasta el laboratorio para llevar a un representante de la compañía a cargo de la seguridad. El sumergible aún estaba en el laboratorio cuando impactó el misil.

—¿Qué pasa con los minisumergibles del Locker? —preguntó Kane—. Pueden utilizarse para desalojar el laboratorio en caso de emergencia. También cuenta con cápsulas de evacuación que pueden usarse como último recurso.

—Nada de nada, Max. Creemos que lo que ocurrió fue súbito y catastrófico.

A Kane le daba vueltas la cabeza. Se desplomó en la silla mientras intentaba asimilar las implicaciones de las últimas palabras de Casey. Pensó en Lois Mitchell y en los otros miembros del laboratorio de Bonefish Key que se habían reunido para despedirlo en su viaje a la inmersión de la B3. Se rehízo al cabo de un momento, al recordarse que era un científico que trabajaba con hechos, no con suposiciones.

Se irguió en la silla.

—¿Cuánto tiempo pasará antes de que podamos llegar al laboratorio?

—El *Concord* está a punto de lanzar un vehículo dirigido por control remoto —contestó Casey—. Lo único que podemos hacer en este momento es esperar su informe.

—Confío en que la marina esté haciendo algo más que estar mano sobre mano —señaló Coombs—. ¿Han rastreado el origen del misil?

El teniente enarcó una ceja. Coombs era uno de aquellos ayudantes que crecían como setas y estaban cortados por el mismo patrón. Tenía el aspecto de un cadete de West Point, aunque el único uniforme que había vestido era el de niño explorador. Mantenía una expresión polivalente de discreta competencia que no alcanzaba a disimular una mal contenida arrogancia. Durante su carrera naval, Casey había encontrado a muchos clones del hombre de la Casa Blanca, con su desmesurado sentido del poder, y había aprendido a disimular su desdén con una impecable cortesía.

Precedió la respuesta con una agradable sonrisa.

—La marina puede caminar y mascar chicle al mismo tiempo, señor Coombs. Hemos reconstruido la probable trayectoria del misil, y tenemos aviones y barcos que recorren la posición de lanzamiento.

—A la Casa Blanca no le interesan las trayectorias, teniente. ¿Se sabe desde dónde lo lanzaron? Si fue lanzado por una potencia extranjera, esto podría tener graves repercusiones internacionales.

—El misil pudo haber sido disparado desde un barco, un submarino o un avión, señor, eso es todo lo que sabemos. En este momento sirve de muy poco. Estamos abiertos a cualquier sugerencia referente a cómo actuar, señor.

Coombs era un experto en el arte de pasar la pelota y no mordió el anzuelo.

—Se lo dejaré a la marina —respondió—, pero le diré una cosa: todo esto tiene el aspecto de ser un plan bien organizado y financiado.

—No se lo discuto —manifestó Kane—. Pero al mismo tiempo en que atacaban al *Proud Mary*, se intentó sabotear la inmersión de la batisfera.

Kane esperó que se acallase la ruidosa reacción y después explicó los detalles del ataque a la B3.

Cuando Coombs se enteró del rescate efectuado por Austin, comentó:

—He escuchado al vicepresidente Sandecker hablar de Kurt Austin. Al parecer, es el hombre que resuelve los problemas en la NUMA. Por lo poco que sé de las hazañas de ese hombre, aún estaría usted en el fondo del océano de no haberse encontrado él a bordo del *Beebe*. Si lo unimos a la desaparición del laboratorio, esto comienza a tener sentido. Alguien quiere acabar con nuestro proyecto.

—Comparto su opinión —dijo Kane—. Las personas que están detrás del ataque al laboratorio debieron de creer que también podrían acabar conmigo en la batisfera.

La doctora Sophie Pappas, la única mujer del comité científico, preguntó:

—¿Por qué las personas que están detrás de estos acontecimientos no esperaron a que volviese al laboratorio? En lugar de dos ataques simultáneos, solo tendrían que haber organizado uno.

—Buena pregunta. —Coombs miró a Kane—. ¿El trabajo del laboratorio podría continuar sin usted?

Kane asintió.

—Por supuesto. Mi trabajo como director es guiar el proyecto. Ahora soy un coordinador científico más que un investigador. Lois Mitchell, mi asistente, es quien más sabe de todos los entresijos del proyecto.

—Me está diciendo que el proyecto podría continuar sin usted, pero no sin ella —dijo Coombs.

—Yo tengo más experiencia a la hora de tratar con la burocracia gubernamental, pero ella podría acabar con este proyecto en cuestión de días sin mí. Por otro lado, sé lo suficiente para reiniciar el trabajo con los científicos que quedan en Bonefish Key. Llevaría tiempo, pero podría poner las cosas de nuevo en marcha.

—No si esta muerto —manifestó Coombs—. Pero el trabajo del laboratorio podría continuar sin usted, y eso significa que quizá no fue destruido.

—Su teoría tiene sentido aunque parezca una locura —opinó Kane.

—Gracias. Una mente tortuosa es muy útil en las altas esferas del gobierno. ¿Hemos informado de los ataques al gobierno chino?

—Después de la reunión, llamaré al coronel Ming, que es mi homólogo chino en este proyecto —dijo el teniente Casey—. Tengo entendido que es un corrupto, pero está muy bien relacionado. Quizá sepa algo que pueda ayudar.

—Eso espero. Este incidente con el laboratorio no podría haber llegado en peor momento —señaló Coombs—. Las malas noticias no se acaban aquí.

Coombs chasqueó los dedos y su ayudante se acercó a una gran pantalla de ordenador colocada en un extremo de la mesa y buscó un mapa de China.

—El punto rojo muestra la aldea donde se presentaron los primeros casos. Los otros tres puntos rojos indican que la epidemia ha traspasado el cordón sanitario y se está extendiendo más allá del punto original. Creemos que el virus se mueve a través de los acuíferos. Pasa de aldea en aldea. Acabará por llegar a las grandes ciudades. Una vez que infecte a las poblaciones de Hong Kong, Pekín y Shanghái, no habrá manera de impedir que se propague al resto del mundo. Llegará a Estados Unidos en cuestión de semanas.

Hubo un silencio alrededor de la mesa que rompió Casey:

—¿Cuánto tiempo falta para que llegue a una zona urbana?

—Los ordenadores dicen que setenta y dos horas a partir de la medianoche.

—Nos da tiempo para detenerlo con la vacuna —dijo Casey—. Lo lógico es que podamos restablecer el contacto con el laboratorio. Una vez que tengamos los cultivos, confiamos en producir la vacuna en cantidad.

—Estamos dando palos de ciego —dijo Coombs—. No sabremos que le pasó al laboratorio hasta que la marina haga su trabajo. —Se echó hacia atrás en la silla y unió las puntas de los dedos—. Hagamos un repaso. ¿Quién se beneficia con el sabotaje del trabajo del laboratorio?

—Me saltaré la respuesta hasta que sepamos más —dijo Kane, y los demás asintieron con un movimiento de cabeza.

—De acuerdo —continuó Coombs, que se encogió de hombros—. Quizá alguien pueda responder a la pregunta de cómo los atacantes supieron de la existencia y ubicación de un laboratorio ultrasecreto.

—Las filtraciones pudieron haber sido inevitables —manifestó Kane—. Cuando este comité se acercó al gobierno por primera vez con nuestros hallazgos y el Tío Sam montó el laboratorio de Bonefish Key como fachada, éramos muy poco expertos en todo este asunto. El instinto de un científico es hacer pública la información, no retenerla.

—Es por eso que la investigación se trasladó de Bonefish Key al Locker —dijo Coombs—, para mantenerlo todo bien oculto y cerca de la fuente.

—También había razones de seguridad —precisó Kane—. Trabajábamos con un patógeno acuático y formas de vida modificadas. El laboratorio de Bonefish Key está cerca de áreas pobladas que podrían haber sido afectadas en las etapas avanzadas de la investigación.

Coombs frunció el entrecejo.

—La existencia del Locker estaba mejor guardada que el proyecto de la bomba atómica. ¿Qué pasa con aquella mujer de su laboratorio? ¿La científica que los chinos enviaron como enlace?

—¿La doctora Song Lee? Yo la avalo. Fue quien dio la voz de alarma durante la epidemia de la neumonía atípica. Estuvo a punto de acabar en la cárcel por denunciarla. Sus contribuciones al proyecto han sido vitales.

—También lo fueron las de Oppenheimer durante el proyecto Manhattan —replicó Coombs—. Eso no impidió que su lealtad se viese comprometida.

—Antes de que acuse a la doctora Lee, quiero señalarle que yo era el único en Bonefish Key que sabía el lugar exacto del laboratorio. Esa información tuvo que venir de una fuente exterior. ¿Qué pasa con la compañía de seguridad?

—La gente de seguridad no sabía qué trabajo hacía el laboratorio, pero sí sabía dónde estaba —respondió el teniente Casey—. Puede que ellos no guardasen el mismo silencio que los funcionarios del gobierno.

No había sido ningún secreto la oposición del teniente a

contratar a una compañía de seguridad privada para el laboratorio.

—El uso de contratistas civiles es algo ya muy frecuente —dijo Coombs—, sobre todo desde la guerra de Irak.

—Se ha demostrado una y otra vez que el gobierno tiene una supervisión y un control limitado de sus actividades —señaló Casey—. Los contribuyentes pagan por una marina profesional, y no por un puñado de vaqueros.

—Se ha pasado de la raya, teniente —manifestó Coombs. Había perdido su frío aplomo, y su rostro se tornó de un rojo furioso.

Sonó el teléfono del teniente y se acabó la discusión sobre el uso de mercenarios. Mantuvo una breve conversación y colgó.

—El sumergible está en el lugar del laboratorio —anunció con una mirada tajante a Coombs—. Está transmitiendo fotos del fondo.

Se levantó de la silla y fue a un ordenador en el extremo de la mesa en cuya pantalla se veía una presentación en Power-Point. Movió el ratón y apareció una imagen del fondo. No había ningún rastro del laboratorio, ningún resto que sugiriese su destrucción.

—¿Está seguro de que tiene la ubicación correcta? —preguntó Coombs en un tono irritado.

—Por supuesto —respondió Casey—. Mire con atención. Se ven las grandes marcas circulares en la arena. Allí era donde estaban las patas de soporte del laboratorio.

—¿Qué significa todo esto? —preguntó Coombs.

Casey le dirigió una sonrisa triste.

—Si quiere que adivine, señor Coombs, yo diría que han secuestrado el Davys Jone's Locker.

Kane seguía sin creérselo.

—¿Cómo puede una cosa tan grande desaparecer sin más? —preguntó.

—Mientras ustedes discuten cómo han podido secuestrar

el laboratorio en las mismísimas narices de la armada —intervino Coombs—, me ocuparé de que el doctor Kane también desaparezca.

Coombs levantó una mano para acallar la siguiente pregunta de Kane, sacó el móvil del bolsillo y se dio prisa en marcar un número.

—Tenemos un problema —dijo por el teléfono. Después de una rápida conversación, colgó—. Lo llevaremos a una casa segura, doctor Kane —anunció.

Cuando Kane fue a protestar, Coombs lo interrumpió de de nuevo.

—Lamento la molestia, pero alguien quiere quitarle de en medio. Los ataques demuestran que personas no autorizadas se han enterado de la existencia del laboratorio pese a todos los esfuerzos hechos para mantenerlo en secreto. Incluso si no se produjera el desastre que sugirió, las repercusiones políticas serían tremendas si alguien conoce esta investigación.

—No creo que eso ocurra —dijo Kane—. A quien quiera entorpecer nuestra investigación parece que también le gusta el secreto.

—La diferencia es que nosotros estamos dispuestos a comunicarlo a los ciudadanos cuando tengamos la vacuna —le corrigió Coombs.

Llamaron a la puerta y Jones entró en la sala. Aún llevaba las gafas de sol. Kane tuvo la sensación de que lo conducían a un arresto domiciliario. Se despidió de los presentes y siguió a Jones.

En cuanto Kane se hubo ido, Coombs se volvió hacia los demás.

—Recomendaré al presidente que prepare a la nación para un estado de alarma. Llamaremos al Centro para el Control y la Prevención de Enfermedades y les avisaremos de que se preparen para algo muy gordo.

—Yo me encargaré de informar en persona al vicepresidente Sandecker —dijo Casey—. Está en contacto con la

NUMA y hará que se sumen a la búsqueda del laboratorio.

—Buena idea —aprobó Coombs—. Quizá el tal Austin pueda echar una mano a la marina en su trabajo.

El comentario de despedida tenía la intención de ofender una vez más a la marina, pero Casey no replicó al representante de la Casa Blanca como había hecho en las anteriores ocasiones. Se limitó a sonreír.

—Quizá pueda —dijo.

Kane intentó conseguir que el hombre de negro sonriese.

—Creo que nos vamos a la piltra —dijo cuando caminaban hacia el ascensor.

—¿Eh? —exclamó Jones.

—Es de *El padrino*... jerga de la mafia.

—Nosotros no somos mafiosos, señor.

No, no lo sois, pensó Kane mientras seguía a Jones, pero bien podríais serlo. Fue incapaz de no utilizar otra frase de la película.

—No se olvide de los *cannoli*.

14

Unos pocos minutos después de la una de la mañana, una lancha neumática golpeó suavemente contra el casco del *William Beebe* y cuatro figuras vestidas con trajes de camuflaje negros y verdes escalaron por unas cuerdas sujetas con ganchos a la borda. Saltaron a cubierta uno tras otro y corrieron a través de ella tan silenciosos como las sombras que parecían.

Excepto el guardia nocturno del puente, la tripulación dormía a pierna suelta en los camarotes, todos agotados tras los esfuerzos del lanzamiento de la batisfera y el rescate. En cambio, Austin estaba despierto, y cuando se hartó de mirar el techo, con la mente funcionando a tope, se levantó, se vistió y se fue al taller mecánico.

Encendió las luces y se acercó a la cuchilla sujeta en el tornillo de banco. Encontró una lupa, enfocó la luz de la lámpara en la hoja y observó la minúscula imperfección cerca de la rotura. A través de la lupa, vio que el defecto era en realidad una marca con la forma de un triangulo equilátero con un punto en cada esquina.

Austin copió la marca en una hoja de papel. Lo observó durante unos momentos, pero no se le ocurrió nada. Dejó el papel y salió a cubierta, convencido de que el aire fresco podría borrar las telarañas del sueño. Respiró a fondo, pero la súbita entrada de oxígeno hizo que bostezase. Sus sinapsis necesitaban un estímulo más fuerte.

Miró hacia las ventanas iluminadas del puente. El oficial de guardia siempre tenía una cafetera preparada. Subió la escalerilla hasta el puente volante de estribor. Oyó la voz de un hombre a través de la puerta entreabierta. Las palabras parecían más gruñidos que otra cosa, y delataban un acento que Austin no conseguía ubicar, pero una palabra destacó entre las demás.

«Kane.»

Los afinados instintos de Austin entraron en juego. Se apartó de la puerta, se apoyó en la pared exterior del puente y se acercó a la ventana. Vio a la tercera oficial, Marla Hayes, a un tripulante y al capitán Gannon. Al capitán lo debían de haber sacado de la cama porque se había puesto una americana sobre el pijama y aún calzaba pantuflas.

Los rodeaban cuatro figuras vestidas con prendas de camuflaje. Los pasamontañas cubrían el rostro de tres de los comandos, y el cuarto se lo había quitado para dejar a la vista un rostro asiático de ojos verde jade y la cabeza afeitada. Los cuatro llevaban metralletas, además de pistolas y cuchillos de combate sujetos a los cintos.

—Se lo repetiré una vez más: el doctor Kane ya no está a bordo —decía Gannon—. Se marchó hace horas en un hidroavión.

El comando con la cara descubierta reaccionó con la velocidad de una serpiente de cascabel que ataca, y su mano libre lanzó un corto golpe con la punta de los dedos en el plexo solar del capitán.

—¡No me mienta! —ordenó.

Gannon se dobló por la cintura, pero consiguió jadear una respuesta.

—Kane no está aquí. Revise todo el maldito barco, si no me cree.

—No, capitán —dijo el asaltante—. Usted buscará en el barco. Ordene que todos suban a cubierta.

Aún doblado por el dolor, Gannon cogió el micro conectado al sistema de altavoces. Cuando titubeó con el micro cerca de la boca, su asaltante le golpeó con el cañón de la metralleta para mostrar su impaciencia.

Gannon torció el gesto, aunque se resistió al impulso de gritar. Respiró hondo.

—Les habla el capitán. Todo el personal a cubierta. Que todos los oficiales y tripulantes se reúnan en la popa.

El asaltante de Gannon dio una orden y a continuación él y otros dos de sus cómplices se llevaron a los tres prisioneros hacia la puerta que daba al puente volante. Austin vio el movimiento y trepó por la escalerilla que daba acceso a la torre de radio en el techo del puente. Desde su posición, observó cómo el grupo se dirigía a la cubierta principal. Bajó y espió por la ventana. Uno de los atacantes montaba guardia en el centro de control de la nave.

Austin bajó la escalerilla hasta una cubierta inferior, abrió con sigilo la puerta del camarote de Zavala, entró y palpó el bulto debajo de las mantas. Zavala gimió, apartó las mantas y se sentó en el borde de la cama.

—Ah, hola, Kurt —dijo con un bostezo—. ¿Qué pasa?

—¿No has oído que el capitán ha ordenado a la tripulación que se reúna en cubierta? —preguntó Austin.

Zavala se frotó los ojos somnolientos.

—Lo he oído, pero no soy miembro de la tripulación, así que me he quedado en la cama.

—Tú habilidad para hacer lo que te conviene puede que te haya salvado el culo —dijo Austin.

Zavala se despertó en el acto.

—¿Qué pasa, Kurt?

—Tenemos una compañía no invitada. Un grupo de caballeros armados con trajes de ninjas.

—¿Cuántos son?

—Cuatro que yo sepa, pero puede haber más. Buscan a Kane. Gannon les ha dicho que Doc no está en el barco. No le han creído. Le han obligado a llamar a la tripulación.

Zavala murmuró algo en español, luego saltó de la cama y

se vistió con tejanos y una sudadera. Se coló su gorro de la suerte hasta las orejas.

—¿A qué potencia de fuego nos enfrentamos? —preguntó.

Austin le habló de las metralletas y pistolas que llevaban los comandos. Zavala frunció el entrecejo. A ninguno de los dos se le había ocurrido llevar consigo un arma a una pacífica expedición científica.

—Tendremos que improvisar —dijo Austin.

Zavala se encogió de hombros.

—¿Es una novedad?

Austin asomó la cabeza para ver si había alguien en el pasillo. Al ver que estaba despejado, abrió la marcha hacia el puente, con Zavala pegado a sus talones. Uno de los comandos seguía en el interior. Encendía un cigarrillo. Austin se señaló el pecho y luego la escalerilla. Zavala le respondió uniendo el pulgar y el índice. En cuanto Austin subió al techo, Zavala golpeó en la ventana e hizo un gesto al comando, que salió al puente volante con la metralleta preparada.

—*Buenas noches* —saludó Zavala, con su sonrisa más amable.

El encanto latino de Zavala cayó en saco roto. El hombre apuntó el arma al pecho de Zavala. Joe levantó las manos. El hombre iba a coger la radio que llevaba sujeta al cinturón cuando Austin lo llamó desde el techo.

—Eeeooo... Estoy aquí.

El hombre miró hacia lo alto y vio a una gárgola de pelo canoso que le sonreía. Levantó el arma, pero Austin saltó desde el techo y aterrizó con todo su peso en los hombros del asiático. El hombre se plegó como una muñeca de trapo al recibir el impacto de más de cien kilos de músculo y huesos y cayó en la cubierta.

La metralleta escapó de la mano del asaltante. Zavala se abalanzó sobre el arma y la sujetó antes de que pudiese caer por la borda. Apuntó con ella al comando tendido en la cubierta, que permanecía inmóvil.

—¿De verdad dijiste «eeeooo»? —preguntó a Austin.

—No tenía tiempo para una presentación formal.

Austin tocó al caído con la punta del pie y le ordenó que se levantase. Cuando no recibió respuesta, lo puso boca arriba y le quitó el pasamontañas para dejar a la vista unas facciones asiáticas. La sangre manaba de su boca.

—Cuando se despierte va a necesitar a un muy buen ortodoncista.

Austin le buscó el pulso en el cuello.

—Esa será la menor de sus preocupaciones. Le irá mejor si va al sepulturero.

Zavala pisó el cigarrillo que había escapado de la boca del hombre.

—Alguien le tendría que haber dicho que fumar es malo para la salud.

Arrastraron el cadáver al interior del puente. Austin transmitió un mensaje de socorro mientras Zavala recogía el arma del hombre. Bajaron a cubierta. Agachados y aprovechando las ventajas de las sombras, se dirigieron a popa. Los potentes focos que se utilizaban para alumbrar las operaciones nocturnas estaban encendidos y bañaban la cubierta con una brillante luz. Los oficiales y tripulantes estaban reunidos en un apretado grupo, vigilados por dos de los comandos. El hombre de la cabeza afeitada apuntaba a Gannon con la metralleta y con la otra mano sostenía en alto la foto de Kane delante de los ojos del capitán.

Gannon sacudió la cabeza y señaló hacia el cielo. Parecía más irritado que asustado.

El hombre apartó furioso a Gannon y se volvió hacia la tripulación. Sostuvo la foto en alto.

—Díganme dónde se oculta este hombre —anunció—, y les dejaremos en libertad.

Cuando nadie aceptó la oferta, se acercó a los marineros, observó sus rostros asustados, y luego sujetó a Marla de un brazo. La obligó a ponerse de rodillas, miró su reloj y dijo:

—Si Kane no aparece en cinco minutos, mataré a esta mujer. Luego mataremos a un tripulante cada minuto hasta que Kane aparezca.

Austin estaba tumbado boca abajo junto a Zavala, e intentaba apuntar al comando. Incluso si abatía al hombre con el primer disparo, quizá no podría alcanzar a los otros dos, que barrerían la cubierta con unas pocas ráfagas de sus armas automáticas. Bajó la metralleta e hizo una seña a Zavala. Retrocedieron hasta que se encontraron en las sombras del garaje.

—No puedo tumbar al calvo —dijo Austin—. Incluso si lo consigo, sus camaradas dispararán a troche y moche.

—Lo que necesitamos es un tanque —señaló Zavala.

Austin miró a su amigo y le golpeó en el hombro.

—Eres un genio, Joe. Es lo que necesitamos.

—¿Lo soy? Ah, claro —exclamó como si se le acabase de ocurrir algo—. ¿El *Humongous*? Es un ROV, Kurt, no un tanque de combate.

—Es mejor que nada, que es lo que tenemos ahora —señaló Austin.

Le esbozó rápidamente su plan.

Zavala se llevó dos dedos a la frente para mostrar que había comprendido y salió a la carrera hacia el centro de control remoto. Austin entró en el garaje y encendió las luces. El *Humongous* estaba junto a las puertas preparado para la inmersión del día siguiente, cuando buscarían el ROV perdido. Tenía el tamaño de un todoterreno. Disponía de cadenas oruga que le permitían moverse por el fondo marino. Una caja de flotación contenía los instrumentos, las luces y los tanques de lastre. Seis impulsores le permitían una ágil y precisa maniobrabilidad en el agua, y llevaba una batería de cámaras de televisión, magnetómetros, sónares, recogedores de muestras de agua e instrumentos, que medían la claridad del agua, la penetración de la luz y la temperatura.

La pareja de manipuladores mecánicos ahora plegados que se extendían desde el frontal podían manejarse con una precisión quirúrgica. Las pinzas eran capaces de recoger las más pequeñas muestras del fondo y guardarlas en un canasto colocado debajo del frontal.

Unos doscientos metros de cable estaban enrollados detrás del ROV. Austin se colocó delante del vehículo y esperó, mientras transcurrían los preciosos segundos.

Entonces se encendieron los faros del ROV y los motores eléctricos comenzaron a funcionar.

Austin movió los brazos a la cámara. Zavala lo vio en la pantalla y accionó las pinzas manipuladoras para señalar que estaba en los controles.

Kurt dio la vuelta al ROV y se montó. Zavala puso en marcha el vehículo. El *Humongous* avanzó y se llevó por delante las puertas, que se abrieron de par en par. En cuanto salió, Zavala movió los manipuladores y abrió y cerró las pinzas, para que resultase más impresionante.

El verdugo de Marla se volvió hacia las puertas del garaje y se encontró con lo que parecía ser un gigantesco crustáceo que iba hacia él. Marla aprovechó la distracción y se levantó de un salto para correr en busca de refugio. Uno de los otros comandos vio a la tercera oficial que intentaba huir y la apuntó con el arma. Austin disparó una ráfaga que abrió una hilera de agujeros a la altura de la cintura del asaltante. El hombre rapado y su compañero se ocultaron detrás de una grúa y acribillaron al *Humongous* con centenares de balas. El implacable tiroteo destrozó los focos, y luego un disparo afortunado impactó en la cámara. En el interior de la sala de control la pantalla quedó en blanco. Zavala mantuvo el vehículo en marcha a toda velocidad, pero sin los ojos electrónicos tenía problemas para dirigirlo. El *Humongous* se desvió a la derecha como un borracho, se detuvo con una sacudida y después salió disparado a la izquierda. Repitió los mismos movimientos, bajo la implacable lluvia de balas. Fragmentos de plástico, espuma y metal volaron por los aires hasta que, por fin, las balas produjeron un incendio.

Austin tuvo una arcada cuando el humo acre llenó su nariz. Notaba cómo el *Humongous* se desintegraba debajo de él. Se descolgó por la parte de atrás del errático ROV y corrió a un costado de la nave, se lanzó detrás de un respiradero, golpeó la cubierta y rodó un par de metros. Se detuvo y disparó por encima de los fogonazos que tenía delante. Fue su turno para hacer un disparo afortunado. Una de las armas enmudeció. Austin continuó disparando hasta quedarse sin munición.

Un momento más tarde, el hombre rapado aprovechó la pausa para correr hacia la borda. Austin salió al descubierto, apuntó con el arma ya descargada al prófugo y gritó:

—¡Eh, pelado! No te marches ahora, la diversión acaba de empezar. —Austin se llevó la culata del arma al hombro.

El hombre se detuvo y se volvió para mirar a Austin a unos seis metros de distancia. El *Humongous* ardía, y la luz de las llamas alumbraron el rostro y sus extraños ojos verdes. Una sonrisa apareció en sus facciones malvadas.

—Es un farol —dijo—. Ya me habrías disparado de haber tenido la oportunidad.

—Ponme a prueba —respondió Austin, y miró con un solo ojo como si estuviese haciendo puntería.

El asaltante levantó el arma como si estuviese dispuesto a ver el farol de Austin o como si no le importase. Austin creyó que iba a dispararle, pero en cambio el hombre gritó furioso y corrió hacia la borda. Abrió fuego mientras corría. Austin se puso a cubierto y cuando se atrevió a mirar de nuevo, el atacante había desaparecido. Oyó que se ponía en marcha un motor fuera borda y corrió a la banda. La lancha ya planeaba, y en cuestión de segundos había desaparecido en la oscuridad.

Miró la pálida estela y oyó cómo el sonido se perdía en la noche cuando surgió un nuevo ruido a su espalda.

Pisadas.

Austin se giró agachado, y se relajó cuando vio por qué el asiático había decidido escapar. Zavala había salido del centro de control y corría hacia él. Cogieron los extintores de un mamparo y rociaron al *Humongous* con espuma química.

—Sonaba como si hubiese comenzado la Tercera Guerra Mundial —comentó Zavala cuando tuvieron controlado el incendio—. Me alegra ver que estás de una pieza.

—Gracias a tu oportuna aparición —dijo Austin—. Desearía poder decir lo mismo del *Humongous* —añadió con un tono de culpa en la voz.

Zavala miró asombrado el humeante ROV y sus componentes dispersos en la cubierta.

—Ahora veo por qué feneció la transmisión —dijo.

—No es la única cosa que feneció.

Austin se acercó a los cuerpos tumbados en cubierta. Quitó el pasamontañas al hombre que había intentado matar a Marla y dejó a la vista un rostro de facciones asiáticas y expresión cruel.

El segundo también era asiático. Austin observó la cubierta, donde había casquillos por todas partes. El olor de la cordita flotaba en el aire lleno de humo.

—Ahora sabemos por qué atacaron la B3. Doc Kane... Tenemos que hablar con él.

—¡Buena suerte! —dijo Zavala—. Doc dejó bien claro que su trabajo no es asunto nuestro.

Los labios de Austin se apretaron en una sonrisa que, Zavala sabía por experiencia, siempre presagiaba problemas.

—Lo lamento —afirmó Austin en un tono calmo—. Porque desde ahora es asunto nuestro.

15

Shanghai, China

La matrícula del Mercedes S65 AMG color plata que salió del aparcamiento subterráneo de la torre de cincuenta pisos de la Pyramid Trading Company mostraba solo el número 2, e indicaba que el propietario era multimillonario. Las matrículas particulares se subastaban por millones de dólares entre los ricos y supersticiosos compradores que creían que los números bajos les traerían buena suerte.

Como refuerzo de la buena suerte, el vehículo estaba blindado y los cristales eran a prueba de balas. La parte inferior estaba reforzada contra las bombas lapa. El motor de doce cilindros y seiscientos caballos de potencia podía desarrollar una velocidad de trescientos veinte kilómetros por hora.

Un guardia armado con uniforme de fajina ocupaba el asiento junto al chófer. Como una medida de seguridad añadida, el Mercedes estaba encajonado entre dos vehículos todo terreno Mercedes G55 AMG con motores de cuatrocientos noventa y tres caballos. Cada vehículo llevaba un conductor y cinco guardias armados con metralletas ligeras tipo 79 con una capacidad de fuego de quinientos proyectiles por minuto, de fabricación china.

La caravana siguió una ruta que la llevó lejos de los rascacielos y elegantes clubes alrededor de la Oriental Pearl Tower, el edificio más alto de su estilo en el mundo. El coche y los escoltas circularon a gran velocidad a lo largo de la orilla del río Yangtze, salieron de la autopista y fueron hacia los barrios míseros, que eran la parte vergonzosa de la más grande y rica ciudad de la República Popular China. Los tres vehículos entraron en los laberintos de los suburbios, en un panorama infernal de tierra de nadie tan quemado y carente de vida humana que incluso los más pobres y desesperados la evitaban. Siguieron por una angosta callejuela sin luces y cruzaron una verja, para detenerse delante de un almacén abandonado. Placas de contrachapado tapaban las ventanas, y cristales rotos y tablas de cajones cubrían el aparcamiento de tierra empapada de aceite, pero el alambre de espino en lo alto de la verja de tela metálica electrificada que brillaba a la luz de los faros era nuevo.

Los guardias salieron de los vehículos todo terreno y formaron un cordón entre el Mercedes y una plataforma de carga. El acompañante junto al chófer se apeó y abrió la puerta de atrás. El único pasajero también se apeó y caminó con paso enérgico hacia la plataforma, acompañado por su guardaespaldas. Mientras los hombres subían los escalones de la plataforma, una puerta se deslizó sobre las ruedas bien engrasadas.

Entraron en el almacén y la puerta se cerró. Las luces de los fluorescentes instalados en el techo mostraron que el pasajero del Mercedes era un hombre menudo vestido con un traje azul hecho a medida en Londres, una corbata de seda y zapatos Testoni que se vendían por dos mil dólares el par. Caminaba con una postura rígida, casi militar.

El pelo canoso, peinado con raya a la izquierda, y las gafas con montura de plástico negro daban a Wen Lo una amable respetabilidad más adecuada para un conserje de hotel de tres estrellas que para la cabeza de un gigantesco consorcio inmobiliario y financiero, que era la tapadera de actividades que abarcaban la prostitución, el juego y el narcotráfico a escala global.

El rostro de Wen Lo era asimétrico, no de izquierda a derecha, sino de hacia abajo. La parte inferior mostraba unas mejillas regordetas y una sonrisa juvenil, y en la parte superior destacaban una frente ancha, unas cejas gruesas y unos ojos verde jade tan inexpresivos como un ábaco.

Junto a la puerta del almacén esperaban tres hombres con batas azul verdoso y un par de guardias armados hasta los dientes vestidos con uniformes marrones. Los guardias llevaban Tasers, armas de mano, y porras que colgaban de los anchos cintos de cuero.

Un hombre calvo y con rostro de comadreja, vestido como si fuese un cirujano, se adelantó.

—Es un honor que nos visite, señor —manifestó, con una rápida inclinación de cabeza.

Wen Lo respondió con un gesto apenas perceptible.

—Dígame cómo va su trabajo, doctor Wu.

—Estamos progresando —contestó Wu con mucho optimismo.

Aunque la parte inferior del rostro de Wen Lo sonrió, sus ojos no reflejaron la misma amable expresión.

—Por favor, muéstreme sus adelantos, doctor Wu.

—Será un placer, señor.

Wu guió a Wen Lo y a su escolta a través de dos cámaras estancas y un corto pasillo que acababa en una gruesa puerta de cristal. A un gesto de Wu, un guardia apretó el interruptor que abría la puerta. Wu, Wen Lo y el guardaespaldas entraron en un pabellón de celdas. Puertas de acero, sin más que una pequeña abertura rectangular, cerraban una docena de celdas.

Mientras caminaban por el pasillo, el doctor Wu explicó:

—Los hombres y las mujeres están separados, cuatro por cada celda. Mantenemos una ocupación plena a todas horas.

Unos pocos reclusos apoyaron sus caras en las aberturas barradas y gritaron a Wu y a sus invitados que los ayudasen. Wen Lo, con una expresión carente de piedad, se volvió hacia Wu.

—¿Cuál es la procedencia de estas ratas de laboratorio? —preguntó.

El doctor Wu recibía una compensación económica por su trabajo que le permitía disfrutar de un magnífico apartamento en un nuevo edificio con vistas al Yangtze y vestir a su esposa y a su amante a la última moda, pero se había convencido a sí mismo de que su investigación era por el bien de la humanidad. Aunque su trabajo requería que reprimiese su humanidad bajo una fina pátina de distanciamiento médico, la frialdad de la pregunta de Wen lo asombró. Después de todo, era un médico.

—Como médicos, preferimos llamarlos sujetos —dijo.

—Muy bien, doctor Wu, estoy seguro de que estos sujetos apreciarán su profesionalidad. Pero no ha respondido a mi pregunta.

—Perdón, señor. El laboratorio está en medio de las chabolas, es muy fácil atraer a los sujetos con promesas de comida y dinero. Escogemos solo a aquellos con un estado físico aceptable. Los habitantes de las chabolas pocas veces denuncian las desapariciones, y la policía nunca interviene.

—Muéstreme la siguiente fase —pidió Wen Lo—. Ya he visitado otras prisiones.

Wu escoltó a los dos hombres afuera del pabellón hasta una habitación con las paredes negras. Una tenía una cristalera, como las que se ven en las maternidades, que dejaba a la vista las camas encerradas en cilindros transparentes. Los ocupantes de las camas permanecían en silencio, pero de vez en cuando alguien se movía inquieto debajo de la sábana muy prieta. Unas figuras vestidas con trajes aislantes blancos se movían como fantasmas entre las camas para controlar los monitores electrónicos y los frascos de suero.

—Esta es una de las diferentes salas —explicó Wu—. Los sujetos han sido inyectados con el nuevo patógeno y están pasando por las fases de la enfermedad. Si bien el virus se transmite por el agua, también podemos propagarlo a través del contacto. Se ve por los trajes que visten los técnicos, y los habitáculos con ventilación separada para cada sujeto, que tomamos todas las precauciones para evitar la propagación a las otras salas.

—Si a los sujetos se les dejase en libertad, ¿morirían? —preguntó Wen Lo.

—Así es, señor, en un plazo de veinticuatro horas. La enfermedad continuaría su desarrollo y siempre es fatal.

Wen Lo pidió ver la siguiente fase.

Siguieron por otro pasillo, cruzaron más puertas herméticas y entraron en una segunda área de observación similar a la primera.

En la habitación, al otro lado del cristal, había ocho camillas encerradas en los cilindros. Las ocupaban cuatro hombres y cuatro mujeres. Sus rostros parecían haber sido tallados en caoba. Tenían los ojos cerrados, y resultaba difícil saber si estaban vivos o muertos.

—Esta es la fase tres —dijo Wu—. Los sujetos muestran el sarpullido oscuro que es típico del virus, pero todavía están vivos.

—¿Dice que estas babosas en su pequeño jardín son seres vivos, doctor Wu?

—Es verdad que sería preferible que estuviesen levantados y caminando, pero aún respiran, y sus funciones vitales son normales. La cura experimental funciona.

—¿Le gustaría verse infectado y que le aplicasen su cura, doctor Wu?

Wu no pasó por alto la amenaza implícita. El sudor le corrió por la espalda entre los omoplatos.

—No, no me gustaría, señor. En este momento, la cura es imperfecta. ¡El virus es sorprendente! Su capacidad para adaptarse en cuestión de horas a cualquier tratamiento que hemos ensayado hace que nuestra tarea sea difícil pero no imposible.

—En otras palabras, ha fracasado.

La sonrisa de Wen Lo no consiguió eliminar la frialdad en sus ojos.

—El éxito es posible —señaló Wu—. Pero llevará tiempo. No sé cuánto.

—Tiempo es algo que no tenemos, Wu.

El doctor Wu no pasó por alto que Wen Lo había omitido su título. Estaba condenado. Comenzó a decir algo sobre una nueva oportunidad, pero Wen Lo levantó un dedo.

Wu ya estaba a punto de desmayarse, pero Wen Lo le dio una palmada en la espalda.

—No se preocupe, doctor Wu. Valoramos el duro trabajo que está realizando. Estamos muy cerca de desarrollar una cura que promete ser eficaz en nuestras instalaciones fuera de China. Irá allí para asegurarse de que el trabajo es satisfactorio.

—Le agradezco una nueva oportunidad —manifestó Wu—. ¿Cuándo puedo comenzar con los ensayos?

—No hay tiempo para más pruebas clínicas —afirmó Wen Lo—. Los ensayos se harán utilizando simulaciones de ordenador. —Se volvió para mirar los cuerpos en las camillas—. Deshágase de este material. También de los sujetos de las celdas. No hace falta que nos acompañe a la salida.

Después de que Wen Lo y los guardaespaldas se hubiesen marchado, el doctor Wu miró a través del cristal a los cuerpos de las camillas y suspiró con fuerza. Tenía cincuenta sujetos sometidos a ensayos y la mayoría de ellos moriría, y, por lo tanto, solo había que ocuparse de eliminar los restos. En cambio, acabar con los encerrados en las celdas planteaba un problema. Deshacerse del grupo sería un trabajo. Se apresuró a ir al laboratorio principal para comunicar a sus ayudantes la tarea que debían realizar.

Una hora más tarde, Wen Lo salió del ascensor en el último piso de la Pyramid Trading Company, donde tenía su lujoso ático que era despacho y vivienda. Estaba solo cuando cruzó la enorme habitación decorada al estilo imperio francés.

El ventanal que ocupaba toda una pared ofrecía una magnífica visión de las luces de Shanghai, pero no les prestó atención. Se detuvo delante de un armario y dijo en voz alta la contraseña. Un micrófono oculto en el armario pasó la contraseña por un identificador de voz y el mueble se apartó para dejar a la vista una puerta metálica.

Wen Lo apoyó la mano en un panel electrónico que verificó las huellas digitales y las líneas de la palma, y la puerta se abrió con un chasquido para darle acceso a un cuarto circular de unos diez metros cuadrados. El mobiliario consistía en una mesa de plástico y aluminio y tres sillas. Unos conos que parecían lámparas colgaban del techo. La sencillez del cuarto ocultaba su función como un sofisticado centro de comunicaciones, y las paredes y el techo contenían un complicado sistema de micrófonos, proyectores, transmisores y receptores.

Wen Lo se acomodó en una de las sillas tapizadas, miró a las otras dos sillas y dijo una sola palabra:

—Comience.

Disminuyó la intensidad de la luz de los focos en el techo, y solo quedaron dos haces de luz cónicos que iluminaban las sillas vacías. El aire en uno de los haces empezó a vibrar como si soportase una temperatura extrema y comenzó a fluctuar; luego fue oscureciéndose con unas motas que giraban hasta que se formó una silueta difusa, al principio amorfa y después más sólida, donde primero se distinguieron unos hombros y a continuación una cabeza. Poco a poco aparecieron los detalles: los ojos y la nariz, la carne y las prendas. Wen no tuvo que esperar mucho más para encontrarse delante de una proyección láser tridimensional de un hombre tan real que casi se podía tocar.

El rostro era una imagen idéntica del de Wen Lo, algo que no era de extrañar, porque era uno de sus hermanos trillizos. Ambos tenían la misma frente alta, las cejas gruesas y los ojos insondables, pero el hombre del holograma tenía el cráneo afeitado. En el rostro de Wen Lo la violencia estaba disimulada, pero el rostro proyectado era el de un matón callejero, con unas líneas alrededor de la boca y la barbilla que sugerían una violencia mal contenida.

—Buenas noches, hermano Chang —dijo Wen Lo.

—Buenas noches para ti también, hermano Wen Lo. Número Uno está a punto de reunirse con nosotros.

El aire en el tercer haz pasó por las mismas etapas. El holograma que ocupó la silla era el de un hombre vestido con una túnica de seda roja y un sombrero redondo de ala alta. El rostro era largo y delgado, con unas cejas muy arqueadas en una frente prominente, astutos ojos verdes, y un largo y fino bigote que le colgaba por debajo de la barbilla.

Wen Lo aplaudió al reconocer la aparición.

—¡Bravo! —exclamó—. Si no me equivoco, el doctor Fu Manchú.

El holograma respondió con una siniestra risita.

—Felicitaciones, Wen Lo —dijo Fu Manchú—. Tienes ante ti a la mente criminal que se prepara para desatar el Peligro Amarillo contra las naciones civilizadas del mundo.

La encarnación del mal era una astuta ilusión construida con la más moderna tecnología láser e informática. Aunque la figura del archivillano chino parecía sólida, no tenía más sustancia que el personaje literario creado en las novelas de Sax Rohmer. El sistema que había reunido a los trillizos podía manipularse, con datos de figuras reales o imaginarias, para crear cualquier imagen. Las reuniones anteriores habían sido presididas por figuras tan importantes como Mao o Gengis Kan.

Aunque Fu Manchú era una ilusión creada por un ectoplasma electrónico que definía hasta el más pequeño detalle, la voz detrás del burlón archivillano pertenecía a una persona de carne y hueso que dirigía un imperio criminal que el personaje de Rohmer solo habría podido imaginar.

En la tradición de las viejas organizaciones criminales conocidas como tríadas, los trillizos utilizaban números en lugar de nombres, asignados de acuerdo al orden de nacimiento. Wen Lo era Dos y dirigía las empresas criminales de la tríada detrás de una ligera capa de respetabilidad. Chang era Tres, y estaba a cargo de la red de seguridad global, incluidas las bandas que habitaban en todos los barrios chinos de las principales ciudades. El trillizo detrás de la máscara de Fu Manchú era el director ejecutivo, que supervisaba las operaciones delictivas y las legales, una responsabilidad que acompañaba al nombre de Uno.

—Me gustaba el sicario de las guerras Tong —comentó Chang.

—No me sorprende, dada tu eficiente dirección de nuestros propios sicarios —manifestó Fu Manchú—. No obstante, creo que esta eficacia no se ha extendido a tu expedición en las Bermudas. El doctor Kane escapó del fondo del océano.

—Nuestra máquina cortó el cable de la batisfera. Era imposible que alguien pudiese rescatarlo a esa profundidad.

—Al parecer, alguien lo hizo. Su nombre es Kurt Austin. En las noticias de la televisión lo presentaron como un ingeniero de la NUMA. Por cierto, ¿cómo explicas tu fallido ataque al barco de la NUMA?

Chang frunció el entrecejo.

—Encontramos una resistencia inesperada.

—No podemos permitirnos más fallos. No tendríamos que enfrentarnos a esta situación si hubieses mantenido un ojo atento a las cosas en tu laboratorio de ensayos, Wen Lo.

El tercer mellizo había estado disfrutando de la incomodidad de su hermano, pero ahora le llegó el turno de retorcerse en la silla bajo la fría mirada del archivillano.

—Acepto la plena responsabilidad. El guardia del laboratorio que llevó el virus a su provincia natal no siguió los adecuados procedimientos de descontaminación. Los he reforzado y he prohibido viajar a cualquiera de nuestro personal de seguridad.

—¿El virus se ha propagado más? —preguntó Fu Manchú.

—Ha superado los cordones de la cuarentena. El gobierno intenta contenerlo.

—No nos favorece —señaló Fu Manchú—. El plan era propagar el virus de forma selectiva cuando tuviésemos la vacuna para controlarlo. Estamos intentando desestabilizar al gobierno y aprovecharnos de la epidemia. Eliminar a la raza humana sería contraproducente, ¿no?

—Sería la solución a los problemas de nuestro país con el control de la población —señaló Wen Lo en un pobre intento humorístico.

—Estoy seguro de que sí. Por desgracia, somos parte de la población. ¿Alguna noticia del doctor Kane?

—Hemos investigado en Bonefish Key —respondió Chang—. No ha regresado. Aún tenemos a nuestros informadores alerta, pero parece que ha desaparecido.

—Su desaparición no me preocupa tanto como la posibilidad de que ahora sepa que es un objetivo y pueda transmitir esa preocupación a otros. Por fortuna, ya no es vital para finalizar el proyecto. En cualquier caso, no podemos permitir que el trabajo se reanude en Bonefish Key.

—La única persona que puede poner en marcha el proyecto de nuevo, aparte de Kane, es la doctora Song Lee, la representante que el gobierno envió a trabajar con los científicos norteamericanos —dijo Chang—. Está a punto de ser eliminada.

—Ocúpate de que se haga de forma rápida y limpia —ordenó Fu Manchú—. Y tú, hermano Wen Lo, ¿cómo va el desarrollo de la vacuna?

—La vacuna muy pronto será una realidad y podremos pasar a la siguiente fase. He ordenado el cierre de nuestro laboratorio y que liquiden su contenido.

—Muy bien. ¿Es todo?

—Por ahora —dijo Wen Lo.

Fu Manchú inclinó la cabeza y unió las manos. Su malvado rostro comenzó a desintegrarse en las motas cuyo color pasó de oscuro a claro hasta desaparecer del todo. Momentos más tarde, se esfumó el segundo holograma.

Wen Lo se levantó de la silla y salió del cuarto vacío. Tenía mucho que hacer.

Chang permaneció en su silla, pensativo. Después del fracasado ataque al barco de la NUMA, había embarcado en una lancha rápida que lo había llevado a tierra firme, donde había alquilado un avión privado para viajar a Estados Unidos. Había entrado en el país con las credenciales de un representante comercial y se había unido a la reunión holográfica con sus hermanos desde un almacén en Virginia que la tríada utilizaba como tapadera.

Tras unos momentos de reflexión, Chang tecleó el nombre de Kurt Austin en el ordenador. Se conectó con la página web de la NUMA y leyó el breve currículo de Austin como ingeniero de proyectos. También aparecía una foto suya.

Chang miró los ojos azul coral y la sonrisa que parecía burlarse de él, hasta que no pudo soportarlo más. Apretó el botón de apagar y el rostro de Austin desapareció. Chang miró furioso la pantalla en blanco.

—La próxima vez que te encuentre, Kurt Austin —juró en voz alta—, haré que desaparezcas para siempre.

16

El guardacostas de las Bermudas había respondido con prontitud a la llamada de auxilio del capitán Gannon. Después de una rápida mirada a los cuerpos y los casquillos dispersos por la cubierta de popa, los guardacostas se apresuraron a llamar a la policía marítima. En cuestión de horas, una lancha con un equipo de criminalistas se presentó en el barco de la NUMA. Los seis hombres que subieron a bordo de la nave de exploración científica tenían el aspecto de aparcacoches de un hotel de Nassau. Con la excepción del detective superintendente Colin Randoph, vestían pantalón corto azul marino, camisa azul claro y calcetines largos. Randolph, como oficial, vestía una camisa blanca.

Los policías, con sus uniformes impecables, marcaban un agudo contraste con Gannon, que aún llevaba puesto el pijama cuando recibió a Randolph y a su equipo. El capitán los condujo hasta la cubierta de popa, donde les presentó a Austin y a Zavala, que habían estado hablando con los tripulantes sobre los acontecimientos de la noche. El detective estrechó las manos de los ingenieros de la NUMA, y luego volvió su mirada a los cadáveres tendidos en la cubierta entre los casquillos.

El superintendente era un hombre de rostro redondo, de unos cuarenta y tantos años, que hablaba con un acento que indicaba que había nacido en Barbados. Hinchó los prominentes carrillos como un pez globo.

—¡Dios santo! —exclamó, asombrado—. Esto parece una zona de guerra. —Después, al mirar el ROV acribillado, añadió—: ¿Qué es esa cosa?

—Era un vehículo sumergible, dirigido por control remoto, diseñado para moverse por el fondo del mar —respondió Zavala.

—Bien, por lo que se ve, ese montón de chatarra tardará en volver a funcionar. —Sacudió la cabeza—. ¿Qué le pasó?

—Austin utilizó el vehículo para protegerse, y los pistoleros lo destrozaron a tiros —explicó Zavala.

Randolph miró a Austin, y después a Zavala con dureza. Al no ver nada en los rostros que le sugiriese que Zavala bromeaba, ordenó al equipo que acordonase la escena del crimen con cinta de plástico amarilla.

Se volvió al capitán.

—Le estaría muy agradecido si pudiese relatarme qué pasó en su barco anoche.

—Será un placer —dijo Gannon—. Alrededor de las tres de la mañana, cuatro hombres armados abordaron el barco desde una pequeña embarcación y me sacaron del camarote. —Se tiró de la pechera del pijama—. Como ve, no esperaba visitas. Buscaban al doctor Max Kane, un científico que había participado en el proyecto de la batisfera.

—¿Dijeron por qué buscaban al doctor Kane?

Gannon se encogió de hombros.

—Su jefe era un tipo siniestro con la cabeza afeitada. Cuando le dije que Kane había dejado el barco, reunió a la tripulación y amenazó con matarlos. Habría cumplido la amenaza si Kurt y Joe no hubiesen intervenido.

Randolph se volvió de nuevo hacia Austin y Zavala.

—¿Así que ustedes son los responsables de este desastre?

—En aquel momento no tuvimos otra alternativa —dijo Austin.

—¿Todos los barcos de exploración de la NUMA llevan guardias de seguridad armados?

—Joe y yo no íbamos armados. Nos hicimos con las armas de los pistoleros. Además, nosotros no somos personal de seguridad, somos ingenieros de la NUMA que se ocupan del proyecto de la Batisfera 3.

Austin bien podría haber dicho que era de Marte.

La mirada de Randolph recorrió la escena, se fijó en los cadáveres, las armas junto a ellos y el ROV destrozado. Se mordió el labio inferior, y era obvio que le costaba reconciliar la cubierta empapada en sangre con la explicación de Austin.

—Ingenieros —repitió, con una voz átona. Carraspeó—. ¿Qué clase de ingenieros?

—Estoy especializado en inmersiones a gran profundidad y salvamentos —dijo Austin—. Joe diseña y pilota sumergibles. Él construyó la batisfera.

—¿Y fueron ustedes, dos ingenieros, quienes, en contra de unas posibilidades abrumadoras, pusieron en fuga a una banda armada, utilizando sus propias armas para matar a dos de ellos?

—A tres —le corrigió Austin—. Hay otro cadáver en el puente.

—Fuimos afortunados —intervino Zavala, como si eso fuese explicación suficiente.

—¿Qué le pasó al cuarto hombre, el de la cabeza afeitada? —preguntó Randolph.

—Tuvo suerte —dijo Austin—. Escapó.

Randolph era licenciado en estudios policiales y un agente veterano, pero incluso un observador no entrenado habría visto algo diferente en aquellos dos ingenieros de la NUMA. Relajado e ingenioso como parecía, Austin, con sus anchos hombros, tenía una presencia imponente que iba más allá de sus ojos azul coral, la abundante cabellera gris y un marcado perfil. En cuanto al apuesto Zavala, parecía haber salido de alguna película de capa y espada.

—¿Hay alguna posibilidad de que los hombres fuesen piratas? —preguntó Randolph—. Las Bermudas es un destino preferido por los cruceros, y cualquier rumor de piratería podría ser muy perjudicial para el negocio.

—La piratería es posible, pero no probable —contestó Austin—. No nos encontramos en Somalia, y esos tipos no estaban interesados en el equipo científico que los piratas buscan cuando abordan un barco de investigación. Sabían que el doctor Kane había estado a bordo y lo buscaban.

—¡Gracias a Dios! Lo apuntaré en el informe como un ataque aislado.

—¿La guardia costera ha encontrado alguna pista? —preguntó Austin.

—Han recorrido la zona alrededor del barco, y continuarán vigilando. Sospecho que la embarcación que llevaba a los atacantes se ha marchado hace mucho. Les tomaré declaración a ustedes y a todos los tripulantesde a bordo. ¿Hay alguna posibilidad de poder hablar con el doctor Kane?

—Desconocemos su actual paradero —dijo Gannon—. Podemos intentar ponernos en contacto con él.

—Por favor, hágalo, capitán. ¿Querría facilitarme una lista con todas las personas de a bordo?

—Me ocuparé de inmediato. Puede realizar sus entrevistas en el comedor.

—Muchísimas gracias por su cooperación, capitán.

Gannon se marchó sin demora para ocuparse de la petición de Randolph.

—Ahora, caballeros, dado que estuvieron tan vinculados a los acontecimientos de anoche —dijo el policía—, quizá no les importe que los entreviste primero.

—Será un placer relatarle todo lo que ocurrió —contestó Austin.

Se estrecharon las manos. Mientras Randolph se alejaba para ocuparse de su equipo, resopló por lo bajo.

—Ingenieros —murmuró.

Austin sugirió a Zavala que fuese el primero mientras intentaba comunicarse con Kane. Se apartó un poco de la actividad de la cubierta de popa y llamó a información con el móvil para pedir el número del Centro Marino de Bonefish Key. Un contestador automático le respondió que el laboratorio no estaba abierto al público y lo remitió a la página web del centro.

Tras pensarlo un momento, marcó otro número en su agenda.

Una fresca y tranquila voz femenina respondió a su llamada.

—Hola, Kurt —dijo Gamay Morgan-Trout—, felicitaciones. Paul y yo vimos la inmersión de la batisfera en la tele hasta que se cortó la transmisión. ¿Qué tal la salobre profundidad?

—Profunda y salobre. Te lo contaré más tarde. Lamento interrumpir tus vacaciones, pero necesito un favor. Me gustaría que tú o Paul consiguieseis una invitación para visitar el laboratorio marino de Bonesfish Key en Florida. No fomentan las visitas, pero si hay alguien que puede entrar, eres tú.

—¿El director de Bonefish Key no hizo la inmersión con Joe?

—Se llama Max Kane, pero no esperes recibir ayuda de su parte.

—Lo intentaré, Kurt. ¿Qué debo buscar?

—No lo sé. Solo mantén los ojos abiertos por si alguna cosa te resulta curiosa.

Gamay respondió con una suave carcajada.

—Me encanta la claridad de tus órdenes, Kurt.

—Es una de las materias que enseñan. Se llama Protégete el Culo I. La primera lección es que si algo sale mal nunca es culpa tuya. Llámame cuando tú o Paul lleguéis a Bonefish Key. Joe y yo estaremos en el *Beebe* uno o dos días más.

Austin apagó el teléfono y se acercó a la borda. Le consumía la impaciencia. No le gustaba interrumpir las vacaciones de Paul y Gamay Trout, pero hasta que Zavala y él pudiesen desligarse de la investigación policial tendrían que ser los ojos y los oídos del equipo.

Miró el reflejo del sol de la mañana en el agua. A veces bromeaba diciendo que sufría de lo que él llamaba «el síndrome del rey Neptuno». Había pasado tanto tiempo de su vida en el mar o debajo del mismo que había desarrollado un sentido de la propiedad hacia las dos terceras partes del globo cubiertas por el agua.

Austin había concebido el proyecto de la Batisfera 3 como una manera de infundir respeto al mar en los jóvenes que algún día serían sus cuidadores.

El ser anónimo que había detrás de los ataques casi lo había estropeado.

Conocía sus limitaciones. A diferencia de Neptuno, Austin no podía provocar una tormenta con un toque de su tridente.

Un resplandor frío apareció en sus ojos, y apretó los labios en una sonrisa carente de humor.

Pero había demostrado en innumerables ocasiones que era capaz de provocar un infierno. No veía la hora de desembarcar para ir a sacudir las paredes del Hades.

17

Paul Trout estaba a punto de acabar la clase del seminario que dirigía sobre el calentamiento global cuando su móvil comenzó a vibrar. Sin hacer una pausa, metió la mano en el bolsillo de la americana, apagó el teléfono y proyectó el siguiente gráfico en la pantalla. Oyó un coro de risas a su espalda. Se volvió, interesado por saber qué había de divertido en un gráfico de la salinidad del mar.

Nadie miraba el gráfico. Todas las miradas estaban fijas en la ventana que daba al jardín exterior del edificio, donde una atractiva mujer pelirroja en biquini daba saltos y agitaba un móvil en el aire.

Trout agachó la cabeza, como si mirase por encima de las gafas sumido en sus pensamientos, y se acomodó la pajarita de colores.

Un participante comentó con tono burlón:

—¿Quién es esa loca?

Una débil sonrisa apareció en el rostro de Trout.

—Mucho me temo que la loca es mi esposa. Por favor, si me perdonan.

Una discreta exclamación de incredulidad siguió a Trout cuando salió de la sala, pero estaba acostumbrado a tales reacciones. Era un joven apuesto con grandes ojos color avellana y pelo castaño claro peinado con raya en medio y recogido sobre las sienes al estilo Gatsby. Con un traje a medida que cubría su cuerpo de metro noventa y cinco de estatura a la perfección, vestía de forma impecable, como siempre. Pero si bien mostraba un mordaz sentido del humor, a las personas les llamaba la atención la gravedad de su aspecto comparado con la vivacidad de su esposa.

Trout salió al vestíbulo y miró su teléfono. Apareció un mensaje de texto:

¿PODEMOS HABLAR?

Trout apretó el botón para devolver la llamada.

—Bonito espectáculo el que has ofrecido a los participantes en mi seminario sobre el cambio climático —dijo Trout con su seco tono de Nueva Inglaterra—. ¿Te estás presentando como animadora?

Una ruidosa risa femenina sonó a través del teléfono.

—He intentado llamarte, pero no has respondido, querido profesor —dijo Gamay—. Luego he agitado los brazos delante de tu ventana hasta cansarme. Tenía puesto el biquini de la inmersión de la mañana, así que, desesperada, me he quitado el pareo y me he quedado en cueros. Al parecer, ha funcionado.

Paul sonrió.

—Claro que ha funcionado. La temperatura corporal de todos los varones de la sala ha subido diez grados. Tu número de striptease puede haber marcado otro ascenso en el calentamiento global.

—Lo siento —dijo Gamay—, pero llamó Kurt. Joe y él todavía están en el *Beebe*.

—¿Kurt? ¿Por qué no lo has dicho antes? ¿Qué tal ha ido la inmersión de la batisfera?

—Le dije que habíamos seguido por la tele la transmisión hasta que se cortó. Respondió que la inmersión fue memorable.

—Extraña palabra. ¿A qué se refería?

—Dijo que me lo explicaría más tarde. Pero al parecer nuestro intento de revivir nuestro noviazgo aquí se ha acabado. Kurt necesita que alguien vaya a Florida para echar una ojeada en el Centro Marino de Bonefish Key.

—¿A qué viene el interés en Bonefish?

—Dijo que lo explicaría más tarde. Quiere que vayamos a curiosear por el centro y que le digamos si hay algo que nos resulte extraño... peculiar.

—Me será difícil escapar de mi programa —manifestó Paul—. Estoy comprometido a dos días más de paneles y conferencias.

—Yo ya he realizado las inmersiones —dijo Gamay—. Mientras tú acabas con el seminario, yo iré a Florida. Ya vendrás cuando termines.

Paul consultó su reloj.

—Hablaremos de esto en la comida. Me encontraré contigo en la cafetería, después de que acabe de calmar a mi grupo.

Le había resultado divertido, aunque no una sorpresa, la efectiva si bien poco ortodoxa técnica de su esposa para llamar la atención. Era típico de sus recursos y desvergüenza. Su personalidad abierta era lo opuesto a la reserva de Trout, pero de inmediato se habían sentido atraídos el uno por el otro desde que se conocieron en la Scripps Institution of Oceanography en La Jolla, California. Paul estaba cursando el doctorado en ciencias oceánicas, mientras que Gamay había dejado la arqueología marina para dedicarse a la biología marina y también cursaba el doctorado.

Se habían encontrado en un viaje del Scripps a un campo de trabajo en La Paz, México, y se habían casado después de doctorarse al año siguiente. El antiguo director de la NUMA, James Sandecker, se había dado cuenta de sus grandes talentos y había pedido que se uniesen al equipo de misiones especiales al mando de Austin. Acabada la última misión, habían sido invitados a volver al Scripps y habían aprovechado la oportunidad. Entre seminarios e inmersiones, habían tenido tiempo para visitar viejos lugares y encontrarse con antiguos amigos.

Trout no hizo caso de las sonrisas que recibió a su regreso a la sala y terminó con el resto de la presentación. Gamay lo esperaba en la cafetería cuando acabó. Paul se tranquilizó al ver que su esposa se había vuelto a poner el pareo.

Gamay era una fanática de la gimnasia y de la comida sana, pero había renunciado a luchar contra la dieta rica en hidratos de carbono que servían en el campus. Sumergió una patata frita en un charco de ketchup y se la metió en la boca.

—Es una suerte que me vaya de este lugar —se quejó—. Debo de haber engordado diez kilos desde que llegamos. Me estoy poniendo como una vaca.

Paul puso los ojos en blanco. Gamay se levantaba todos los días a las seis para correr ocho kilómetros y quemar cualquier posible rastro de los excesos culinarios. Medía un metro setenta y seis, y no cargaba más de sesenta y cinco kilos en su esqueleto de caderas estrechas, en su mayor parte músculos, gracias a su activo estilo de vida.

Paul miró el vaso alto que contenía un espumoso batido de fresa.

—Quizá tendrías que pasar del batido —comentó.

Gamay se apartó un mechón pelirrojo de los ojos y dirigió a su marido una deslumbrante sonrisa que mostraba la ligera separación entre los caninos.

—El último... lo prometo.

En sus ojos apareció una expresión soñadora cuando bebió un sorbo.

—Una promesa fácil de cumplir, ahora que dejas la ciudad. ¿Qué sabes de Bonefish Key?

Gamay se limpió el bigote rosa del labio superior con una servilleta.

—Solo lo que leí en las revistas científicas o encontré en internet. Está en la costa oeste de Florida. Han hecho algunos descubrimientos que les han permitido obtener patentes en el campo de la biomedicina. Hay un gran interés en hallar algo en la naturaleza que sirva para curar enfermedades.

—Recuerdo a los biobuscadores que encontramos en el Amazonas.

Gamay asintió.

—El mismo concepto, pero hay un creciente consenso en que el potencial de los océanos para las medicinas y los productos farmacéuticos dejan atrás la selva. Los organismos que crecen en el mar son mucho más dinámicos en términos biológicos que cualquier cosa en la tierra.

Paul frunció el entrecejo.

—Si Kurt está interesado en el centro marino, ¿por qué no ha ido a través de Kane?

—Le formulé la misma pregunta. Dijo que no esperase la ayuda de Kane. Que estamos librados a nuestros recursos y que...

—Nos lo explicará más tarde —acabó Paul.

Gamay fingió una mirada de asombro.

—A veces tienes capacidades psíquicas.

Su marido se apoyó el índice en la sien.

—Mis poderes místicos me dicen que estás a punto de ofrecerme lo que te queda del batido de fresa.

Gamay le acercó el vaso.

—¿Cómo crees que debemos abordar este asunto, con Kane fuera de la escena?

—Podrías utilizar tu trabajo en la NUMA para conseguir que te inviten.

—Ya lo había pensado. Mi relación con la NUMA podría llevarme hasta la entrada, pero no sé si lograré conseguir un acceso que nos sirva de algo.

Paul asintió.

—Recibirás el tratamiento VIP, un recorrido rápido con alguien de relaciones públicas, un bocadillo de jamón y una amable despedida. Kurt, al parecer, quiere que echemos una mirada entre bambalinas.

—Fue la impresión que me dio. Necesito encontrar el medio para entrar... y creo que sé dónde obtenerlo.

—Mientras tú lo buscas, veré si te puedo conseguir un pasaje a Florida.

Paul pasó por su despacho para hacer los preparativos del viaje. Gamay fue al muelle para decir a la tripulación que se marchaba del instituto. Cargó con el equipo de submarinismo hasta la habitación que les habían ofrecido durante su estancia. Llamó a un colega que era biólogo marino en el Scripps Center for Marine Biotechnology and Biomedicine. Como era su estilo, fue directamente al grano.

—Estoy tratando de conseguir que me inviten a pasar un par de días en Bonefish Key. Recuerdo que me dijiste que tu centro había colaborado con ellos en la investigación de unos tratamientos para el asma y la artritis con productos marinos.

—Así es —dijo Stu Simpson, el biólogo marino—. La mayoría de las instituciones que trabajan en este tema comparten información. No obstante, los de Bonefish Key son bastante herméticos. ¿Te has puesto en contacto con el director, el doctor Kane?

—Es un hombre difícil de encontrar.

—Pasa mucho tiempo realizando trabajos de campo, según he oído, y el lugar lo dirige un tal doctor Mayhew. Me he encontrado con él en varias conferencias. No es que sea un hombre muy amable, pero creo que podré ayudarte. Kane trabajaba en el Harbor Branch Oceanographic Institute, en Fort Pierce, Florida, antes de conseguir dinero y montar el laboratorio de Bonefish Key. Tengo un amigo en Harbor Branch que es compañero de Mayhew. Me debe una. Veré si puedo cobrarme ese favor para ti.

Mientras Gamay esperaba que Simpson la llamase, buscó en internet toda la información posible sobre Bonefish Key. Llevaba leyendo unos minutos cuando llamó el doctor Mayhew. Gamay le explicó su interés en Bonefish Key, dijo que estaba en el Scripps pero que iría a Florida a visitar a unos amigos y se preguntaba si podía hacer una visita al laboratorio. Él le respondió que agradecía el interés de alguien de la NUMA por el trabajo del centro marino, pero que tenían lleno el calendario de visitas.

—Es una pena —dijo Gamay—. La NUMA no tuvo ningún problema para buscarle un acomodo a su director en el proyecto B3. ¿Por qué no habla con el doctor Kane? Estoy segura de que a él le encantará devolver la hospitalidad de la NUMA, si se lo pide.

—Eso no es posible. —Mayhew hizo una pausa—. Tenemos libre una habitación de invitados, pero solo para mañana por la noche. Es una pena que esté usted al otro lado del país.

Gamay vio la oportunidad y atacó con la velocidad de una cobra.

—Estaré allí mañana.

—No querría que hiciera todo este viaje solo por una noche.

—No es ningún inconveniente, puedo reorganizar mi agenda. Por lo tanto, hagamos que sean dos noches. ¿Cómo llego al cayo?

Hubo un silencio de asombro al otro lado del teléfono.

—Cuando llegue a Fort Myers, telefonee a un hombre llamado Dooley Greene. Trabaja para el centro y tiene una embarcación.

Meyhew casi colgó sin darle el teléfono de Greene. «Qué amable», pensó Gamay, mientras apuntaba el número. Cuando Paul regresó unos minutos más tarde, ella ya estaba preparando su bolsa de viaje.

—¿Has conseguido entrar? —preguntó Paul.

—Por los pelos.

Le explicó cómo había forzado la negativa inicial de Mayhew.

—Fantástico —dijo Paul—. Serías una teleoperadora notable. Por cierto, estás de suerte. La oficina de viajes de la NUMA te ha conseguido un pasaje para el vuelo de primera hora a Fort Myers. Iré cuando acabe el seminario.

Decidieron dedicar el resto de la tarde a pasear por el campus y visitar lugares de sus tiempos de estudiante. Después de una cena tardía, Gamay acabó de preparar su equipaje y se fueron a la cama temprano. A la mañana siguiente, Paul llevó a Gamay al aeropuerto, le dio un beso de despedida y le dijo que la vería en un par de días.

El avión despegó y se elevó hasta una altura de diez mil metros. Gamay se acomodó en el asiento y continuó con la lectura de los artículos donde se mencionaba Bonefish Key. Era una estrecha faja de tierra cerca de la isla Pine, en el golfo de México. Los nativos habían habitado la isla antes de que los españoles lo convirtiesen en un fuerte y colonia comercial. Más tarde, se había convertido en un centro pesquero que llevaba el nombre de los peces que abundaban en las aguas vecinas.

Alrededor de 1900, un empresario neoyorquino había construido un hotel, destruido por un huracán al cabo de pocos años. La isla había pasado después por manos de diversos propietarios. Tras otro huracán que había echado por tierra una posada, el propietario vendió Bonefish Key a una fundación sin ánimo de lucro y se convirtió en un centro para el estudio de organismos marinos que podían servir en la industria farmacéutica.

El vuelo fue cómodo, y Gamay aprovechó parte del tiempo para escribir un informe sobre su trabajo en el Scripps. Cuando el avión aterrizó en Fort Myers a última hora de la tarde, la oficina de viajes de la NUMA ya le tenía contratada una furgoneta para que la llevase hasta el muelle del transbordador a isla Pine.

Una lancha de doble casco estaba amarrada al muelle. El hombre barbudo sentado al timón tenía un bronceado muy intenso que solo en parte ocultaba las arrugas de su rostro risueño.

—Supongo que va usted a Bonefish Key —dijo—. Soy Dooley Greene. Llevo a los viajeros al centro marino, y eso digamos que me convierte en el recepcionista oficial.

Gamay echó su bolsa en la embarcación y subió a bordo con el andar seguro de quien ha pasado mucho tiempo en el mar.

—Soy la doctora Morgan-Trout. —Le estrechó la mano con una fuerza que sorprendió a Dooley—. Por favor, lláme-me Gamay.

—Gracias, doctora Gamay —respondió él, incapaz de evi-tar el título. A pesar de su informalidad, la confianza casi re-gia de Gamay podía resultar intimidatoria. Animado por su cordialidad, añadió—: Un nombre bonito, y poco habitual.

—Mi padre era un fanático del vino. Me puso el nombre de su uva favorita.

—La bebida preferida de mi padre era la ginebra barata —dijo Dooley—. Supongo que debo agradecerle que no me bautizase con el nombre de Enebro.

Dooley soltó la amarra y apartó la embarcación del mue-lle. Mientras salían de la bahía, no parecía tener prisa alguna.

—¿Cuánto tiempo lleva trabajando para el centro? —pre-guntó Gamay.

—Era el encargado del muelle para la posada de Bonefish Key cuando todos los pescadores y aficionados a la navega-ción acostumbraban ir al bar. Cuando la posada fue destruida por el huracán *Charley*, el propietario acabó en la quiebra. Después el centro marino compró la propiedad, y repararon el bar. El doctor Kane me pidió que me ocupase del taxi acuá-tico y el transporte de provisiones. Solía trabajar mucho lle-vando y trayendo al personal, pero ahora la actividad se ha re-ducido bastante.

—Aparte del personal, ¿trae a muchos visitantes?

—No. La gente del laboratorio no es lo que se dice muy amigable... Son científicos. —Sacudió la cabeza; entonces, al comprender el desliz, añadió—: Demonios, ¿usted es cien-tífica?

—Sí, Dooley, pero soy una científica amistosa —contestó ella con una sonrisa encantadora—. También sé a qué se refie-re. Hablé con el doctor Mayhew por teléfono.

—Pues ya está todo dicho —afirmó Dooley con una son-risa donde faltaban varios dientes.

Metió la mano en el bolsillo de la camisa y sacó una tarjeta que entregó a Gamay.

—No vivo en la isla. Llámeme cuando quiera marcharse. Allí no funcionan los móviles a menos que suba a la torre de agua.

—El doctor Mayhew me llamó desde la isla.

—Tienen un radioteléfono para emergencias y para el uso de los científicos.

La embarcación dejó el mar abierto y siguió una ruta entre los verdes manglares. Gamay tuvo la sensación de estar adentrándose en *El corazón de las tinieblas*, la novela de Joseph Conrad. Llegaron a una punta y se dirigieron a una isla bastante alta y que parecía más sólida que el entorno. La parte superior del tanque de agua blanco que había mencionado Dooley asomaba por encima de los árboles como un sombrero chino. Amarró la lancha en el pequeño muelle y apagó el motor.

Una pendiente cubierta de hierba subía hasta un patio y la galería de un edificio blanco. Quedaba casi oculto por las palmeras, y una ligera brisa traía su perfume húmedo hasta la nariz de Gamay. Una garza blanca paseaba por la orilla. Era la escena típica de Florida que se veía en las postales, pero el lugar le transmitía cierta inquietud. Quizá era su lejanía, el aspecto reseco de la vegetación, o sencillamente la quietud sobrenatural.

—Es todo tan silencioso... —comentó. Y sin darse cuenta, añadió en un susurro—: Casi siniestro.

Dooley rió.

—El edificio está construido sobre un túmulo indio. La isla pertenecía a los calusa antes de que el hombre blanco los matase o los contagiase con sus enfermedades. Las personas aún notan el mal ambiente.

—¿Me está diciendo que la isla esta acosada por los fantasmas, Dooley?

—No los fantasmas de los indios, si es a eso a lo que se refiere, pero todo lo que se ha construido aquí parece llegar a un mal final.

Gamay recogió su bolsa y saltó al muelle.

—Confiemos en que no afecte a mi corta visita, Dooley.

Había intentado despejar el humor lúgubre con su broma, pero Dooley no sonreía cuando la siguió por el muelle.

—Bienvenida al paraíso, doctora Gamay.

18

Dooley y Gamay caminaban por el muelle en dirección a la escalera que subía la cuesta cuando se cruzaron con una joven asiática que iba hacia ellos.

—Buenas tardes, doctora Song Lee —saludó Dooley—. Tendré preparado su kayak antes de volver a isla Pine.

—Gracias, Dooley.

La mirada de Lee se fijó por un momento en Gamay, quien consideró que su expresión era neutra.

—Le presento a la doctora Morgan Trout —añadió Dooley—. Estará de visita dos días. Quizá puedan salir a remar juntas.

—Sí, por supuesto —contestó Lee sin el menor entusiasmo—. Encantada de conocerla, doctora. Que disfrute de la visita.

Lee apenas si rozó la mano que le ofrecía Gamay y continuó su camino hacia el muelle.

—¿La doctora Lee lleva aquí mucho tiempo? —preguntó Gamay.

—Unos meses. No habla demasiado sobre su trabajo, y yo no pregunto.

Se detuvo al final del muelle.

—Hasta aquí me permiten llegar. Llámeme si me necesita. No lo olvide, solo hay cobertura para los móviles en lo alto del tanque de agua.

Gamay le dio las gracias y observó la embarcación hasta que se perdió de vista. Luego recogió su bolsa y subió la escalera hasta el patio. En aquel mismo momento se abrió la puerta principal del edificio, y un hombre con una bata blanca bajó a toda prisa la escalera desde la galería hasta el patio. Tenía el físico enjuto de un corredor. El apretón de manos que dio a Gamay fue flácido y húmedo como un pescado.

—La doctora Morgan-Trout, supongo —dijo, con una rápida sonrisa—. Soy el doctor Charles Mayhew, el encargado de esta casa de locos hasta que regrese el doctor Kane.

Gamay adivinó que Mayhew la había estado mirando desde el interior de la casa. Sonrió.

—Gracias por tenerme como invitada en la isla.

—Es un placer —afirmó Mayhew—. No tiene idea de lo entusiasmados que estuvimos cuando la NUMA invitó al doctor Kane a participar en la inmersión de la batisfera. No me perdí detalle mientras bajaban. Fue una pena que se interrumpiese la transmisión.

—¿Tendré la oportunidad de conocer al doctor Kane? —preguntó Gamay.

—Ahora mismo está realizando un trabajo de campo —respondió Mayhew—. La acompañaré hasta su habitación.

Subieron a la galería y pasaron por las puertas dobles a un vestíbulo con paneles de madera. Más allá del vestíbulo había un gran y luminoso comedor con sillas de ratán y mesas de madera oscura. Las ventanas con celosías ocupaban tres de las paredes. Un salón más pequeño junto al comedor tenía un cartel con el nombre de Dólar Bar sobre la entrada. Mayhew le explicó que era un recuerdo de los días cuando los huéspedes firmaban los dólares y los pegaban en la pared. Los billetes habían sido arrancados por el huracán.

La habitación de Gamay estaba en un pasillo a unos pasos del bar. A pesar de que Mayhew se había dicho por teléfono que tenían la casa llena, era la única invitada alojada en el edificio. La sencilla habitación tenía las paredes de madera, una vieja cama de espaldares metálicos y una cómoda, y daba una imagen de dejadez. Una segunda puerta comunicaba con una galería cerrada desde la que se veía el mar entre las palmeras. Gamay dejó su bolsa sobre la cama.

—El Dólar Bar abre a las cinco —dijo Mayhew—. Póngase cómoda. Si quiere dar un paseo, encontrará senderos naturales por toda la isla. Hay unos pocos lugares restringidos para evitar la contaminación del mundo exterior, pero están señalizados con claridad.

Mayhew se marchó con paso ágil, como si rebotase en sus zapatillas Reebok con cámara de aire. Gamay abrió el móvil para comunicar a Paul que había llegado, y entonces recordó que Dooley le había dicho que el único lugar con cobertura era la torre del agua.

Siguió por un sendero pavimentado con conchas y pasó por una hilera de cabañas al pie de la torre. Subió hasta la plataforma que rodeaba el depósito, donde ya tenía cobertura, y entonces titubeó. Lo más probable era que Paul estuviese en un seminario, y no se atrevía a interrumpirle de nuevo. Guardó el móvil en el bolsillo.

Contempló el panorama desde la torre. La larga y angosta isla tenía la figura de una pera deformada. Formaba parte de un grupo de islas de manglares que vistas desde el aire parecían felpudos dispersos en el mar.

Gamay bajó de la torre y, pese a la brevedad del ejercicio, acabó empapada en sudor debido a la humedad. Caminó hasta que llegó a un grupo de manglares donde se acababa. En el trayecto de regreso, recorrió la red de senderos de la isla antes de ir a su habitación. Después de una breve siesta, se dio una ducha. Cuando se estaba secando, oyó risas. Habían abierto el bar.

Se vistió con un pantalón blanco corto y una camisa de algodón verde claro que resaltaba su pelo rojo oscuro, recogido en un moño en la nuca, y se fue al bar. Había una docena de personas con batas de laboratorio repartidas entre los taburetes de la barra y alrededor de las mesas. Las conversaciones se interrumpieron cuando entró, como en una escena de una película del Oeste cuando un pistolero pasa por las puertas batientes y entra en el salón.

El doctor Mayhew se levantó de la mesa que ocupaba en un rincón, se acercó a la barra y saludó a Gamay con una breve sonrisa.

—¿Qué bebe, doctora Trout? —preguntó.

—Un Gibson no estaría mal —respondió ella.

—¿Solo o con hielo?

—Solo, por favor.

Mayhew pidió el cóctel al camarero, un hombre musculoso con un corte de pelo militar. Agitó la ginebra y el vermut en la coctelera, vertió la mezcla en la copa y añadió tres cebollitas clavadas en un palillo, para hacer un Gibson Martini en lugar de un martini con aceitunas.

Mayhew llevó a Gamay al rincón. Le ofreció una silla y le presentó a las cuatro personas sentadas a la mesa. Explicó que todas formaban parte del equipo de desarrollo del centro.

La única mujer de la mesa tenía el pelo corto, y su bonito rostro era más masculino que femenino. Dory Bennett se presentó y dijo que era toxicóloga. Bebía un mai tai.

—Y bien, ¿qué la trae a la isla del doctor Moreau? —preguntó Dory.

—Oí hablar de este maravilloso bar. —Gamay miró las paredes desnudas, y con el rostro impávido añadió—: Al parecer, un dólar no llega tan lejos como antes.

Se oyeron las risas de todos.

—Ah, una científica con sentido del humor —opinó Isaac Klein, un químico.

—Doctor Klein, ¿está diciendo que yo no tengo sentido del humor? —preguntó la doctora Bennett—. Yo encuentro sus artículos científicos muy divertidos.

La bien intencionada pulla provocó nuevas risas.

—La doctora Bennett ha olvidado mencionar que la directora asistente del centro es también una mujer: Lois Mitchell —dijo el doctor Mayhew.

—¿Tendré la oportunidad de conocerla? —preguntó Gamay.

—No hasta que ella vuelva de... —La doctora Bennett se interrumpió en mitad de la frase—. Está... en un trabajo de campo.

—Lois colabora con el doctor Kane —intervino Mayhew—. Cuando regrese, la isla no estará dominada por los hombres, como parece a primera vista.

Gamay fingió no haber visto el suave toque de Mayhew en el brazo de Bennett y miró a los ocupantes de las otras mesas y de los taburetes.

—¿Es este todo el personal del laboratorio? —preguntó.

—Es un equipo mínimo —contestó Mayhew. La mayoría de nuestros colegas están realizando trabajos de campo.

—Tiene que ser un campo muy grande —dijo Gamay, con la voluntad de poner otra nota de humor.

Hubo un silencio ensordecedor.

Mayhew acabó por sonreír.

—Sí, supongo que lo es —admitió.

Miró a los demás, que tomaron su comentario como una señal para sumarse a las sonrisas.

Gamay tuvo la sensación de que estaban conectados los unos a los otros con hilos y que Mayhew era quien los movía.

—Conocí a otra mujer en el muelle —comentó—. Creo que se llama Lee.

—Ah, sí, la doctora Song Lee —dijo Mayhew—. A ella no la he incluido porque es una científica de visita y no forma parte del personal. Es muy tímida; incluso cena sola en su cabaña.

Chuck Hallum, que dirigía la sección de inmunología, dio más detalles.

—Estudió en Harvard y es una de las más brillantes inmunólogas que conozco. Ya que hablamos de personas de fuera de la isla, ¿cuál es su verdadero interés en Bonefish Key?

—A mí me interesa la biología marina —contestó Gamay—. Leí en las revistas científicas varios artículos sobre el gran trabajo que están haciendo en biomedicina. Tenía pensado visitar a unos amigos en Tampa y no quise desaprovechar la oportunidad de acercarme por aquí.

—¿Conoce la historia del centro marino? —preguntó Mayhew.

—Tengo entendido que el laboratorio lo financia una fundación sin ánimo de lucro, pero no sé mucho más —confesó Gamay.

Mayhew asintió.

—Cuando el doctor Kane fundó el laboratorio, la financiación llegó del legado de una ex alumna de la Universidad de Florida que había perdido a un familiar cercano debido a una enfermedad. Los herederos impugnaron el testamento porque había algunos familiares disconformes, y cuando la financiación estuvo a punto de acabarse, Kane creó una fundación y comenzó a buscar dinero de otras fuentes. El doctor Kane consideró Bonefish Key como el centro de investigación ideal porque estaría apartado del bullicio de una universidad.

Sonó una campana para anunciar la cena, y pasaron al comedor, donde el encargado del bar hacía de camarero. La comida consistió en pargo rojo con nueces de pecán asado en su punto, acompañado con un vino blanco francés. La conversación versó sobre temas generales y se habló poco del trabajo que se hacía en la isla.

Después de la cena, los científicos salieron a la galería y al patio. Continuó la amable charla, casi sin ninguna mención del laboratorio. A medida que anochecía, la mayoría se marchó a sus habitaciones.

—Aquí nos vamos a la cama temprano —explicó Mayhew—. Y nos levantamos con el alba. Cerramos el bar, así que no hay mucho que hacer después de las diez de la noche.

Mayhew formuló a Gamay unas cuantas preguntas corteses sobre su trabajo en la NUMA y después se retiró con la promesa de que se reuniría con ella a la hora del desayuno. Los pocos del personal que aún quedaban le siguieron, y Gamay se quedó sola en la galería, entretenida en disfrutar de las visiones y los sonidos de la noche subtropical.

Gamay decidió llamar a Paul, y volvió a recorrer el mismo sendero hasta la torre de agua. Las conchas blancas machacadas resplandecían con la luz de la luna. No había subido más de un par de peldaños cuando se detuvo. Una voz femenina llegaba desde la plataforma. Por el sonido, parecía chino.

La conversación acabó después de un par de minutos, y Gamay oyó unas suaves pisadas que descendían. Gamay se apartó de la escalerilla y se ocultó detrás de una palmera. Observó cómo bajaba la doctora Lee, quien se marchó a paso rápido por el sendero.

Gamay siguió el sendero hasta las cabañas. Todas estaban a oscuras excepto una, y mientras miraba, se apagó la luz en la ventana. Permaneció allí con la atención puesta en la cabaña y se preguntó qué haría un detective en un caso como aquel.

Decidió volver a la torre de agua. Dejó un mensaje de voz en el móvil de Paul, diciéndole que había llegado sana y salva, y luego fue a su habitación.

Se sentó en la galería y repasó las impresiones de las pocas horas que llevaba en la isla. Su intuición natural se había afinado con los años de observación científica, primero como arqueóloga marina y después como bióloga marina.

No había pasado por alto el comentario de Dooley de que había más de lo que se veía en Bonefish Key. El hombre que le había preparado el cóctel parecía haber salido de las páginas de la revista *Soldados de fortuna*. Por su parte, Mayhew y los demás se reían como unos tontos en sus intentos de mostrarse evasivos cada vez que la charla mencionaba al doctor Kane, el misterioso proyecto de campo del centro y el paradero del resto del personal. También le intrigaba la joven científica asiática que no le había hecho caso en el muelle, cómo el doctor Mayhew había olvidado mencionar a la doctora Song

Lee y cómo los demás científicos eludían a Gamay como si fuese una leprosa.

Austin le había dicho que estuviese atenta a cualquier cosa curiosa de la isla.

«¿Qué te parece siniestro, amigo Kurt?», murmuró para ella misma.

Según Austin, Bonefish Key tendría que haber sido un lugar divertidísimo, pero mientras estaba sentada en la oscuridad y oía los sonidos de la noche, Gamay comenzó a entender por qué Dooley no había sonreído cuando le había dado la bienvenida al paraíso.

19

El superintendente Randolph engañaba con su talante campechano. Parecía estar en todas partes a la vez. No se apartó de los expertos forenses que fotografiaban la escena del crimen y recogían pruebas, escuchó las entrevistas con los testigos, atento a cualquier discrepancia, y recorrió toda la nave a fondo.

Lo único que necesitaba para completar la imagen de Sherlock Holmes era una gorra de cazador y una pipa de espuma de mar. El detective y su equipo trabajaron hasta bien tarde antes de irse a dormir en los camarotes que Gannon había preparado para ellos. Al día siguiente, a petición de Randolph, el capitán acercó el barco a los muelles del Servicio de Policía Marítima. Los cadáveres fueron transportados al laboratorio de patología para las autopsias.

Austin y Zavala, en cuanto acabaron las entrevistas, se dedicaron a limpiar la batisfera e inspeccionaron los daños. Salvo los lugares donde se había raspado la pintura en la caída contra el fondo, la resistente campana de inmersión no presentaba desperfectos.

Austin lamentó no poder decir lo mismo del *Humongous*. Supervisó la tarea de la grúa que lo levantó de la cubierta del *Beebe* para depositarlo en la caja del camión que lo llevaría a un garaje de la policía.

Tras comprobar que esta última prueba física estaba en

manos de la policía, el superintendente Randolph dio las gracias a Gannon y a los marineros por la cooperación, y anunció que el barco podía zarpar. Añadió que él se ocuparía de responder a las preguntas de las docenas de reporteros que aguardaban en la comisaría, ahora que se conocían las noticias del ataque.

Randolph llevó a Austin y a Zavala en su coche hasta el aeropuerto, donde estaba el avión de la NUMA en el que volarían a Washington. Zavala era un piloto con experiencia y autorizado para pilotar reactores pequeños, y a última hora de la tarde entró con el avión en un hangar del aeropuerto nacional Reagan, reservado para los aparatos de la NUMA. Austin y Zavala se despidieron con la promesa de reunirse al día siguiente.

Austin vivía en un varadero victoriano reconvertido, parte de una finca más grande, que había comprado cuando trabajaba en la CIA y viajaba cada día a Langley. En aquel momento, era lo que los agentes inmobiliarios llamaban una ganga para reformar. Apestaba a moho, pero su ubicación en la orilla del río Potomac convenció a Austin de sacar el billetero y dedicar un sinfín de horas a «reformarla» él mismo.

Como de costumbre, Austin dejó su macuto en el vestíbulo, fue a la cocina, cogió una botella de cerveza de la nevera y salió a la terraza para llenar sus pulmones con la fragancia del lodo del Potomac.

Se bebió la cerveza, entró en la casa para ir a su estudio y se sentó delante del ordenador. El estudio era un oasis para Austin. Se comparaba a sí mismo con los capitanes que, hartos del mar, se retiraban a Kansas o a cualquier lugar lejos del océano cuando acababan sus carreras. El mar era un amante exigente, y era bueno alejarse de su fuerte abrazo. Excepto por unas cuantas marinas pintadas por artistas de tiempos pasados y unas cuantas fotos de su pequeña flota de embarcaciones, había poco en la casa que lo vinculase a la agencia más importante del mundo en estudios oceánicos.

Las paredes las ocupaban estanterías con su colección de libros de filosofía. Le gustaba leer a los viejos filósofos por su sabiduría, pero sus escritos también le facilitaban un ancla moral que impedía que fuese a la deriva. Los atacantes del *Beebe* no eran los primeros hombres que había matado. Ni tampoco, por desgracia, serían los últimos.

Sobre la repisa de la chimenea había una pareja de pistolas de duelo, parte de una gran colección que consideraba como su vicio principal. Le gustaban las pistolas por sus innovaciones técnicas y porque le recordaban la importancia del azar en situaciones de vida o muerte.

Cogió un disco de Miles Davis de su extensa colección de jazz y lo puso en el tocadiscos. Se reclinó en la silla y escuchó un par de piezas antes de flexionar los dedos y comenzar a escribir. Quería redactar un primer borrador del informe del ataque a la B3 mientras recordaba los detalles con claridad.

Poco antes de medianoche, Austin se acostó en su dormitorio, ubicado en la torre de la casa. Se despertó descansado alrededor de las siete de la mañana. Se preparó una cafetera de café jamaicano y tostó un panecillo congelado que encontró en su vacía nevera. Acabado el desayuno, volvió a ocuparse del informe.

Le hizo muy pocos cambios. Tras una rápida revisión, envió el texto por correo electrónico a Dirk Pitt, director de la NUMA.

Austin decidió recompensar su duro trabajo con una salida a remar por el Potomac. El remo era su ejercicio favorito cuando estaba en casa y era el responsable de la musculatura de sus anchos hombros. Sacó el bote de regatas de unos estantes debajo de la casa.

Mientras el bote se deslizaba sobre el río, la precisión de las remadas y la belleza del paisaje serenaron su mente. Cuando despejó el atiborramiento mental —el sabotaje de la B3, su lucha con el ROV, el asalto nocturno al *Beebe*— aún le quedaba una conclusión innegable: alguien quería ver muerto a Max Kane y estaba dispuesto a llegar hasta donde fuera para conseguirlo.

Cuando acabó de remar, Austin guardó el bote, se dio una ducha, se afeitó y llamó a Paul Trout.

Paul le dijo que Gamay se había marchado a Bonefish Key el día anterior. Había recibido un mensaje confirmando su llegada, pero aún no había hablado con ella.

Austin hizo a Trout un breve resumen del informe sobre los ataques a la batisfera.

—Ahora sé por qué dijiste a Gamay que la inmersión fue memorable —dijo Trout—. ¿Adónde vamos a partir de aquí?

—Espero que Gamay descubra algo referente a Doc Kane. Ahora mismo es nuestra pista principal. Joe y yo compararemos notas y deduciremos cuál es el siguiente paso.

Austin le prometió mantenerle informado, y luego descongeló otro panecillo para prepararse un bocadillo de atún. Lo despachó en la cocina, recordando con añoranza las maravillosas comidas que había disfrutado en las capitales del mundo, cuando sonó el teléfono.

Miró el identificador de llamadas y contestó:

—Hola, Joe, ahora mismo te iba a telefonear.

Zavala fue al grano.

—¿Puedes venir de inmediato? —preguntó.

—La libreta de Zavala tiene más nombres de mujeres que toda la guía telefónica de Washington, y no creo que te sientas solo. Así pues, ¿qué pasa?

—Tengo algo que quiero mostrarte.

Austin no pasó por alto la clara nota de excitación en la voz suave de Zavala.

—Estaré contigo en una hora —dijo.

En el mar, Austin vestía siempre una camisa hawaiana, pantalón corto y sandalias. El cambio de marinero a persona de tierra firme siempre era una sorpresa. Los zapatos eran como tornillos de banco que le apretaban los pies, las piernas las notaba prisioneras en el pantalón de algodón color tostado, el cuello de la camisa azul siempre le raspaba. Si bien no dejaba de ponerse la americana azul marino, se negaba a llevar corbata. Tenía la sensación de que era la soga del ahorcado.

A diferencia de Dirk Pitt, quien coleccionaba coches y parecía tener uno para cada ocasión, Austin se dedicaba a las pistolas de duelo y conducía un jeep Cherokee color turquesa de la flota de la NUMA.

El tráfico iba en aumento, pero Austin conocía los atajos y, en poco menos de una hora después de la llamada de Joe, aparcó delante de una edificación pequeña en Arlington.

En la puerta principal de lo que había sido una antigua biblioteca, marcó el código de acceso en el teclado y entró. El espacio, que una vez habían ocupado las librerías, ahora tenía el aspecto del interior de una casa de adobe en Santa Fe. Los suelos eran de baldosas rojo oscuro, mexicanas, los marcos de las puertas eran arcadas y en los nichos de las paredes encaladas había piezas de artesanía local que Zavala había coleccionado en sus viajes a su casa natal de Morales. Su padre, un ebanista de primera, había hecho el mobiliario a mano.

Austin llamó a Zavala.

—Estoy aquí abajo, en el laboratorio de Frankenstein —gritó Zavala desde el sótano, donde pasaba su tiempo libre cuando no estaba ocupándose de su Corvette.

Austin bajó por la escalera al taller, iluminado hasta el último rincón. Zavala había empleado todo el espacio del viejo depósito de libros para su resplandeciente colección de herramientas. Piezas metálicas de formas extrañas cuyas funciones solo conocía Zavala colgaban en las paredes junto a un póster en blanco y negro de motores antiguos.

Guardadas en cajas de cristal estaban las maquetas de los vehículos sumergibles que Zavala había diseñado para la NUMA. En una mesa había una maqueta de un motor a vapor Stuart que estaba restaurando. Zavala nunca vacilaba a la hora de ensuciarse las manos cuando se trataba de reparar o crear artilugios mecánicos, pero ese día miraba la pantalla del ordenador.

Austin contempló el asombroso templo que Zavala había creado para las máquinas.

—¿Alguna vez has pensado continuar con el trabajo del doctor Frankenstein? —preguntó.

Zavala se giró en la silla, con su típico esbozo de una sonrisa.

—Fabricar monstruos con piezas de chatarra es historia pasada, Kurt. La robótica es lo que funciona ahora. ¿No es así, Juri?

Un tiranosaurio Rex, de unos veinticinco centímetros de alto, con la piel de plástico del color y la textura de un aguacate, estaba junto al ordenador. Movió la cabeza, restregó los pies, puso los ojos en blanco, abrió la boca, y dijo en español: «Sí, señor Zavala».

Austin acercó un taburete.

—¿Quién es tu amigo verde?

—Juri, que es la abreviatura de Parque Jurásico. Lo compré por internet. Está programado para realizar unas veinte funciones. Lo modifiqué para que hable inglés y español.

—Un tiranosaurio Rex bilingüe —dijo Austin—. Estoy impresionado.

—No fue difícil —señaló Zavala—. Sus circuitos son bastante sencillos. Se mueve, muerde y responde a los estímulos externos. Si le das un poco más de fuerza, dientes más grandes, sensores ópticos, y lo envuelves en una funda impermeable, tienes algo parecido al tiburón mecánico que creyó que una hamburguesa hecha con carne de Austin sería deliciosa.

Zavala apartó la silla para que Austin viese con claridad la pantalla. En lenta rotación sobre el fondo negro había una imagen tridimensional del AVS en forma de manta que había cortado el cable de la batisfera y atacado a Austin.

Kurt silbó por lo bajo.

—Es ese. ¿Dónde lo encontraste?

—Lo busqué en la filmación original de la cámara del *Burbujas*.

Zavala clicó con el ratón para reproducir el enfrentamiento con el AVS. Hubo una rápida sucesión de imágenes, una confusión de burbujas y atisbos del vehículo.

—No te di mucho para comenzar —dijo Austin.

—Me diste lo suficiente. Lo pasé en cámara lenta y fui recogiendo detalles aquí y allá. Utilicé visiones parciales para crear un primer boceto del AVS y después lo comparé con los vehículos autónomos sumergibles de mi base de datos. Tengo información de prácticamente todos los aparatos autopropulsados que se han fabricado, pero al principio no podía encontrar a este por ninguna parte.

—Mi primera impresión fue que se parecía al *Manta*, el submarino que desarrolló la marina para la detección y destrucción de minas.

—No está mal —aprobó Zavala—. Aquí tienes al *Manta*. Hay algunas características similares que consigues cuando haces un diseño generado por ordenador. Pero el que te atacó no tenía las lanzaderas para los rastreadores de minas y torpedos como el modelo de la marina.

—Es algo de agradecer. Ninguno de los dos estaría ahora aquí si nuestro amiguito hubiese llevado la artillería pesada.

—Después de buscar entre los modelos militares, pasé a las aplicaciones científicas. La mayoría de los AVS que encontré tienen forma de torpedo, como el ABE de la Woods Hole Oceanographic o el *Rover* de Scripp. Descartados los modelos militares y científicos, pasé a la industria. Pero ninguna empresa de petróleo, gas o de comunicaciones los tiene, así que probé con la pesca comercial.

Puso en pantalla un artículo de una revista pesquera.

Austin miró las fotos que ilustraban el artículo y sonrió.

—¡Bingo!

—El vehículo que aparece en el artículo se utiliza para filmar los diseños de nuevas redes —dijo Zavala.

—Eso explicaría que se parezca a una manta —señaló Austin—. Necesitas algo plano y no rugoso para que pase por debajo de las redes... y no aletas que puedan engancharse.

—Las pinzas permiten al AVS abrirse paso entre las redes enredadas —explicó Zavala—. Lo utilizaba una compañía china, la Pyramid Seafood Exports.

—¿China? Es muy significativo. Los hombres que atacaron el barco eran asiáticos. Las armas que llevaban eran chinas.

—Busqué el nombre en Google —dijo Zavala—. Pyramid tiene las oficinas centrales en Shanghai, pero es una multinacional.

—¿Por qué una compañía pesquera podría estar involucrada en los ataques al *Beebe* y la batisfera? —preguntó Austin.

—Quizá pueda responder tu pregunta después de ver a mi amiga Caitlin Lyons en la unidad del crimen asiático del FBI —contestó Zavala.

Austin tuvo que admitir que la amplia red de amigas de Zavala algunas veces resultaba muy útil.

—¿Has pensado en cómo debió de organizarse el ataque a la B3? —preguntó Austin.

—El vehículo pudo haber sido lanzado desde cualquiera de las embarcaciones de la prensa e invitados que presenciaban la inmersión —respondió Zavala.

—Quizá alguien lo vio —dijo Austin—. Podríamos pedir al superintendente Randolph y a la guardia costera de las Bermudas que pregunten.

—No es mala idea, pero yo creo que el vehículo se sumergió horas antes de que lo hiciese la batisfera y que lo pusieron en modo de espera, programado para funcionar pasado cierto tiempo para comenzar la caza. Bien pudo haber sido dirigido desde la superficie más o menos en la zona del *Beebe*.

—¿Cómo consiguió dar con el objetivo?

—El sónar combinado con los sensores ópticos buscarían

una línea vertical. El AVS se centra en el cable de la B3. Clic clic. Allá va la batisfera.

—Y allá va el doctor Kane y el misterioso proyecto de investigación que iba a afectar a todos los habitantes del planeta.

—¿Alguna noticia de Kane desde que desapareció? —preguntó Zavala.

—He probado con todos los canales oficiales y extraoficiales. Bonefish Key parece ser nuestra única pista.

—Dudo que esté allí. Alguien quería que muriese de una forma horrible en el fondo. Bonefish Key sería el primer lugar donde buscarlo cuando descubrieron que no estaba a bordo del *Beebe*.

Una señal de alarma cruzó el rostro bronceado de Austin. Sacó el móvil y llamó a Paul Trout.

—¿Has tenido alguna noticia de Gamay? —preguntó.

—He intentado ponerme en contacto con ella, pero tiene el móvil apagado o fuera de cobertura —dijo Trout.

—Insiste —le pidió Austin—. Estoy en la casa de Zavala. Tal vez cometí un error cuando os pedí que fueseis a curiosear por el laboratorio de Kane. Hay que avisar a Gamay de un posible peligro por parte de las personas que quisieron matar a Kane.

—No te preocupes, Kurt. Gamay sabe cuidar muy bien de sí misma.

—Ya lo sé —dijo Austin—. Solo dile que tenga cuidado y que no corra ningún riesgo.

Después de hacer todo lo posible para alertar a los Trout, Austin llamó a la NUMA y pidió un informe de la Pyramid Trading Company. El centro informático de la agencia, bajo la supervisión del cibergenio Hiram Yeager, era uno de los más grandes archivos de información especializada del mundo. Los potentes ordenadores de la NUMA estaban conectados a las bases de datos por todo el mundo y en un instante podían recopilar una enorme cantidad de información de cualquier tema referido a los océanos.

Austin se despidió de Zavala con la promesa de llamarlo después de haber leído los resultados de la búsqueda. Volvió al jeep y fue hasta la torre de cristal verde de treinta pisos de altura, con vistas al Potomac, que era la sede central de la NUMA. Aparcó en el garaje subterráneo y subió en el ascensor hasta su despacho, que no podía ser más espartano.

Había un grueso expediente sobre la mesa con una nota de Yeager donde le decía: «¡Disfrútalo!».

Abrió el expediente, pero solo había leído la primera página cuando sonó el teléfono. No aparecía el número de la llamada.

Comprendió la razón en cuanto contestó y oyó la voz seca de James Sandecker, el fundador y director durante años de la NUMA antes de ser designado vicepresidente de Estados Unidos tras el fallecimiento del vicepresidente electo. En su estilo habitual, Sandecker fue al grano.

—Pitt me pasó tu informe sobre el incidente del *Beebe*. ¿Qué demonios está pasando, Kurt?

Austin se imaginó los ojos azules y la barba pelirroja de Sandecker, que había visto durante años en la NUMA.

—Ojala lo supiese, almirante —respondió Austin, que utilizó el rango naval de Sandecker en lugar del político.

—¿Qué tal le va a Zavala después de la experiencia?

—Joe está bien, almirante.

—Es de agradecer. Si Zavala hubiese muerto, la mitad de las mujeres de Washington habrían estado de luto y tendríamos que haber cerrado toda la ciudad... Después el ataque al *Beebe*... sorprendente. Fue un milagro que nadie resultase herido. ¿Has hecho algún progreso?

—Creemos que hay una conexión china —dijo Austin—. El AVS que fue a por mí y la B3 es del mismo modelo utilizado por una compañía pesquera china que forma parte de una multinacional llamada Pyramid Trading. Los hombres que atacaron el barco llevaban armas chinas y eran asiáticos. Joe buscará cualquier vinculación delictiva. Yo me pondré en contacto con la policía de las Bermudas, para saber si los forenses han encontrado alguna pista que podamos utilizar. Creemos que los trabajos del doctor Kane pueden ser la clave de todo esto. Gamay está en Bonefish Key investigando el laboratorio.

Sandecker rió.

—No sé cómo Gamay ha conseguido colarse, pero no creo que averigüe nada. El trabajo que hacen tiene la calificación de ultra secreto.

—Suena como si supiese qué hacen en el laboratorio.

—Más de lo que querría. Es parte de algo muy grande, Kurt, y tenemos que actuar deprisa. La situación está alcanzando el estado crítico. He convocado una reunión para dar las explicaciones pertinentes. Te llamaré dentro de una hora, así que no te pierdas. Mientras tanto, prepara tus maletas para un viaje.

—Todavía no he deshecho las de la última misión.

—Estupendo. Tú y Joe tendréis que salir dentro de poco. Aún estoy ocupado con los detalles y no tengo tiempo para acabarlos ahora mismo. No creas a nadie que diga que el trabajo de un vicepresidente es servir de florero.

Sandecker colgó sin decir más palabras. Austin miró el teléfono que tenía en la mano.

Apartó cualquier pensamiento y volvió a concentrarse en el expediente. No tardó mucho en saber que la Pyramid no era una corporación cualquiera.

20

Gamay se había despertado temprano, cuando los finos rayos del sol se filtraban entre las lamas de las persianas. Se levantó, se puso el pantalón corto, un top y unas zapatillas de correr. Salió sin hacer ruido por la galería y realizó una serie de ejercicios de calentamiento. Después rodeó el edificio principal para dirigirse al inicio de un sendero, y comenzó a correr primero con un trote lento que aceleró poco a poco hasta coger la velocidad habitual.

Corría con una gracia atlética natural y una economía de movimientos que aseguraba que, si alguna vez se reencarnaba, lo haría como un guepardo. Corría todas las mañanas, un hábito que comenzó en la adolescencia, cuando jugaba en las calles de Racine con los chicos.

Al sonido de sus pisadas que aplastaban las conchas del sendero se sumó otro, y al volverse vio al doctor Mayhew, que se acercaba.

Alcanzó a Gamay y corrió a la par.

—Buenos días, doctora Trout. ¿Disfruta de la carrera?

—Sí, mucho, gracias.

—Bien. —Le dedicó su habitual sonrisa rápida—. La veré en el desayuno.

Mayhew aceleró el paso y fue alejándose de Gamay hasta que desapareció en un recodo.

La legendaria humedad de Florida muy pronto acabó con

el frescor de la primera hora, y Gamay volvió a su habitación bañada en sudor. Se dio una ducha y se puso otro pantalón corto, un top y unas sandalias, y siguió el sonido de las voces en el comedor.

El doctor Mayhew le hizo un gesto para que se uniese al grupo que había conocido la noche anterior y le señaló una silla vacía. Todos los comensales habían pedido la tortilla de brie y tomate. Estaba al punto y la sirvieron con pan de centeno.

Al ver que Gamay comía con placer, Mayhew comentó:

—La calidad de la cocina es algo en lo que todos insistimos antes de aislarnos en Bonefish Key.

El doctor apuró su café y se limpió los labios con la servilleta. Luego buscó debajo de la silla y dio a Gamay una bolsa de plástico con una bata de laboratorio.

—¿Preparada para la visita, doctora Trout?

Gamay se levantó y se puso la bata.

—Cuando quiera, doctor Mayhew.

—Sígame —dijo él, con la inevitable sonrisa falsa.

Siguieron por un camino sin señalizar en la dirección opuesta al sendero natural y llegaron a un edificio de una sola planta pintado de color verde musgo. El aire vibraba con el zumbido de unos motores eléctricos invisibles.

—El cultivo se realiza en este edificio —explicó Mayhew—. Puede tener el aspecto de un garaje, pero este laboratorio es uno de los más adelantados en investigación biomédica.

El interior en penumbra albergaba docenas de peceras. Una pareja de técnicos con sendas batas blancas y blocs iban de pecera en pecera. No prestaron ninguna atención a los recién llegados excepto por un saludo informal. El ambiente estaba impregnado de olor a pescado.

—Estas peceras de agua salada son una réplica exacta del hábitat de los organismos marinos que contienen —dijo Mayhew.

—¿Cuántos organismos diferentes investigan? —preguntó Gamay.

—Docenas de especies y subespecies. Permítame que le presente a la reina de la muestra.

Mayhew se acercó a una pecera donde había unos globos rojos que brillaban, cada uno del tamaño de un pomelo. Unos tentáculos cortos y puntiagudos rodeaban sus bocas. Estaban reunidos en las rocas en el interior de la pecera.

—Preciosos —dijo Gamay—. Estas deben de ser las flores marinas que aparecían en el artículo que leí en una de las revistas científicas.

—Al personal le gusta poner nombres comunes a las criaturas —continuó Mayhew—. Evitan que nuestras lenguas se traben con las locuciones latinas. Tenemos la estrella de mar, el pimpollo de mar... y más cosas. Resulta irónico cuando te das cuenta de que estas exquisitas criaturas son eficaces asesinas preparadas para atraer a los peces pequeños lo bastante cerca para cazarlos y devorarlos.

—Hay otra ironía —puntualizó Gamay—. A pesar de ser venenosas, quizá sean capaces de curar enfermedades.

—Matar y curar no se excluyen. El curare es un buen veneno que se utiliza en medicina. El botox también.

—Hábleme de la estrella de mar, doctor Mayhew.

—Será un placer. Esta belleza está relacionada con otra esponja descubierta en 1984. Tras una de las inmersiones del sumergible *Sea-Link* del Harbor Branch Oceanographic, frente a las Bermudas, encontraron un trozo de esponja en el tubo de succión. La esponja contenía una sustancia que en las pruebas del laboratorio mataba las células cancerosas.

—Lo leí en una revista científica. Un descubrimiento muy interesante.

—También resultó frustrante —afirmó el científico.

—¿En qué sentido, doctor Mayhew?

—Los científicos buscaron durante otros veinte años una esponja entera sin conseguirla. Entonces a alguien se le ocurrió la gran idea: ¿por qué no bucear más a fondo y buscar el verdadero hábitat de la esponja? En la primera inmersión encontraron esponjas suficientes para años de investigaciones. Habían estado buscando la esponja en lugares donde había otras especies. Pero su esponja se desarrollaba a una profundidad de trescientos treinta metros, donde el fondo es casi un erial.

—¿Utilizaron el mismo procedimiento de búsqueda para la estrella de mar? —preguntó Gamay.

—Más o menos. Encontramos fragmentos de una especie desconocida no muy lejos de las inmersiones del Harbor Branch, trazamos un perfil del hábitat y, como dice aquel cocinero de la tele: ¡Servido! Encontramos esponjas enteras que también contenían la sustancia que mataba las células cancerosas.

—¿El potencial de la estrella está en consonancia con su belleza?

—El espécimen del Harbor Branch produce una sustancia docenas de veces más poderosa que la más potente de las drogas. La estrella casi duplica esa capacidad.

—¿Noto un tono de complacencia en su voz, doctor Mayhew?

El científico mostró una sonrisa que, por una vez, no pareció un artificio en su rostro.

—Nos queda aún un largo camino antes de que podamos vender la licencia a una compañía farmacéutica que se encargará de someter el preparado a los ensayos clínicos. Tenemos que encontrar la manera de producirla a gran escala. Recoger esponjas en el mar no es factible económica ni ecológicamente.

—Estoy segura de que habrán buscado la manera de obtener esponjas mediante acuicultura —dijo Gamay.

—Estamos investigando esa posibilidad. Mejor aún sería cultivar los microorganismos que producen la sustancia. Soportaría nuestra meta final de sintetizar la sustancia para una distribución más amplia. —Se encogió de hombros—. Primero, tenemos que averiguar cómo funciona.

—Tiene usted el trabajo hecho a su medida, doctor Mayhew.

—Es verdad, y las recompensas potenciales son increíbles. La biomedicina marina acabará siendo la mayor fuente de fármacos en el futuro.

Gamay echó una ojeada por el laboratorio.

—¿Qué hay en las otras peceras? —preguntó.

—Más esponjas de diferentes variedades. Cada espécimen tiene sus propias características químicas. Estamos buscando curas para una multitud de enfermedades. Por ejemplo, tenemos corales que producen agentes antibacterianos y antivirales, y analgésicos que pueden ser más poderosos que la morfina y que no crean adicción. Las posibilidades son ilimitadas.

Mayhew intentó continuar con la visita.

—Estoy un tanto intrigada —dijo Gamay, que se resistió con discreción al suave empujón del científico—. Estoy segura de haber leído en su página web que están investigando otros invertebrados. No he visto ningún ejemplar de cnidario.

La pregunta pareció coger a Mayhew por sorpresa. Apartó la mano del codo de la joven y miró pensativo una puerta en la pared más lejana del laboratorio.

—¿Se refiere a las medusas? Bueno...

Mayhew podría ser un gran científico, pero era un pésimo actor. Los ojos de Gamay siguieron la dirección de su mirada, y le dedicó su más encantadora sonrisa. Lo cogió del brazo y lo animó a ir hacia la puerta.

—Estoy segura de que las ha olvidado —dijo.

—No es eso —respondió—. Es que... no nos gusta molestarlas. —Se estaba doblegando ante su firme mirada—. Bueno, supongo que no pasará nada.

Abrió la puerta e invitó a Gamay a entrar en una habitación que estaba a oscuras excepto por la luz que emanaba de una pecera cilíndrica de un metro veinte de diámetro y dos metros cuarenta de altura.

La luz provenía de una docena o más de medusas, cada una del tamaño de una col, que resplandecían con unas parpadeantes luces azules. Se movían constantemente, desde el fondo hasta lo alto de la pecera en una graciosa e hipnótica danza subacuática.

Una figura subida en lo alto de una escalera, y agachada por encima del borde de la pecera, se volvió al oír su entrada. La luz espectral mostró el rostro de la doctora Bennett, la toxicóloga. Los miró, boquiabierta.

—Doctor Mayhew, no esperaba...

—Insistí en que me mostrase esta parte del laboratorio —explicó Gamay—. Espero no haberla molestado.

Bennett miró a Mayhew, quien le hizo un gesto de asentimiento.

—En absoluto —dijo Bennett, con una media sonrisa. Le mostró la red que sujetaba—. Este procedimiento a veces resulta un tanto difícil.

Gamay se fijó en los guantes protectores, el visor de plástico transparente y el mono que vestía Bennett, y luego volvió a contemplar las ondulantes formas que parecían un cubo y su extraño baile acrobático. Unos tentáculos muy finos formaban una especie de encaje alrededor de cada una de las diáfanas criaturas. Su luz bastaba para leer un libro.

—En todos mis años de submarinismo —comentó Gamay—, no creo haber visto nunca algo tan hermoso.

—Ni tan letal —añadió Mayhew, que se le había acercado por detrás—. La medusa de esta pecera produce una toxina que avergonzaría a una cobra.

Gamay buscó en su memoria.

—Es una medusa de caja, ¿no? —preguntó.

—Así es. También llamada avispa de mar, o *chironex fleckeri*. Hay casi cien muertes registradas debido a su picadura. Puede matar a un ser humano en menos de tres minutos. Sugiero que nos apartemos un poco para dejar espacio a la doctora Bennett.

La doctora Bennett bajó el visor para protegerse el rostro y metió la red en la pecera.

Para sorpresa de Gamay, las medusas no se apartaron de la red, sino que la rodearon, lo que facilitó el proceso de coger una. El color de las medusas cambió y su parpadeo se hizo más frecuente, como si estuviesen agitadas.

—Nunca había visto a las medusas actuar de esa manera —manifestó Gamay—. Por lo general, intentan evitar cualquier amenaza que perciben.

—Las medusas son depredadores —dijo Mayhew—, pero la mayoría de las especies simplemente flotan y encuentran su alimento por casualidad. El ojo en la medusa está mejor desarrollado y eso significa que puede ver más que sentir la presa. Combinado con su capacidad de propulsión, la medusa puede perseguir a su víctima.

—No estoy muy segura de haberle entendido. —Gamay sacudió la cabeza—. Dijo «la mayoría de las especies», y añadió que estas eran avispas de mar.

El doctor Mayhew comprendió que había hablado de más.

—Creo que me he expresado mal. En realidad está emparentada con la avispa de mar, pero esta es mucho más desarrollada y agresiva.

—Nunca había visto una avispa de mar de ese color —señaló Gamay.

—Yo tampoco. Se nos ocurrieron un montón de nombres curiosos antes de decidirnos por el de medusa azul.

—¿Cuál es el potencial farmacéutico?

—Estamos en las primeras etapas de estudio, pero la sustancia que produce es mucho más compleja que cualquier otra que hayamos encontrado. Experimentar con esta delicada criatura es como domar a un potro.

—Fascinante —opinó Gamay.

Mayhew consultó su reloj.

—Gracias, doctora Bennett —dijo—. La dejaremos a solas con sus venenosas amigas.

Gamay no se resistió cuando Mayhew la llevó afuera del cuarto y de nuevo al laboratorio principal. Le mostró otras cuantas especies que se estudiaban, y luego dejaron el edificio para ir a otro cercano.

Ese laboratorio tenía menos peceras que el anterior. A los científicos marinos les gustaba distinguir entre los laboratorios húmedos, donde tenían y preparaban los especímenes, y los laboratorios secos, donde se utilizaban los ordenadores y el instrumental analítico. Ese tenía las dos cosas, explicó Mayhew. La parte húmeda era donde se extraían las sustancias y se colocaban con las bacterias o los virus para ver cuál era la reacción.

Pasaron más tiempo en ese laboratorio que en el anterior, y cuando a Gamay se le acabaron las preguntas ya era casi mediodía.

—Estoy muerto de hambre —dijo Mayhew—. Hagamos una pausa para comer.

Esta vez optaron por unas exquisitas hamburguesas. Mayhew habló y habló sin tocar ningún tema en particular, y Gamay se dijo que solo la estaba entreteniendo. Después de la larga pausa de la comida, fueron a un tercer edificio, donde no había peceras sino solo ordenadores.

Mayhew le explicó que los ordenadores buscaban las sustancias que servían para curar las enfermedades de una manera mucho más rápida que los seres humanos. Gamay vio por un momento a la doctora Song Lee. Miraba una pantalla de ordenador. La visita acabó a media tarde. Mayhew parecía relajado por primera vez desde que Gamay le había conocido. Se disculpó y preguntó a Gamay si no le importaba que no la acompañase hasta el edificio central.

—En absoluto —respondió ella—. Nos vemos en el bar.

Cuando salió de la zona de los laboratorios, Gamay tuvo la sensación de que la habían puesto de patitas en la calle. Desde que había pisado la isla, le habían servido cócteles, invitado a comer, llevado a una gira programada y... despedido para que se marchase por la mañana.

Mayhew había acertado al temer la atención de un observador capacitado. Ella quizá hubiese pasado por alto la estrecha atención dedicada a cada uno de sus movimientos como un exceso de hospitalidad, pero no había ninguna duda de que había intentado engañarla respecto a las medusas de las peceras.

Gamay no se había dejado engañar por la cortina de humo de Mayhew. El grupo de investigación era una fachada. Pese a la alegre algarabía del bar, no se podía ocultar el hecho de que la isla era un entorno secreto herméticamente sellado. Las personas reían demasiado fuerte o, como en el caso de Mayhew, solo mostraban una sonrisa falsa.

Gamay se dirigió al muelle para disfrutar de aire fresco. Dooley Green, que estaba pintando un bote, vio que ella se acercaba y se quitó la colilla del puro de la boca.

—Buenas tardes, doctora Gamay. ¿Le ofreció el doctor Mayhew una agradable gira por los laboratorios?

—Fue breve pero interesante —respondió ella, con el rostro impasible.

Dooley no pasó por alto la respuesta poco entusiasta.

—Ya me lo parecía —manifestó con su habitual sonrisa.

—Vi a la doctora Song Lee en uno de los laboratorios. ¿No sale a remar todas las tardes a esta hora?

Dooley asintió.

—Puntual como un reloj. Saldrá dentro de poco.

Gamay señaló los kayaks en el cobertizo.

—¿Podría coger prestado uno de aquellos, Dooley? Dispongo de unas horas, y creo que sería un bonito paseo recorrer los manglares.

Dooley metió el pincel en un bote de aguarrás.

—Me encantará llevarla en mi lancha, doctora Gamay. Verá mucho más y se ahorrará tener que remar.

Como no tenía nada más en que ocupar su tiempo, Gamay subió a la lancha de Dooley. Soltaron las amarras y Dooley aceleró en cuanto se apartaron de la isla. El doble casco cortó el agua en calma como lo haría una tijera con un retal de seda.

Al cabo de unos minutos, entraron en una pequeña bahía rodeada por los manglares.

Dooley estaba al timón, con el puro apagado entre los dientes. Con los ojos entrecerrados para protegerse del reflejo del sol en el agua calma, mantuvo la proa encarada hacia una vieja lancha con cabina varada delante de la punta de una isla de manglares. Estaba un tanto escorada, con la popa sumergida en el agua. No quedaba ni un cristal en las ventanas y había un agujero en la madera podrida a la altura de la línea de flotación lo bastante grande para permitir el paso de un hombre.

—El huracán empujó aquella lancha hasta dejarla sobre un criadero de ostras —explicó Dooley, que redujo hasta alcanzar la velocidad de paseo—. Es una buena referencia cuando navegas por los manglares. A veces es fácil equivocarse, incluso con una brújula y el GPS.

La embarcación había rebasado el extremo de Bonefish Key, una larga punta en forma de faldón de camisa. El muelle del centro marino había desaparecido de la vista, y las palmeras ocultaban la torre de agua. Las bajas y monótonas islas no ofrecían ninguna señal que pudiese servir como punto de referencia, y las perspectivas cambiaban de un momento a otro.

—Debe de conocer estas aguas como la palma de su mano —comentó Gamay.

Dooley miró el agua donde se reflejaba el sol.

—El paisaje parece siempre el mismo, pero llega un momento en que comienzas a distinguir pequeños detalles que la mayoría de la gente no ve. —Abrió una caja y señaló unas gafas—. Hago trampas cuando salgo a pescar por la noche —comentó con una expresión burlona—. Compré estas gafas de visión nocturna en internet. Tengo otras en el cobertizo.

—¿Por dónde va la doctora Lee cuando sale a remar?

—Va por el otro lado de la playa. Allí hay un montón de pájaros, se lo mostraré.

Dooley se metió por un canal entre dos manglares. El pasaje se estrechaba, y lo llevó a un punto sin salida. Dooley fondeó la embarcación y dio a Gamay unos prismáticos. Se los llevó a los ojos y vio docenas de aves que chapoteaban, en busca de comida.

Dooley señaló una estaca de madera que sobresalía del agua a solo unos metros de la orilla.

—Marca el sendero que cruza la isla. A unos pocos centenares de metros hay un buen lugar para pescar.

Puso en marcha el motor, y salieron de la cala para ir otra vez hacia la embarcación varada. Dio una vuelta cerrada y puso rumbo de nuevo hacia Bonefish Key. La torre del agua apareció a la vista, y unos minutos más tarde, Dooley apagó el motor y puse rumbo hacia el muelle. Gamay amarró la embarcación con los cabos de proa y popa. Dio las gracias a Dooley y le pidió prestada una carta náutica de la zona, con la explicación de que quería ver dónde habían estado.

Pasó junto a la doctora Lee, que iba hacia el muelle para salir a remar. Gamay la saludó, y recibió la misma amable respuesta de la primera vez que se habían visto.

Se detuvo en lo alto de la colina que daba al muelle y observó a Lee hasta que desapareció de su vista.

Cuando Gamay miró más allá de la belleza superficial de la isla, vio que tenía un aspecto castigado. Los manglares estaban medio muertos, e incluso la tierra alta nunca se había acabado de secar después del huracán, dando lugar a una putrefacción que dominaba el perfume de las flores y flotaba sobre la isla como un miasma invisible.

Frunció la nariz.

«Este lugar apesta en más de un sentido», pensó.

21

Joe Zavala iba al volante de su Chevrolet Corvette de 1961, por la Interestatal 95 con rumbo a Quantico, Virginia, a solo veinte kilómetros por encima del límite. Llevaba la capota baja, el potente motor de ocho cilindros debajo del capó ronroneaba como un tigre satisfecho, sonaba un CD de Ana Gabriel, el viento le alborotaba los cabellos castaños, cobraba un sueldo de la NUMA y estaba a punto de reunirse con una hermosa mujer. La vida le sonreía.

A unos setenta kilómetros al sudoeste de Washington, salió de la autopista para coger una carretera bordeada de árboles y condujo a través de la campiña, que primero ofrecía visiones de vehículos militares y de barracones y luego lo condujo a una garita donde había un centinela armado. Le mostró sus credenciales de la NUMA, vio cómo el guardia buscaba su nombre en la lista de visitantes y finalmente siguió sus indicaciones hasta el edificio principal de la academia del FBI.

En medio del bosque, la academia había sido construida dentro de una base de la infantería de marina en los años setenta cuando J. Edgard Hoover era el amo y señor. El complejo, edificado en el estilo de un campus universitario, constaba de veintiún edificios de un tenue color miel unidos por una red de pasillos con cúpulas de cristal.

Zavala cruzó la entrada del edificio central y pasó junto a una fuente en el vestíbulo. Fue a la recepción y dijo que tenía una cita con la agente Caitlin Lyons. Le dieron un pase con su nombre para que lo llevase a la vista. Una joven lo acompañó a través del laberinto de edificios y corredores.

Oyó un estruendo que parecía el tiroteo en el O.K. Corral y adivinó que estaba cerca del polígono de tiro. La guía lo hizo pasar y le señaló una hilera de casillas.

—La número diez —dijo—. Le esperaré aquí. Dentro hay demasiado ruido. Tómese su tiempo.

Zavala le dio las gracias y aceptó de un ayudante unos protectores de oídos. Luego fue hasta la cabina y se detuvo detrás de una mujer que disparaba a la silueta de un hombre. Sujetaba la pistola con las dos manos, y lenta y metódicamente disparaba al blanco, para alcanzarlo en lugares que habrían sido mortales si las balas hubiesen perforado carne en lugar de papel.

Zavala no tenía ningún deseo de sobresaltar a una agente del FBI que tenía un arma en las manos. Esperó hasta que ella se volvió. Caitlin le invitó a entrar en la cabina. Cambió el cargador, le dio la pistola y le señaló el blanco.

La Walther PPK era la favorita de Zavala, y la culata le resultaba muy cómoda. La levantó a la altura de los ojos, quitó el seguro y efectuó seis disparos en rápida sucesión. Cada bala encontró el centro de la diana que reproducía un corazón. Colocó de nuevo el seguro y devolvió el arma a su amiga. Caitlin apretó el botón del mecanismo que acercaba el blanco hasta la cabina. Metió el dedo a través de uno de los agujeros que las balas de Zavala habían hecho y dijo algo que él no oyó. Entonces se quitó los auriculares y ella lo dijo otra vez:

—Fanfarrón.

Caitlin guardó la pistola en la funda y señaló su reloj. Caminaron hacia la puerta no sin antes dejar los protectores de oídos. La guía le esperaba en el pasillo, pero Caitlin dijo que ella acompañaría a Zavala al vestíbulo cuando acabase la visita.

—Vayamos a dar un paseo —dijo la agente.

Caminaron por un sendero umbrío que estaba a un mundo de distancia del estrépito de las detonaciones y el olor de la cordita en el polígono de tiro.

Caitlin Lyons era una atractiva mujer de unos treinta y tantos años, y de no haber sido porque vestía un mono negro de manga corta con una pistolera en el cinto, habría podido pasar por una de las componentes del conjunto musical Celtic Women. Tenía la piel de melocotón, y las cejas, que enmarcaban sus preciosos ojos azul verdoso, eran altas y arqueadas. El pelo rubio oscuro lo llevaba recogido debajo de una gorra de béisbol negra con las letras FBI en la visera.

—Eres buen tirador, Joe. ¿Alguna vez has pensado en unirte al FBI?

—Tan pronto como dispongan de una marina —respondió Zavala.

Caitlin rió.

—Has sido muy valiente al acercarte a mí cuando tenía un arma en la mano.

—¿Tendría que haberme preocupado?

—Ya sabes lo que dicen de una mujer despechada...

Zavala hizo una mueca. Su apostura y sus sencillos modales le habían hecho muy popular entre las mujeres de Washington. Había salido un par de veces con Caitlin, pero el incipiente romance se había visto interrumpido por una misión del equipo de misiones especiales. No había tenido ocasión de llamarla hasta entonces.

—Despechada es una palabra fea, Kate. Pensaba llamarte después de mi último trabajo.

—Entonces ¿qué tal abandonada? ¿Plantada? ¿Colgada de una rama? —Ella vio la preocupación en su rostro—. No te preocupes, Joe —añadió con una sonrisa—. No estoy furiosa contigo por dejarme para ir corriendo a otra misión de la NUMA. Soy poli, yo podría haber hecho lo mismo. No buscaba nada permanente. El FBI es tan exigente como la NUMA. Además, si te necesito, solo tengo que encender la tele y verte con esa pinta de latino que tienes. Vi la inmersión en la batisfera. Muy emocionante.

—La parte más emocionante fue la que no viste.

Caitlin le dirigió una mirada de curiosidad, y él le señaló un banco junto al sendero. Se sentaron, y Zavala le habló del ataque a la batisfera, del riesgo que había corrido Austin y de la vinculación a la Pyramid Trading Company. Cuando acabó, Caitlin le cogió la mano y se la apretó.

—Eres un fresco y un ligón, Joe, pero me habría sentido fatal si te hubiese ocurrido algo. —Le dio un beso en la mejilla—. ¿Cómo puedo ayudarte a resolver un delito marítimo? Como tú mismo dijiste, soy de tierra adentro.

—También eres una experta en el crimen asiático, cosa que yo no soy.

Zavala le describió la marca triangular que Austin había descubierto en la cuchilla del AVS y la relación entre el robot submarino que había atacado la batisfera y la compañía pesquera propiedad de la Pyramid Trading.

Caitlin silbó por lo bajo.

—La Pyramid. La peor de todas. No podrías haber escogido a alguien peor como adversario, si ese es el caso. Tú y Kurt tenéis mucha suerte de seguir con vida.

—¿Qué sabes de la Pyramid?

—Te explicaré algunas cosas —dijo Caitlin—. Mi trabajo es mantener a las organizaciones criminales asiáticas todo lo lejos que pueda de las costas norteamericanas y resolver los delitos cuando se producen. Es una batalla perdida. Hemos tenido bandas asiáticas en este país desde principios de 1900, y las primeras fueron los tong chinos.

—¿Los tong no acuñaron la expresión «hombre del hacha»? —preguntó Zavala.

—Los hombres del hacha eran los matones chinos que luchaban los unos contra los otros en las guerras de bandas. Los tong comenzaron formando clubes sociales, y acabaron convirtiéndose en bandas. Todavía hoy prosperan como parte de una red internacional que está dominada por las grandes organizaciones criminales conocidas como tríadas. Esa es la razón por la que el triángulo que describiste es tan interesante.

—¿En qué sentido?

—El término «tríada» lo acuñaron los británicos cuando vieron que el símbolo chino para la sociedad secreta era un triángulo.

Zavala entrecerró los ojos.

—Tienes razón, es interesante.

—El triángulo simboliza la unidad entre el cielo, la tierra y el hombre —añadió Caitlin—. La Pyramid lo utiliza como marca de fábrica para sus empresas legales, pero continúa involucrada en la extorsión, el asesinato, la prostitución, las drogas, la usura y el blanqueo de dinero.

—Los delitos más rentables —dijo Zavala.

—También tiene una red mundial de bandas en muchas ciudades. Todos los nombres empiezan con Ghost: los Ghost Devils, los Ghost Shadows, los Ghost Dragons Ya puedes hacerte una idea. Ellos se encargan del trabajo sucio: la intimidación, el asalto... Están preparados para actuar al primer aviso.

—¿Qué hay del aspecto legal?

—El delito es la base, pero ha evolucionado hacia una organización no tradicional con afiliados extranjeros y negocios legítimos: fábricas, inmobiliarias, películas, laboratorios farmacéuticos... También, como has descubierto, la pesca comercial. Algunas de sus divisiones han tenido problemas por fabricar productos contaminados y peligrosos.

—¿La jefatura de la Pyramid tiene un rostro humano?

—Sí, mejor dicho, tiene tres. Se dice que la compañía la dirigen unos trillizos.

—Es un arreglo poco habitual.

—No cuando consideras la extensión de su imperio. La estructura de la Pyramid es como la de un estado. Tiene una compleja tesorería, un ejército de matones a su mando y un cuerpo diplomático que interactúa con el gobierno chino, que desde siempre ha apoyado a las tríadas. Tiene bandas en todos los grandes países, incluido Estados Unidos. Es la mayor organización criminal de China, y posiblemente del mundo.

—¿Cómo se combate contra algo así? —preguntó Zavala.

—Con muchas dificultades. Las organizaciones criminales asiáticas son muy listas, ricas, multilingües y flexibles. Los avances en los viajes y las comunicaciones les han permitido actuar a escala global. Podemos hacer la vida difícil a sus bandas callejeras y arañar los cimientos de su imperio financiero, pero hasta ahora habían sido inexpugnables.

—¿Qué ha cambiado?

—Se enfrentan al único enemigo que puede hacerles daño: el gobierno chino. Intenta acabar con Pyramid.

—Espera un momento, ¿no dijiste que el gobierno apoyaba a las tríadas?

—Eso es historia. En China hay una gran zona gris entre lo que es legal y lo que es delictivo. Es allí donde operan las tríadas. El gobierno no ha actuado antes porque las tríadas generan dinero, mantienen el orden y son patrióticas.

—¿A qué viene el súbito cambio de postura?

—Los militares chinos llevan haciendo negocios con las tríadas desde hace años. La Pyramid está muy vinculada al ejército y le da fuerza política para defender sus intereses criminales, pero al gobierno le preocupa que este arreglo haya otorgado a la Pyramid demasiado poder. Han encarcelado a miles de funcionaros corruptos del Congreso Nacional del Pueblo, pero han comenzado a actuar de verdad después de los escándalos de los productos contaminados. China vive de las exportaciones, y cualquier cosa que las amenace amenaza la estabilidad del país y, por lo tanto, de sus gobernantes.

—Háblame de los trillizos —dijo Zavala.

—No hay mucho que decir. Las tríadas asignan a su gente números de acuerdo con el rango en lugar de nombres. Por lo general tienen a alguien para que sirva como rostro público. En la Pyramid es un multimillonario llamado Wen Lo. Nadie ha visto nunca a los otros dos. Las tríadas están descentralizadas habitualmente, pero la Pyramid ha estado fortaleciendo su liderazgo, algo que también preocupa al gobierno. —Hizo una pausa—. Ahora es mi turno, Joe. ¿Por qué una tríada china querría sabotear la batisfera?

—Kurt cree que van tras el doctor Kane debido a un proyecto de investigación secreto en el que participa. ¿Te suena creíble?

—Cualquier cosa es posible con esta gente. ¿Qué quieres que haga?

—Confiaba en que tú pudieses investigar, para ver qué consigues descubrir.

Caitlin ladeó la cabeza.

—No pretendo ser interesada, pero ¿qué me ofreces a cambio?

—Un viaje en mi Corvette y una cena romántica en una vieja posada rural de Virginia.

—Trato hecho, señor. Te diré una cosa, Joe, si la Pyramid está involucrada en algo, tiene que ser muy grande. La Pyramid nunca hace las cosas a medias.

—¿Las acciones del gobierno no tendrán que ver con el asunto del que hablamos?

—Es posible. La Pyramid ha reaccionado como una fiera herida desde que comenzó la purga. Han matado a policías, a jueces y a altos funcionarios como un aviso al gobierno para que no se entrometa, pero no veo la relación con el doctor Kane.

—Yo tampoco. ¿Puedes ayudarme?

—Te pondré en contacto con Charlie Yoo. Es un agente que envió la agencia de seguridad china para colaborar con el FBI. Es un especialista en bandas. La Pyramid cometió un error al subestimaros a ti y a Kurt. Pero si aceptáis una recomendación...

—Siempre escuchamos las recomendaciones de un profesional, Cate.

Caitlin apoyó la mano en la pistolera, un gesto reflejo como si intuyese un peligro.

—Hacéis bien, Joe, porque si conozco a la Pyramid, tú y Kurt estáis en su punto de mira. Y no fallarán una segunda vez.

A miles de kilómetros de Virginia, la Pyramid Trading también estaba en boca del coronel Ming. El hombre delgado y de voz suave con una cabellera blanca estaba delante de un edificio ruinoso en los barrios marginales de Shanghai. Al parecer habían intentado incendiar el edificio, pero los bomberos que habían acudido para evitar que el fuego se propagase a las chabolas vecinas habían apagado el incendio antes de que alcanzase mayores proporciones.

Los ojos del coronel todavía le escocían por el humo, aunque estaba a unos centenares de metros del edificio. No quería que las cenizas que flotaban en el aire se posasen sobre su impecable uniforme. Incluso si hubiese querido acercarse, se lo habrían impedido los camiones de descontaminación y la policía armada.

Se volvió hacia el ministro de Salud Pública, que le había llamado.

—No tengo muy claro por qué me ha pedido que viniese —dijo Ming—. Por lo que se ve, los policías y los bomberos lo tienen todo controlado. No veo ningún motivo aparente para que los militares actúen.

—No es un edificio cualquiera ni el incendio algo común —respondió el ministro, que se llamaba Fong—. Aquí se han estado realizando experimentos médicos de alguna clase.

—Parece un lugar poco probable para esa clase de cosas. ¿Está seguro?

Fong asintió.

—Encontramos a muchas personas encerradas en celdas —explicó—. Los dejaron allí para que se quemasen vivos, pero, por fortuna, aunque estaban muy graves, fueron capaces de hablar. Dijeron que los habían secuestrado, y que muchas de las personas que habían sacado de las celdas nunca habían vuelto. Creemos que los llevaron a laboratorios, y, por los equipos que hemos encontrado, al parecer fueron sometidos a experimentos.

—¿Qué clase de experimentos, Fong?

—No lo sabemos a ciencia cierta. Pero sí encontramos rastros de un virus que preocupa a nuestro ministerio. Es el mismo virus que causó una epidemia en una aldea del norte. La persona que desencadenó la epidemia era de Shanghai.

—Toda una coincidencia —dijo Ming.

—Hay más: esa persona era un empleado del servicio de seguridad contratado por la Pyramid, con base en esta ciudad. Y, aunque parezca increíble, la Pyramid es la propietaria del edificio.

—Creo deducir adónde quiere ir a parar, Fong. Es bien sabido que el ejército tiene una cadena de prostíbulos en sociedad con la Pyramid. Pero no hay ninguna relación con esto —dijo con un gesto de la mano.

—Lo comprendo, coronel, pero quizá quiera usted replantearse la sociedad cuando le diga qué más hemos encontrado en este edificio: los restos de docenas de seres humanos en un crematorio. Creemos que los utilizaron en los experimentos.

La reacción de Ming fue una mezcla de miedo y asco; miedo de que su nombre fuese vinculado a la Pyramid, y asco por los experimentos.

Miró el edificio e intentó sin éxito imaginarse los horrores ocurridos dentro de sus paredes.

—Gracias, ministro —dijo—. Me ocuparé del asunto y tomaré las medidas apropiadas.

—Eso espero —manifestó Fong—. No es bueno para China. Quien sea responsable de esto debe pagar por sus actos, pero ha de hacerse con discreción.

—Estoy de acuerdo con usted —afirmó el coronel Ming—. Creo tener muy claro por dónde empezar.

22

Dooley Green apartó la mirada del motor que estaba reparando al final del muelle y sus labios se abrieron en una gran sonrisa cuando vio a la joven asiática que iba hacia él.

—Buenas tardes, doctora. ¿Va a intentar fotografiar de nuevo aquel pájaro rosa?

La doctora Lee tocó el zoom de la cámara digital que colgaba de una correa alrededor de su cuello.

—Sí, Dooley. Ya sabe lo decidida que estoy a fotografiar la hermosa ave.

—Son muy difíciles de pillar —dijo él—. Tiene el kayak preparado. Iré a buscar el equipo.

Dooley dejó el destornillador y llevó un remo y un chaleco salvavidas del cobertizo. Lee y él caminaron a lo largo de la playa hasta donde se hallaba un kayak de color azul con la proa en el agua. Lee se colocó el chaleco y abrochó las hebillas, y deslizó su delgado cuerpo en el asiento. Dooley le dio el remo y empujó la embarcación al agua.

—Es probable que haya vuelto a tierra firme para cuando usted regrese, así que deje el equipo en el cobertizo. Le deseo suerte con el pájaro —gritó Dooley—, y tenga cuidado con el abuelo aligátor.

Lee respondió a la advertencia levantando el remo.

—Gracias, Dooley. Estaré atenta por si aparece.

La advertencia era una broma entre ambos. Cuando Song

Lee llegó a Bonefish Key desde China, Dooley le dijo que había un aligátor gigante que acechaba en los manglares. Al ver por su expresión sorprendida que se había creído el embuste, se apresuró a explicarle que no se había visto ningún aligátor en Bonefish Key desde hacía décadas.

Dooley observó a Lee remar hacia la boca de la ensenada y pensó en lo mucho que le gustaba la joven científica china. No era demasiado viejo para apreciar su belleza, pero su interés distaba mucho de ser libidinoso. Lee tenía unos treinta años, la misma edad de una hija que lo había abandonado hacía años. Había dejado de beber, después de haber llevado el negocio de la familia a la ruina gastándose el dinero en ginebra, en partidas de póquer y en una colección de esposas, pero él y su hija aún seguían distanciados.

Mientras Dooley volvía a ocuparse de la reparación del motor, Lee continuó remando a lo largo de la costa y salió de los manglares para entrar en una pequeña bahía. Apuntó la proa del kayak hacia los restos de la lancha, y en cuanto salió de la bahía se dirigió hacia la cala en forma de embudo donde Dooley había estado aquel mismo día en su recorrido con Gamay. Al ver una ondulación en el agua, Lee embarcó el remo y se vio recompensada un momento más tarde cuando un lomo brillante marcado por las palas de una hélice apareció en la superficie.

¡Un manatí!

Tomó algunas fotos, hasta que el mamífero se sumergió para buscar comida en el fondo. Lee cogió el remo de nuevo y se adentró en la cala. La distancia entre los manglares disminuyó de los cuatrocientos metros a unos cincuenta.

Un flamenco remontó el vuelo con un sonoro batir de sus grandes alas. Lee contempló el gran pájaro hasta que se perdió de vista, y luego enfocó con los prismáticos otro par de aves que chapoteaban en los bajíos. El corazón le dio un brinco al ver un destello rosa detrás de una de ellas.

Las aves se apartaron, y levantó la cámara hasta los ojos.

A través del visor, vio un pájaro, que parecía un flamenco, con pico de espátula. Hizo varias tomas y después revisó las fotos. Eran perfectas. Lee sonreía cuando empuñó el remo de nuevo.

Con unas pocas paladas, llevó el kayak hacia el poste de madera que sobresalía del agua cerca del borde del manglar. Marcaba una angosta brecha en lo que era un impenetrable enredo de raíces. El casco de la embarcación rozó el fondo y se detuvo en la orilla.

Lee hundió los pies en el agua cálida que le llegaba a la rodilla. Aunque sabía que el aligátor gigante de Dooley era una fábula, se apresuró a arrastrar el kayak a la playa.

Cogió la mochila con las botellas de agua y las barras energéticas y caminó por un túnel de árboles unos treinta metros antes de salir a campo abierto. Un sendero de arena blanca serpenteaba entre la vegetación unos centenares de metros hasta el otro lado de la isla. La brisa que soplaba desde las aguas turquesa del golfo de México refrescó el rostro de Lee cuando el sendero acabó en la playa. Continuó caminando por la arena un poco más y se sentó con la espalda apoyada en un tronco blanqueado por el mar.

Un pesquero de casco azul estaba fondeado un poco más allá de las rompientes. Por lo demás, tenía la playa para ella sola. Había visto la embarcación varias veces en la última semana, pero siempre se había mantenido a distancia. La observó a través del teleobjetivo de la cámara, pero no vio a nadie en cubierta.

Cuando había llegado a Bonefish Key, hacía ya meses, el doctor Kane le había aconsejado que buscase una distracción que la apartase del trabajo. Algunos de los científicos se entretenían con la pesca, otros jugando al ajedrez o con la lectura. Unos pocos pasaban demasiado tiempo en el bar. Las salidas con el kayak a los manglares había sido su salvación. La pausa que hacía cada tarde la rejuvenecía y le permitía trabajar hasta altas horas de la noche.

Como el proyecto estaba casi acabado, echaría de menos la

remota belleza de la isla cuando regresase a China. Se preguntó si su gobierno recompensaría o por lo menos reconocería su labor o si tendría que volver sin más a su consulta rural.

Se rindió al cansancio y se quedó dormida. Cuando despertó consultó su reloj. Al mirar a lo largo de la playa, advirtió que el barco de casco azul había desaparecido. Frunció el entrecejo. Había recuperado las energías, pero era hora de volver al trabajo. Se levantó, se quitó la arena de los pantalones cortos y reemprendió el camino hacia el kayak.

Cuando salió del túnel de árboles vio que el kayak ya no estaba donde lo había varado en la playa. Dejó la mochila, entró en el agua y miró a un lado y a otro de la laguna. No había el menor indicio del kayak. Lee volvió a la isla, vio el plástico azul entre el matorral y soltó un suspiro.

El kayak había sido arrastrado hacia las hierbas altas a un lado de la playa. Se preguntó por qué alguien haría algo así y entró entre la hierba para recuperarlo. Era un lugar apartado, y se sentía incómoda al saber que había alguien más en la isla.

Estaba llevando el kayak hacia el agua cuando notó un cosquilleo en la nuca que no tenía nada que ver con el calor. Se volvió y vio a un hombre en la playa, que ocultaba los ojos con unas gafas de sol.

Había aparecido en absoluto silencio y ahora le impedía el paso hacia el agua. Tenía un físico imponente. Sus duras facciones asiáticas parecían haber sido esculpidas a golpes de martillo. Los labios delgados parecía que no podían separarse en una sonrisa ni siquiera con una palanqueta. Vestía pantalón corto, y los músculos de los brazos y las piernas parecían capaces de impulsar los puños o los pies a través de una pared de ladrillos.

Todavía lo hacía más formidable el arma automática que acunaba en los brazos. El cañón apuntaba al pecho de Lee.

A pesar del miedo, Song Lee fue capaz de hacer una pregunta.

—¿Quién es usted?

—Soy el fantasma que vigila —respondió él sin cambiar la expresión.

«Vaya tontería», pensó Lee. El hombre estaba loco. Intentó asumir el control de la situación.

—¿Movió usted mi kayak? —preguntó.

Le pareció ver un ligero movimiento de la barbilla que interpretó como un asentimiento.

—Entonces le agradecería que me ayudase a ponerlo de nuevo en el agua.

Él sonrió por primera vez y bajó el arma. Convencida de que el farol había funcionado, se volvió para sujetar el kayak.

—¿Doctora Lee?

Al oír su nombre, comprendió que no era un encuentro casual. Vio un rápido movimiento por el rabillo del ojo cuando el hombre levantó el arma por encima de su cabeza y descargó un culatazo. Sintió un fuerte impacto en la nuca, y un destello de luz blanca le cegó antes de que la envolviese la oscuridad; luego se desplomó, inconsciente, antes de caer de cara en el fango.

23

El edificio central del FBI en la avenida Pensilvania era la antítesis del bucólico campus de Quantico. La estructura de siete pisos estaba hecha de cemento, según el estilo arquitectónico característico de la década de los sesenta. Había adquirido aún más el aspecto de una fortaleza después del ataque terrorista del 11-S. Se habían acabado las visitas públicas, y se habían instalado barreras en toda la planta baja.

Caitlin Lyons había llamado por anticipado para facilitar la entrada de Zavala en el FBI. Le dieron una identificación como visitante y le asignaron a un amable guía, esta vez un joven serio, que milagrosamente sabía moverse por el laberinto de corredores sin tener que recurrir al mapa o a un GPS. El guía se detuvo delante de una puerta sin identificación y llamó con los nudillos. Una voz al otro lado gritó: «Pase». Zavala dio las gracias al guía y entró.

El interior era un despacho apenas más grande que la mesa de metal gris y las dos sillas que contenía. No había nada en las paredes excepto una fotografía en blanco y negro de la Gran Muralla china.

Tras la mesa, un hombre hablaba por teléfono en chino. Indicó a Zavala una silla, continuó la conversación un minuto más, se despidió y colgó el teléfono. Se levantó con un movimiento brusco, estrechó la mano de Zavala como si estuviese accionando la palanca de una bomba hidráulica y se sentó de nuevo.

—Me disculpo por haberle hecho esperar —dijo—. Soy Charlie Yoo. —Le dirigió una sonrisa amistosa—. Por favor, nada de bromas con mi apellido. Ya he oído suficientes para toda la vida.

Yoo era un tipo larguirucho de unos treinta y tantos años. Vestía un elegante traje gris con una camisa azul cobalto y una corbata a rayas azules y rojas, un estilo más adecuado para la hora del cóctel en el hotel Wilard que en las entrañas del FBI, donde los trajes azul marino eran la norma. Yoo hablaba inglés con acento de Nueva York, y sus frases eran como estallidos de fotones.

—Es un placer conocerle, agente Yoo. Soy el amigo de Caitlin, Joe Zavala.

—El hombre de la NUMA... una gran organización, Joe. Por favor, llámeme Charlie. Caitlin es una mujer extraordinaria y una excelente policía. Dijo que le interesaba la tríada Pyramid.

—Así es. Cree que usted podría ayudarme.

Yoo se echó hacia atrás en la silla y unió las puntas de los dedos.

—Perdone la pregunta, Joe, pero por lo que he oído, la NUMA es una agencia que se ocupa de los mares. ¿Por qué alguien de la NUMA se interesan por una organización criminal china?

—Por lo general no nos interesaríamos. Pero alguien intentó sabotear una operación de la NUMA, y tenemos pruebas circunstanciales de que una empresa subsidiaria de la Pyramid Trading puede estar involucrada.

Yoo enarcó las cejas como Groucho Marx.

—Perdóneme por ser escéptico, Joe, pero ese no parece ser el modus operandi de la Pyramid. ¿Cuáles son sus pruebas?

—Ahora se lo explico. Hace unos pocos días, la NUMA lanzó la Batisfera 3, una réplica de una histórica campana de inmersión, en aguas de las Bermudas. La expedición submarina fue transmitida a todo el mundo... quizá la vio por televisión...

Yoo separó las manos y le mostró las palmas vacías.

—He estado muy ocupado, Joe. No veo mucho la tele. ¿Es la operación que la Pyramid supuestamente intentó sabotear?

Zavala asintió.

—Diseñé la campana de inmersión, y Kurt Austin, mi compañero de la NUMA, fue el jefe del proyecto. La parte más interesante de la inmersión no fue transmitida porque un robot sumergible cortó el cable de la batisfera.

—Caray —exclamó Yoo, con una gran sonrisa en su rostro juvenil—. Un robot submarino. Suena a ciencia ficción, Joe.

—Lo mismo pensé en ese momento. Cuando se cortó el cable, la esfera quedó enterrada en el fondo a novecientos metros de profundidad.

Yoo se inclinó sobre la mesa. Su sonrisa había desaparecido.

—No se trata de una broma, ¿verdad? ¡Es una historia increíble! ¿Cómo salió de semejante situación?

—Kurt realizó una inmersión de rescate, y pudimos poner en marcha nuestro sistema de flotación. Mientras volvíamos a la superficie, el robot persiguió a Austin. Consiguió quitárselo de encima y le arrebató una de las pinzas que había utilizado para cortar el cable. La pinza tenía estampado un triángulo idéntico al logotipo de la Pyramid.

Yoo sacudió la cabeza.

—Por un momento me lo había creído. Lo siento, Joe, pero el triángulo es un símbolo bastante habitual. Quizá no signifique nada.

—Estoy de acuerdo, Charlie, excepto por una cosa. El robot es idéntico a uno que la subsidiaria pesquera de la Pyramid utiliza para inspeccionar las redes.

—¿Lo sabe a ciencia cierta?

Zavala asintió.

—Lo sé a ciencia cierta, Charlie.

Zavala metió la mano en el bolsillo, sacó una fotocopia del artículo de la revista donde se hablaba del AVS de la Pyramid y la dejó en la mesa. A su lado puso las fotos obtenidas por la cámara del *Burbujas* de Austin. Yoo leyó el artículo y miró las fotos.

—¡Vaya! —exclamó Yoo—. De acuerdo, usted gana... la Pyramid intentó sabotear la inmersión. ¿Por qué?

—No tengo ni idea. Por eso fui a ver a Caitlin. Me dijo que la Pyramid Trading era la peor de todas cuando se trataba de las tríadas chinas.

—Sin duda la Pyramid es muy grande. Pero es una de las centenares de tríadas que hay en todas las ciudades chinas. ¿Caitlin le dijo de qué me ocupo?

—Dijo que era un especialista en las bandas chinas de todo el mundo.

—Soy más que un especialista, soy un antiguo miembro de una banda. Nací en Hong Kong. Mis padres vinieron después a Nueva York.

—Eso explica el acento neoyorquino —dijo Zavala.

—Aprendí el inglés en las aceras de Mulberry Street. Fue allí donde me uní a los Ghost Shadows, una de las mayores bandas del país.

—Caitlin dijo que los Ghost Shadows es una banda de la Pyramid.

—Así es. Mi familia vio lo que pasaba y regresó a China para mantenerme apartado de las bandas. Mi padre tenía una tienda de bicicletas, y me hacía trabajar tanto que estaba demasiado cansado para buscarme problemas. No me metí en líos, fui a la universidad. Ahora formo parte de una unidad especial del Ministerio de Seguridad.

—¿Cómo acabó en Washington? —preguntó Zavala.

—Ustedes necesitaban de mi experiencia. Estoy aquí solo por unos meses para compartir mis conocimientos con el FBI. Como habrá adivinado, este es un despacho temporal.

—Caitlin dijo que la Pyramid se estaba saltando las viejas tradiciones para consolidar su poder, y esa es una de las razones por las que tiene problemas con el gobierno chino. Eso... y los escándalos por los productos contaminados.

—Caitlin es la experta en tríadas —señaló Yoo—. Estoy de acuerdo con sus palabras.

—También dijo que el rostro público de la Pyramid es un tipo llamado Wen Lo.

Hubo una brevísima demora, un segundo, cuando Yoo pareció hacer una pausa antes de responder.

—Como dije —comenzó—, Caitlin sabe más de las tríadas. Yo conozco la organización y a los matones a nivel de la calle, pero otros le podrán hablar de los líderes.

Yoo le habló de las costumbres de la banda y de la estructura de poder durante cinco minutos antes de consultar su reloj.

—Lamento interrumpir su visita, Joe, pero tengo una cita.

—No es ningún problema —dijo Zavala. Se levantó—. Muchas gracias por su atención, Charlie. Ha sido de gran ayuda.

Se dieron la mano y Yoo llamó al departamento de seguridad. Estaban en el pasillo cuando el guía llegó minutos más tarde para acompañar a Zavala.

Yoo le dedicó una sonrisa.

—Ha despertado mi curiosidad con todo eso sobre su robot. Averiguaré por ahí, a ver si descubro algo más.

Yoo anotó el número del móvil de Zavala y le deseó buena suerte. Volvió a su despacho y cerró la puerta con llave. Se sentó a la mesa, con una expresión grave, y marcó un número en el móvil. La llamada dio varias veces la vuelta al mundo, a través de una serie de filtros y derivaciones, hasta que fue imposible de rastrear.

—Informe, número Treinta y nueve —ordenó una voz áspera.

—Se acaba de marchar —dijo Yoo.

—¿Qué sabe?

—Demasiado para nuestra tranquilidad.

Yoo hizo un resumen de la conversación con Zavala.

—Ha sido una visita afortunada —manifestó la voz—. Zavala es de poca importancia. Utilícelo como cebo. Quiero que pille a Austin vivo y me lo traiga.

—Me ocuparé de inmediato —prometió Yoo.

—Antes —dijo la voz.

Zavala conducía el Corvette hacia las oficinas centrales de la NUMA cuando sonó el móvil. Era Charlie Yoo.

—Hola, Joe, hace tiempo que no hablamos. Escuche, tengo algo para usted sobre la tríada de la Pyramid.

—Sí que se ha dado prisa —dijo Zavala, sorprendido. Había creído que Yoo no era muy hábil cuando se trataba del trabajo policial.

—Hemos tenido suerte. Cuesta horrores sacar algo a los tipos del FBI, y todavía más si eres extranjero como yo porque no acaban de fiarse del todo. En cualquier caso, hay en marcha una operación de vigilancia a una banda relacionada con el tráfico ilegal de inmigrantes. Después de hablar con los responsables de la operación de nuestra pequeña charla, nos han invitado a participar. Quizá sea su oportunidad para hablar con otros especialistas en organizaciones delictivas asiáticas. Podría divertirse un poco si deciden arrestarlos.

—¿Dónde y cuándo? —preguntó Zavala.

—Esta misma noche al otro lado del río. ¿Le interesa? La invitación incluye a su amigo Austin, si no está demasiado ocupado.

—Se lo preguntaré y después lo llamo.

Zavala colgó e hizo una rápida llamada a Austin para comentarle la invitación de Yoo.

—Estoy esperando una llamada de Sandecker —respondió Austin—. No tengo idea de qué se trae en la manga el viejo zorro. Me reuniré contigo más tarde.

—Llámame cuando estés libre. No dejes que Sandecker te entretenga demasiado.

—Ni hablar, compañero —dijo Austin, y, en unas palabras que más tarde llegaría a lamentar, añadió—: Demonios, Joe, no quiero que te quedes con toda la diversión.

24

La segunda «happy hour» fue una repetición de la primera. La charla banal de los compañeros de mesa irritaba a Gamay, pero debía admitir que el cóctel era perfecto y que la cena de calamares frescos en salsa picante sabía a gloria.

Mayhew esperó hasta que sirviesen los postres antes de hacer su anuncio.

—Dooley la recogerá a las nueve y cuarto de la mañana. Podrá marcharse después del desayuno. Ha sido un placer recibir su visita, doctora Trout. Lamentaremos verla marchar.

La amplia sonrisa de Mayhew parecía negar su tristeza por la inminente partida de Gamay. Ella se preguntó durante cuánto tiempo más podría mantener la sonrisa si insistía en quedarse otra noche.

—Y a mí me entristece marcharme —respondió Gamay con una interpretación digna de Ethel Barrymore—. Gracias por recibirme y permitirme ver el maravilloso trabajo que usted y el resto del personal realizan en este trozo de paraíso.

Mayhew fue incapaz de captar el velado sarcasmo. A invitación suya, salieron al patio para tomar una copa y contemplar la puesta de sol.

Los científicos estaban reunidos en grupos y conversaban en voz baja. De vez en cuando, Gamay escuchaba algún término de su jerga técnica, lo que sugería que hablaban entre ellos de su trabajo.

A las nueve, todos se habían retirado a sus habitaciones, y Gamay se había quedado sola. Esperó otra media hora hasta asegurarse de que dormían y luego caminó por el sendero hasta la cabaña de Song Lee. No vio luz por las ventanas.

Gamay subió a la pequeña galería. Llamó con discreción y después más fuerte. No obtuvo respuesta. Le sorprendió encontrar la puerta sin llave. Entró y encendió las luces. Solo le llevó unos segundos ver que no había nadie. No descubrió ningún indicio de que Lee hubiese cenado en la cabaña. Gamay apagó las luces y se apresuró a ir por el sendero hasta el muelle. El kayak de Lee no estaba en el cobertizo.

Gamay se preguntó qué podía hacer. Podía despertar al doctor Mayhew y al resto del personal, pero, dada la afición al secretismo de la isla, lo más probable era que le impidiesen actuar.

Sin pensarlo más, Gamay arrastró el segundo kayak hasta la playa. Entonces se le ocurrió otra cosa y volvió al cobertizo para coger las gafas de visión nocturna de Dooley. Se las puso en la frente, empujó el kayak al agua, se sentó en la embarcación y comenzó a remar con furia.

Siguió el contorno de la isla y salió a la bahía. La lancha varada se veía verde y difuminada a través de las gafas. Remó en línea recta hacia la embarcación para orientarse, luego entró en la cala en forma de embudo que Dooley le había mostrado durante la tarde.

Los manglares se cerraban a ambos lados. En el punto más angosto, encontró el poste que señalaba una abertura en la vegetación. Remó hasta la playa, bajó del kayak, y lo estaba arrastrando hasta la arena cuando tropezó con la mochila de Song Lee, tirada de cualquier modo.

Gamay miró a un lado y al otro y vio algo que brillaba entre la hierba. Era el kayak de Lee. Gamay caminó tierra adentro por el sinuoso sendero entre los árboles, con el remo del kayak en una mano. El sendero salió de la espesura y continuó su recorrido a través de los cactus y los matorrales. El susurro de las olas que rompían en la playa servía de telón de fondo al coro de insectos.

Con la ayuda de las gafas de visión nocturna, Gamay avanzó deprisa. Se detuvo cuando llegó a la playa y miró alrededor. Dos juegos de huellas se alejaban de la orilla. Como un sabueso tras un rastro, siguió las pisadas por un recodo. Casi corría, y solo demoró el paso cuando vio un resplandor amarillo a lo lejos. Había una casa, en parte oculta por los árboles y los arbustos. Se acercó un poco más y vio que la luz se filtraba por la ventana y una puerta mosquitera.

Con paso sigiloso llegó a la casa y apoyó la espalda en la pared a un metro de la ventana. Escuchó las voces de un hombre y una mujer que hablaban en chino. Sus tonos eran cada vez más elevados. El hombre parecía furioso, la mujer, histérica.

Gamay se acercó a la ventana, se quitó las gafas de visión nocturna y espió a través del cristal el cuarto iluminado con faroles de gas.

Song Lee estaba sentada a la mesa de la cocina delante de un asiático de aspecto brutal vestido con pantalón corto y camiseta. Había un arma automática en el mostrador junto a la cocina. Al parecer al hombre se le había acabado la paciencia. Levantó una mano y descargó un revés en el rostro de la joven. La bofetada la tumbó al suelo.

El secuestrador dio la espalda a Lee para recoger el arma, un tremendo error por su parte. Ella se puso de rodillas y cogió un cuchillo de trinchar que estaba al alcance de su mano. Se vio el reflejo de la hoja cuando lo clavó en el muslo del hombre, y luego lo sacó de la herida. Con un tremendo alarido de dolor, el secuestrador dejó caer el arma al suelo y se sujetó la pierna herida.

Lee se levantó de un salto y corrió hacia la puerta. El hombre se lanzó tras ella, con un grito de rabia, pero la joven era muy rápida. Cruzó la puerta mosquitera y corrió hacia la playa.

El tipo recogió el arma del suelo y cojeó hasta la puerta. De pie en el umbral, gritó algo en chino, y luego levantó el arma a la altura del hombro.

En ese momento, Gamay salió de entre las sombras, levantó el remo bien alto y lo descargó contra la cabeza del secuestrador con todas sus fuerzas. El mango se partió como una rama seca, y el hombre se desplomó encima del arma.

Gamay rogó para que el golpe lo hubiese dejado sin sentido, pero no tardó en gemir y en comenzar a moverse.

Se puso las gafas de visión nocturna y corrió por la playa. Al ver una figura a unos treinta metros por delante, gritó el nombre de Song Lee. La científica se detuvo y se volvió para enfrentarse a la perseguidora. Empuñaba el cuchillo de trinchar en una actitud defensiva.

Gamay se quitó las gafas de visión nocturna.

—Soy yo... la doctora Trout.

—Doctora... ¿Qué hace aquí?

—La seguí.

Gamay miró hacia la casa.

—No tenemos tiempo para charlas. He conseguido retrasar a su amigo solo unos segundos.

Gamay arrojó a un lado el trozo de remo, y luego ella y Lee corrieron por la playa. En las prisas, dejaron atrás el sendero que las habría llevado a través de la isla y tuvieron que volver sobre sus pasos, con la consiguiente pérdida de tiempo. Pero Gamay se puso en cabeza, y en cuestión de minutos estaban al otro lado de la isla. Ayudó a Lee a sacar al kayak de los hierbajos.

Se oyó una suave pisada en el sendero, y segundos más tarde una figura salió de entre los arbustos. El hombre que había retenido prisionera a Song Lee encendió una linterna y soltó un grito de triunfo.

Se sorprendió al ver a Gamay, pero solo por un instante, y de inmediato movió la luz y el arma para apuntarle al pecho.

Gamay agachó la cabeza, cargó como un toro y lo golpeó en el vientre. Tenía los músculos abdominales como un muro de piedra. Él descargó la culata del arma contra su cabeza en un golpe lo bastante fuerte para hacerla caer. En medio de una nube gris, Gamay le dio un puñetazo en la herida y lo oyó gritar de dolor.

Lee saltó sobre la espalda del secuestrador y se aferró con todas sus fuerzas, pero él se la quitó de encima como si fuese una mosca y la científica cayó al suelo. El hombre permaneció allí sin moverse, con la mirada fija en la joven, y al cabo de un segundo el arma cayó de su mano y se desplomó como un globo reventado. El rayo de la linterna alumbró la empuñadura de madera del cuchillo clavado en su pecho.

Mientras Gamay ayudaba a Lee a levantarse, la científica miró su trabajo letal.

—Nunca había hecho algo así —dijo—. Nunca.

—Ya se acostumbrará —afirmó Gamay—. ¿Quién es?

—No lo sé. Se acercó cuando yo recogía mi kayak y me golpeó con el arma. Dijo que me había estado vigilando y que otros vendrían en una embarcación para recogerme.

De pronto Gamay apoyó una mano en el brazo de Lee.

—Escuche.

Oyeron unas voces excitadas que hablaban en chino provenientes del sendero. Los otros habían llegado.

Cogieron el kayak de Lee y lo arrastraron hasta el agua. Lee sacó un remo de plástico y aluminio para Gamay. Ambas empujaron las embarcaciones al agua y remaron con furia. Estaban a unos treinta metros de los manglares cuando las luces de las linternas alumbraron el agua.

Los rayos de luz se reflejaban en los cascos de fibra de vidrio. Gamay dijo a Lee que se acercase a la costa, donde serían un blanco más difícil. Tensa, esperó oír los disparos, pero las luces se apagaron.

—Van en busca de su lancha —dijo Lee—. Vendrán por el otro extremo de la isla y nos interceptarán.

—¿De cuánto tiempo disponemos antes de que lleguen allí? —preguntó Gamay, sin interrumpir el ritmo de las remadas.

—Cinco, quizá diez minutos. ¿Qué haremos?

—Remar como si nos fuese la vida en ello... porque es verdad.

Pusieron todas sus fuerzas en cada remada y salieron de la ensenada, pero el sonido de un motor marino muy pronto rompió el silencio de la noche. Un reflector se movía poco a poco a un lado y a otro por la superficie del agua. No había ningún lugar a lo largo de la costa donde pudiesen esconderse. Las gruesas y retorcidas raíces de los manglares formaban una formidable barrera.

Una silueta se alzaba delante de ellas. Se acercaban a la lancha varada. Gamay remó hacia la vieja embarcación con Lee pegada a su popa. Subieron a bordo, embarcaron los kayaks y se tendieron en la cubierta podrida.

A través de las grietas del casco, vieron que el reflector alumbraba más allá de la lancha. Por un segundo, Gamay mantuvo una chispa de optimismo, pero se esfumó cuando la embarcación cambió de rumbo, dio una vuelta a la lancha y se acercó. La luz del reflector se filtró entre las grietas y alumbró sus rostros.

Los perseguidores abrieron fuego. Comenzaron por la proa elevada y siguieron hacia la popa. Se tomaron su tiempo, disparando ráfaga tras ráfaga contra la cabina. Las astillas llovían sobre las dos mujeres. Gamay se tapó la cabeza con las manos y maldijo su estupidez. Lo único que habían conseguido al subir a bordo de la vieja lancha era dar a los gorilas la oportunidad de hacer una práctica de tiro. Solo sería cuestión de segundos que las balas las alcanzasen.

Entonces cesó el tiroteo.

Gamay esperaba que los atacantes las abordasen, pero en cambio una botella con gasolina ardiente voló a través del aire y cayó en la cubierta. El combustible del cóctel Molotov se propagó en un charco ardiente que les tocaba los pies. El calor se hizo insoportable. Las dos se levantaron dispuestas a morir de un disparo antes que acabar quemadas vivas. Pero la embarcación de los atacantes se alejaba a gran velocidad. Para entonces, la embarcación varada era una tea.

—Salte —gritó Gamay.

Se zambulleron y nadaron lejos del casco incendiado. Fueron hacia el manglar más cercano, y solo habían recorrido una corta distancia cuando oyeron otra vez el motor de una embarcación y vieron un reflector que iba hacia ellas.

Gamay se sintió dominada por la desesperación. Los asesinos volvían para rematarlas.

La embarcación redujo la velocidad y el reflector se movió sobre la superficie hasta que encontró a las nadadoras. Gamay esperaba que las detonaciones fuesen la última cosa que oiría, pero en cambio oyó una voz conocida.

—Gamay —llamó Paul Trout—, ¿eres tú?

Dejó de nadar y levantó una mano en el aire. La embarcación se acercó, hasta quedar junto a ella. Al alzar la mirada vio el largo brazo de Paul que bajaba para llevarla a un lugar seguro.

25

Zavala entró con su coche en el aparcamiento del centro comercial Eden Center en Falls Church, Virginia, como le había dicho Charlie Yoo. El agente chino lo esperaba cerca de la torre del reloj en un Ford Crown Victoria negro. Bajó la ventanilla.

—¿Dónde está su amigo Austin?

—Se ha retrasado —contestó Zavala—. Se reunirá con nosotros más tarde. Si quiere, podemos esperarle.

Yoo frunció el entrecejo, levantó el índice para indicar a Zavala que esperase y subió la ventanilla. Zavala vio moverse los labios de Yoo y dedujo que hablaba por teléfono. En cuanto acabó, bajó la ventanilla.

—Los tipos de la vigilancia dicen que vayamos ahora. Puede llamar a Austin más tarde y decirle dónde estamos. Suba.

A Zavala no le hacía ninguna gracia dejar el Corvette en un aparcamiento público, pero subió la capota, cerró la puerta con llave y se sentó en el asiento del pasajero del Crown Victoria. Yoo salió del aparcamiento, cruzó Seven Corners y fue hacia el bulevar Wilson. Redujo la velocidad unos pocos kilómetros más adelante para tomar la salida. Después de un corto trayecto, llegaron a un polígono industrial, donde grandes almacenes de chapa de metal ocupaban varias manzanas. Excepto por las luces ámbar de seguridad, encima de las puertas de los muelles de carga, el polígono estaba a oscuras y al parecer desierto.

Zavala esperaba que Yoo aparcara antes de ir a reunirse con los demás agentes de vigilancia para recorrer juntos el resto del trayecto. El chino redujo la velocidad al mínimo y, de pronto, sin detenerse, giró todo el volante a la derecha y aceleró para cruzar una reja abierta con un cartel en el que podía leerse: GOOD LUCK FORTUNE COOKIE COMPANY.

Yoo no levantó el pie del acelerador, efectuó un viraje cerrado con un tremendo chirrido de los neumáticos para ir detrás del edificio y enfiló hacia la puerta de un garaje. Al ver que el coche continuaba su marcha hacia el gran cuadrado negro, Zavala se sujetó, preparado para el impacto, pero entonces la luz de los faros mostraron que la puerta estaba abierta casi del todo. Yoo pisó el freno en el interior del almacén, y el coche derrapó para acabar contra un muro formado por cajas de cartón.

El morro del vehículo se incrustó en las cajas armando estruendo, estas reventaron y docenas de bolsas de galletas de la fortuna cayeron sobre el capó.

Entraron en funcionamiento los airbags, que amortiguaron todavía más el impacto.

Zavala contuvo el aliento, luego se desabrochó el cinturón de seguridad. Al apartar la bolsa del airbag, vio que Yoo no estaba en el asiento del conductor. La salida de Zavala del coche no tuvo nada de elegante y cayó sobre una rodilla. Le costaba enfurecerse, pero cuando consiguió levantarse deseaba arrancar la cabeza a Yoo.

Se encendieron las luces del techo. Charlie Yoo no se veía por ninguna parte. Sin embargo, Zavala no se hallaba solo.

Estaba rodeado por varios asiáticos vestidos con chándales negros y armados con metralletas que le apuntaban al pecho.

El hombre más cercano tocó a Zavala en el vientre con el cañón del arma.

—Muévase —ordenó.

26

Austin leyó la última página del voluminoso expediente de la
Pyramid Trading Company, se reclinó en la silla y se frotó los
ojos. La imagen que creaba el expediente era la de una enorme
corporación sin ningún respeto por la vida humana. La Pyramid había sacado al mercado más de trescientos productos no-
civos. Había exportado pescado en malas condiciones, neumáticos que no cumplían con las normas de seguridad, alimentos
para mascotas envenenados, y pasta de dientes, caramelos,
compuestos vitamínicos, y medicamentos no aptos para el
consumo humano. Debido a la presión internacional, el gobierno chino había admitido que existía un problema con la
Pyramid y prometido que pondría remedio a la situación. Pero
nada de lo que Austin había leído explicaba por qué la Pyramid iba detrás de Kane y su proyecto de investigación.

Se acercó a una ventana y contempló las luces de Washington
como si pudiesen unirse para formar una bola de cristal que respondiese a las preguntas que daban vueltas en su cabeza. Sonó
el teléfono, y al atenderlo oyó la inconfundible voz del almirante Sandecker en toda su expresión de mando y parquedad.

—Kurt. Por favor, esté en la puerta dentro de cinco minutos.

Sandecker colgó sin dar más explicaciones.

Austin guardó el expediente de la Pyramid en un cajón,
apagó las luces y fue hacia el ascensor. Cinco minutos más tar-

de, salía por la puerta principal de las oficinas centrales de la NUMA en el mismo instante en que un todoterreno Chevrolet azul oscuro se detenía junto al bordillo.

Un joven vestido con el uniforme azul de la marina se bajó del vehículo y saludó a Austin. Se trataba del teniente Charley Casey, el prometedor oficial que Sandecker le había presentado en una recepción en la Casa Blanca.

—Hola, Kurt —dijo Casey—. Suba.

Austin se sentó en el asiento trasero con Casey y el Chevrolet se sumó al tráfico de Washington.

—Es un placer verle de nuevo, teniente. ¿Qué pasa?

—Lamento ser evasivo, Kurt, pero el almirante me pidió que no respondiese por ahora a ninguna pregunta.

—Vale. ¿Podrá decirme adónde vamos?

—No vamos. Va usted. —Casey señaló—: Allí.

El coche solo había recorrido un par de manzanas desde las oficinas centrales de la NUMA cuando se acercó al bordillo y se detuvo. Austin dio las gracias a Casey por el viaje, bajó del todoterreno y caminó hacia la entrada de un restaurante. El cartel de neón decía AEGEAN GROTTO.

El dueño del restaurante, un pletórico nativo de Naxos llamado Stavros, atrapó a Austin en cuanto cruzó el umbral.

—Buenas noches, señor Austin. ¿Qué tal van las cosas en la Pescadería?

Stavros usaba ese apodo para las oficinas centrales de la NUMA, porque muchos de sus clientes eran científicos y técnicos de la organización..

—Con tanto pescado como siempre —respondió Austin con una ligera sonrisa—. Creo que me esperan.

—Su amigo ha llegado hace unos minutos —dijo Stavros—. Le he dado la mesa del almirante.

Llevó a Austin a un reservado en la parte de atrás del comedor. El almirante Sandecker había cenado con frecuencia en ese restaurante cuando era director de la NUMA. La mesa ofrecía algo de intimidad y una vista del comedor. Las paredes azules estaban decoradas con imágenes de pulpos, calamares y otros moradores acuáticos de la cocina de Stavros.

El hombre sentado a la mesa saludó a Austin con un gesto.

Austin acercó la silla y se sentó delante de Max Kane.

—Hola, Doc. Es una agradable sorpresa.

—Me asombra que sea capaz de descubrir mi disfraz con solo una ojeada.

—Por un momento me había despistado, Doc, pero luego he visto que la raya de su cabello se escoraba a estribor.

Kane se quitó la peluca negra de la cabeza. Con un movimiento de muñeca, la arrojó como si fuese un OVNI peludo hacia una mesa cercana ocupada por dos hombres. La peluca estuvo a punto de acertar en el plato de sopa de uno de los comensales. Ambos miraron furiosos a Kane. Uno de ellos se guardó la peluca debajo de la chaqueta del traje oscuro y continuó comiendo.

Kane se echó a reír.

—No parezca tan preocupado, Kurt. Esos dos son mis niñeras. Son los que insistieron en que utilizase el felpudo en público.

Austin dirigió a Kane una sonrisa tensa, pero no estaba de humor para charlas. En el poco tiempo que había conocido al microbiólogo, casi había perdido a un miembro de su equipo, había visto saboteado el proyecto de la B3 y luchado contra un robot submarino a novecientos metros de profundidad. Quería respuestas y no lanzamientos de peluca, por muy hábiles que fuesen. Levantó dos dedos en dirección a Stavros y luego fulminó a Kane con una mirada de sus ojos color coral.

—¿Qué demonios está pasando, Doc? —preguntó.

Kane se hundió en la silla, como si de pronto se hubiese deshinchado.

—Lo siento, Kurt. He pasado los últimos días con esos gorilas en una casa segura subsistiendo a base de pizza y comida rápida china. Comenzaba a volverme loco.

Austin le pasó la carta del restaurante.

—Aquí está mi antídoto para la comida rápida. Le recomiendo el *psari plaki*, pescado al horno al estilo de Atenas, y la *taramosalata*, una crema con huevas de pescado, de primero.

Cuando Stavros llegó con dos copas de ouzo, Austin pidió los platos escogidos. Miró a Kane a los ojos, levantó su copa y propuso un brindis.

—Por el descubrimiento que afectará a todos los hombres, mujeres y niños del planeta.

—Joe tuvo que hablarle de mi confesión cuando creí que estaba a punto de morir.

—Dijo que la perspectiva de una tumba acuática le había soltado la lengua hasta cierto punto.

Kane hizo una mueca burlona.

—Creo que le debo una explicación.

—Creo que sí —dijo Austin.

Kane bebió un sorbo de ouzo y dejó la copa.

—Desde hace un par de años, soy el presidente de un grupo asesor científico llamado Junta de Biología Marina. La junta está constituida por algunas de las mentes más brillantes en el campo de la biomedicina oceánica. Trabajamos con el Consejo Nacional de Investigaciones y asesoramos al gobierno en los descubrimientos científicos más prometedores.

—¿Cuál era su descubrimiento más prometedor, Doc?

—Alrededor de un año después de trasladar el laboratorio a Bonefish Key, hallamos una rara especie de medusa relacionada con la avispa de mar. Le pusimos el nombre de medusa azul porque tenía una luminiscencia muy intensa, pero fue la toxina que produce la que nos asombró.

—¿Cómo es eso, Doc?

—La toxina de la medusa no mata. Inmoviliza a la presa de forma tal que la medusa puede comer la presa viva. No es una práctica desconocida en la naturaleza. A las arañas y a las avispas les gusta la comida fresca.

Austin señaló hacia la pecera del restaurante donde estaban las langostas.

—Los seres humanos hacen lo mismo.

—Entonces ya me comprende. Las vacas y los cerdos que convertimos en filetes y costillas reciben mejor tratamiento médico que muchos humanos. Incluso los medicamos con antibióticos y otros productos para mantenerlos lo más sanos posibles hasta que nos los comemos.

—El cuidado de los animales no es mi fuerte, Doc. ¿Adónde quiere ir a parar?

—La toxina de la medusa azul es la sustancia natural más compleja que haya visto. Levanta una barrera que mantiene alejados a los patógenos. La presa condenada disfruta de una salud excelente mientras espera ser devorada. —Kane se inclinó sobre la mesa y bajó la voz—. Suponga por un momento que podemos incluir esas mismas cualidades protectoras en un medicamento para los humanos.

Austin pensó en las palabras de Kane.

—Tendrá una píldora curalotodo. El equivalente al milagroso aceite de serpiente de los vendedores ambulantes.

—¡Exacto! Solo que no es aceite de serpiente. Hemos encontrado un milagro médico que quizá podría neutralizar algunos de los grandes males que afectan a la humanidad: las enfermedades causadas por los virus, desde el resfriado común hasta el cáncer.

—Entonces ¿a qué viene tanto secreto? —preguntó Austin—. Si la gente sabe que ha descubierto un curalotodo, levantarán estatuas en su honor.

—Demonios, Kurt, en un primer momento nos postulábamos nosotros mismos para el Nobel de medicina. Después de la euforia inicial, comprendimos que estábamos a punto de abrir la caja de Pandora.

—Seguro que no iban a recibir ninguna carta afectuosa de las compañías de seguros y los laboratorios farmacéuticos —manifestó Austin—, pero, a largo plazo, tendríamos un mundo más sano.

—Es el largo plazo lo que nos preocupó —señaló Kane—.

Digamos que damos esta maravilla al mundo, sin ninguna restricción. La píldora curalotodo entra en producción. El promedio de vida se amplía enormemente. En lugar de seis mil millones de habitantes en el planeta, tendríamos diez o doce mil millones. Piense en la presión que eso significaría para la tierra, el agua, la comida y las fuentes energéticas.

—Tendríamos tumultos, guerras, gobiernos derrocados y hambruna.

Kane levantó las manos como si dijese: «¡Eso es!».

—Ahora imagine lo que pasaría si mantenemos el descubrimiento en secreto.

—Nada se guarda en secreto para siempre. Acabaría por saberse. Aquellos que no tienen acceso al medicamento la emprenderían contra los que sí lo tienen. Las personas con enfermedades incurables comenzarían a golpear las puertas de los ayuntamientos, de nuevo el caos.

—La junta científica llegó a la misma conclusión —manifestó Kane—. Teníamos un problema. Así que elaboramos un informe y lo pasamos al gobierno. Entonces intervino el destino. Estalló una epidemia en China, un virus de la gripe con la capacidad de provocar una pandemia que mataría a millones. ¿A ver si lo adivina? Nuestro laboratorio tenía la clave para la cura.

—¿La medusa azul?

—Sí.

—¿A eso se refería cuando afirmó que su investigación tendría repercusión en todos los habitantes del mundo?

Kane asintió.

—Resultó que nuestra investigación era la única esperanza para luchar contra ese mal —prosiguió—. El gobierno se hizo cargo del laboratorio, cerró las puertas con llave y trabajó con el gobierno chino para mantener el secreto de la investigación hasta que elaborásemos una forma sintetizada de la sustancia. Se inventaron una historia según la cual el nuevo virus no era más que otro episodio de la neumonía atípica y, por lo tanto, controlable. Pero no es cierto. Es una mutación incluso más virulenta que el virus que causó la pandemia de gripe española en 1918. En un año, aquel virus mató a millones.

Austin silbó por lo bajo.

—Ahora que la gente puede viajar por todo el mundo —comentó—, aquella cifra sería una gota de agua en el mar.

—Esta vez, es todo el mar, Kurt. Los federales clasificaron como alto secreto nuestro hallazgo y convirtieron a todo el personal del laboratorio en empleados del gobierno, de forma tal que quien se vaya de la lengua puede ser juzgado por traición. También incorporaron a militares y a personal de la Casa Blanca a la junta. Luego se llevaron la mayor parte de la investigación a un laboratorio submarino secreto.

—¿Por qué no se quedaron en Bonefish Key? —preguntó Austin.

—Para empezar, había demasiado público. También teníamos razones prácticas. Queríamos estar cerca de la fuente. En otros tiempos, la medusa azul abarcaba un área mucho más extensa, pero ahora solo se la encuentra en un cañón abisal. Además queríamos tener nuestro trabajo en cuarentena. Estábamos desarrollando una versión mejorada de la medusa, algo así como una supermedusa, un peligroso depredador, un ser que no querría encontrarse en su piscina.

—¿Me está diciendo que trabajaban con formas de vida mutante malignas, Doc?

—Así es.

—¿Qué pasaría si salen al medio natural?

—No se preocupe, no hay ningún peligro de que acaben con la biomasa oceánica. No pueden reproducirse y acabarían muriendo. Nos tomamos mucho trabajo en el proceso de ingeniera genética para impedir la posibilidad de la proliferación.

—Así y todo es jugar con fuego, Doc. A la madre naturaleza no le gusta que se entrometan con ella.

—Lo sé, lo sé —admitió Kane, con voz tensa—. Pero estábamos sometidos a una fuerte presión por parte del gobierno. Necesitábamos grandes cantidades de la toxina para realizar nuestros experimentos de síntesis, así que criamos medusas más grandes. Las criaturas modificadas resultaron ser más agresivas que la original, y la toxina que produjeron se salía de las tablas.

—Antes de que viniese al *Beebe*, usted estaba en el océano Pacífico —dijo Austin—. ¿Es allí donde instalaron el laboratorio?

—En la Micronesia, para ser más exactos. El gobierno utilizó un observatorio submarino desarrollado para la marina. Lo bautizamos con el nombre de Davy Jone's Locker. Trabajaba allí cuando me enteré de que había sido elegido para la inmersión de la B3. El proyecto estaba cerca de la conclusión, así que dejé a mi ayudante, Lois Mitchell, a cargo y me ausenté. Ya sabe el resto.

—Solo hasta el punto en que el guardacostas se lo llevó de la cubierta del *Beebe*.

—La llamada que recibí a bordo me comunicó que el laboratorio secreto había desaparecido más o menos en el mismo momento del ataque a la B3. El buque de vigilancia que protegía el laboratorio había sido dañado por un misil disparado con toda probabilidad desde un submarino. La instalación y el personal ya no estaban. La marina continúa buscándolos.

Austin miró a Kane como si hubiese visto a un fantasma.

—Es usted una caja de sorpresas, Doc. —Vio a Stavros que llegaba de la cocina con los platos—. ¿Por qué no me lo cuenta mientras comemos?

Entre bocados de pan de pita, Kane relató a Austin el ataque a la nave de apoyo y describió las depresiones dejadas en el fondo del mar. Cuando Kane le preguntó si tenía alguna idea de cómo podían haber movido el laboratorio, Austin le respondió que lo consultaría con Zavala. Luego formuló una pregunta:

—¿Hasta qué punto había avanzado la investigación cuando desapareció el laboratorio?

—Habíamos identificado el microorganismo que genera la sustancia en la medusa. Hecho eso, estábamos a punto de producir en cantidad la versión sintetizada. Íbamos a saltarnos las pruebas clínicas y a confiar en los ensayos de laboratorio y los modelos virtuales incluso mientras la distribuíamos. No había más tiempo. Teníamos que producir la vacuna y distribuirla, siempre y cuando el virus saliese de China y se propagase a otros países.

—¿Ha pensado en quién podría estar detrás de la desaparición del laboratorio? —preguntó Austin.

—Le he estado dando vueltas a esa pregunta durante días. Lo único que he conseguido a cambio es una jaqueca.

—Dijo que habían utilizado un misil para hundir la nave de apoyo y que probablemente fue lanzado desde un submarino. Solo un gobierno o una organización muy grande pueden tener los recursos para atacar la batisfera y trasladar el laboratorio —señaló Austin.

—Eso me parecía. Lo cual nos lleva a que solo un gobierno podría disponer de los recursos para desentrañar este embrollo. Sin el laboratorio, no tenemos ninguna defensa contra la pandemia. El virus se está propagando en China. En cuanto llegue a las áreas urbanas, se extenderá más allá de las fronteras.

—La marina debe de tener barcos dedicados a la búsqueda —dijo Austin.

—Están rastreando la zona. Pero la gente que hizo esto habrá tenido en cuenta una búsqueda por parte de la marina y habrá hecho algo para impedirla. Un tipo de la Casa Blanca que participó en la reunión mencionó haber oído al vicepresidente Sandecker hablar muy bien de usted, y vi lo que hizo cuando todos daban por perdida la batisfera. Por lo tanto, dije que quería verlo. Y aquí estamos.

—Y aquí está nuestra cena —anunció Austin.

Pidió un vino blanco seco de Santorini para acompañar el pescado. Durante la siguiente media hora, Austin entretuvo a Kane con los relatos de las inmersiones que había hecho en la caldera de la isla griega y las teorías de que Santorini había sido el lugar de la legendaria Atlántida. Luego apartó el plato vacío y pidió natillas y café griego.

—¿Y bien? —preguntó Kane, expectante.

—Haré lo que pueda, pero tiene que ser del todo sincero conmigo, Doc. No me oculte nada. También necesitaré ponerme en contacto con usted a cualquier hora.

—Tiene toda mi cooperación, Kurt. —Echó una ojeada a los guardaespaldas—. Mis niñeras me están mirando. Tengo que irme. Creen que hay todo un ejército de asesinos que espera en la calle para matarme.

—No sea tan duro con ellos, solo intentan mantenerle vivo. Yo pagaré la cuenta.

Kane apuntó un número de teléfono al que se le podía llamar. Austin observó al científico con mucha atención en el momento en que salía del restaurante escoltado por los dos agentes. Después hizo un gesto a Stavros para que le llevase la cuenta.

El teniente Casey esperaba delante del restaurante en el todoterreno de la marina. Esta vez Austin subió sin esperar a que le invitasen.

—Me alegra verle otra vez, teniente.

Casey le pasó un móvil, y se oyó la voz de Sandecker.

—¿El doctor Kane le ha informado de la situación, Kurt?

—Me habló de una investigación acerca de la medusa azul y del laboratorio desaparecido.

—Bien. Este asunto estallará si no encontramos el laboratorio y nos hacemos con la vacuna. Tiene que encontrarlo. Pondré a toda la maldita marina de Estados Unidos a su disposición.

—¿De cuánto tiempo disponemos, almirante?

—Los ordenadores del Centro para el Control y la Prevención de Enfermedades informan de que el virus alcanzará las grandes ciudades chinas en setenta y dos horas a partir de la medianoche. Se propagará al resto del mundo en cuestión de semanas.

—Entonces ¿aún hay tiempo?

—En realidad no. Una vez que el virus trapase las fronteras chinas, será imposible detenerlo. El presidente está preparando a la guardia nacional para declarar el estado de excepción.

—En ese caso, aceptaré toda la ayuda que pueda prestarme.

—Si necesita más, llámeme a mí o a Casey. No se moleste en hablar con intermediarios. —Su voz se suavizó—. Buena suerte, Kurt. Y no quite ojo a su libidinoso compañero mexicano.

Austin devolvió el teléfono.

—¿Cuándo nos marchamos, teniente?

—Pasaré a recogerlo y estaremos en el aeropuerto a las tres de la madrugada. —Hizo una pausa—. Quiero decirle que tengo esposa y dos hijos, Kurt. Me han asegurado que no habrá manera de protegerlos una vez que la epidemia se propague por Estados Unidos.

—Entonces son tres buenas razones para no perder más tiempo.

Austin le dijo que le vería al cabo de unas horas y se apeó del coche delante del edificio de la NUMA. Llamó al móvil de Zavala cuando iba de camino a la oficina para recoger el expediente de la Pyramid, pero no obtuvo respuesta. No le sorprendió. Su amigo, con toda probabilidad, se había reunido con el equipo de vigilancia y no podía hablar. Le dejó un mensaje para que le devolviese la llamada tan pronto como pudiese.

Cogió el expediente, tomó el ascensor y subió al piso quince. Fue por un pasillo hasta una puerta donde había un cartel que decía NUMA SAT y entró en una gran sala en penumbra que tenía una pared curva cubierta con pantallas de televisión. Las pantallas mostraban la información facilitada por el sistema de satélites de la NUMA, una compleja red que recogía información de los océanos para los científicos y las universidades. La red estaba a cargo de un genio excéntrico llamado Jack Wilmut, que supervisaba el sistema desde una consola en el centro de la sala rodeada por terminales de trabajo. Desde su posición, también podía rastrear cada proyecto de investigación de la NUMA, nave o personal que hacía trabajo de campo. Vio a Austin, y una sonrisa apareció en su rostro regordete.

—Qué sorpresa verte en las oficinas centrales, Kurt.

Austin acercó una silla a la consola.

—No me tomes el pelo, Jack, sabes exactamente dónde estoy cada segundo. Hazme un favor. No encuentro a Joe. ¿Puedes buscarlo?

Wilmut se recogió el pelo detrás de una de las orejas.

—Es probable que esté en algún dormitorio de Washington —comentó. Al ver que Austin no sonreía, añadió—: Haré lo que pueda. ¿De qué dispone?

—Para empezar, de un transmisor en el Corvette.

—Fácil —dijo Wilmut.

Escribió en el teclado y segundos más tarde apareció en la pantalla una titilante estrella roja en un mapa de Falls Church. La ubicación se mostraba en un recuadro junto a la estrella.

—El coche está en el Eden Center. Es probable que haya ido a comprar comida vietnamita.

El Eden Center era una superficie de tiendas y restaurantes que dedicados a la clientela vietnamita de Falls Church.

—No le gusta la comida vietnamita —dijo Austin—. Intenta ubicar el móvil.

Wilmut rastreó el móvil de Zavala a través del chip del GPS.

Una segunda estrella parpadeante apareció en las afueras de la ciudad a varios kilómetros de la primera. Wilmut amplió el mapa y pasó a la imagen de satélite. La estrella estaba en uno de una docena de rectángulos, al parecer los techos de unos grandes edificios. Amplió la imagen.

—Tiene el aspecto de un polígono industrial —opinó Wilmut—. Todos los edificios se parecen.

—Necesito una dirección —pidió Austin.

Wilmut pulsó una tecla y en la pantalla apareció el nombre de Good Luck Fortune Cookie Company. Se echó a reír, y dijo:

—Supongo que le gusta la comida china.

Austin dio las gracias a Wilmut, y bajó en el ascensor hasta el garaje para recoger su jeep Cherokee. Mientras circulaba siguiendo la orilla del Potomac, encontró el número de Caitlin en la agenda. Ella reconoció su voz de inmediato.

—Esta debe de ser mi semana de suerte —comentó la agente—. Los dos hombres más guapos de la NUMA me llaman. ¿Cómo estás, Kurt?

—Preocupado por Joe. ¿Sabes algo de una vigilancia de una banda asiática por parte del FBI en la que participe Charlie Yoo?

—No existe tal cosa, Kurt. Charlie es un invitado del FBI. Solo se le informa de las operaciones de campo si conviene, y no tenemos nada en marcha.

—Es lo que pensaba —dijo Austin—. Gracias por tu ayuda, Caitlin.

—¿Qué demonios...?

Austin cortó la llamada y no oyó el resto de la frase. Sujetó el volante con una mano y con la otra se apresuró a introducir en el GPS la dirección que le había facilitado Wilmut.

Luego metió la mano debajo del asiento, sacó la funda con su revólver Bowen, lo dejó en el asiento del acompañante y pisó a fondo el acelerador.

27

La vieja casa rodante de Dooley en el canal de Pine Island no era un hotel de cinco estrellas, pero tenía ciertas ventajas de las que carecía el Four Seasons.

Pine Island estaba a varias millas de Bonefish Key. Desde la caravana se veía el agua. Dooley estaba sentado en una tumbona al final del muelle, con la colilla del puro entre los dientes y una escopeta de calibre dieciséis en el regazo, muy alerta y vigilante a cualquier problema.

Gracias a su gran conocimiento de la zona, Dooley había hecho una rápida travesía a tierra firme. Había mantenido apagadas las luces de navegación hasta que entró en el canal con caravanas a ambos lados. En cuanto la lancha llegó al muelle y Dooley apagó el motor, Gamay se encaró con su marido.

—Antes de que reviente de curiosidad, por favor, dime cómo es que has viajado de una costa a otra y llegado a tiempo para rescatar a dos bellas damas en apuros. No tenías que llegar hasta dentro de un par de días.

—Me llamó Kurt y me dijo que quizá sin darse cuenta te había puesto en una situación de riesgo. No pude localizarte en el móvil, así que suspendí el seminario y volé a Florida.

—¿Cómo encontraste a Dooley?

—Otra vez la buena suerte: él me encontró a mí —contestó Paul—. Estaba en el muelle de Pine Island buscando un medio para ir a Bonefish Key y miraba las lanchas para ver si alguien se había dejado las llaves puestas en el contacto cuando Dooley me vio y me preguntó qué hacía. En cuanto mencioné tu nombre, aprovechó la ocasión para llevarme a Bonefish Key. Una vez allí, advirtió que habían desaparecido los dos kayaks y dedujo adónde podrías haber ido.

—Gracias, Dooley —dijo Gamay. Le dio un beso en la mejilla—. Sin duda se pregunta de qué va todo esto.

—Por aquí uno aprende muy pronto que es más sabio ocuparse de sus propios asuntos, doctora Gamay, pero admito que siento curiosidad por lo que está pasando.

—No es el único.

Gamay miró a Song Lee, que había estado acurrucada en un asiento durante el viaje a tierra firme.

Dooley amarró la lancha y abrió la marcha hacia la caravana. Sacó una caja de seis latas de Coca-Cola Light de la nevera y repartió tres de ellas junto con una bolsa de crackers Goldfish. Sin decir ni una palabra, sacó su arma de un armario. Con la escopeta de calibre dieciséis en un brazo, salió al muelle con las otras tres latas de Coca-Cola.

Song Lee y los Trout se sentaron a la mesa de la cocina, de formica y acero cromado. Lee bebía como una autómata con la mirada extraviada.

Gamay comprendió que Lee sufría una conmoción debido a la violencia que había vivido.

—No pasa nada, doctora Lee. Ahora está a salvo.

Lee volvió la cabeza y Gamay vio las lágrimas en sus ojos.

—Soy médica. Se supone que debo salvar vidas, no quitarlas.

—Salvó nuestras vidas —señaló Gamay—. Aquel hombre y sus amigos nos habrían matado a las dos.

—Lo sé. Sin embargo...

—¿Tiene alguna idea de quiénes eran? —preguntó Paul.

Lee se enjugó las lágrimas con el dorso de la mano.

—Dijo que me había estado vigilando durante días. Me esperaba cuando dejé el kayak y me llevó a la fuerza a la casa.

Allí esperábamos a que viniesen unas personas a recogerme. Supliqué. Discutimos. Fue entonces cuando cogí el cuchillo y escapé.

Gamay apoyó una mano en el antebrazo de Lee.

—Creo que lo mejor será comenzar por el principio —le dijo.

Lee bebió la Coca-Cola como lo haría un turista perdido en el desierto, y luego comenzó su relato.

Había nacido en una región rural de China, había destacado en ciencias en sus estudios superiores y había ido a ampliarlos a Estados Unidos con una beca del gobierno chino. Había sido testigo de primera mano de las enfermedades que azotaban a los más pobres de China y quería hacer algo al respecto. Se había especializado en inmunología en Harvard y había hecho las prácticas en el hospital general de Massachusetts.

A su regreso a China entró a trabajar en un proyecto del gobierno, referente a la salud pública de los habitantes de los barrios marginales. El trabajo se centraba en la prevención, asegurándose de que las personas se vacunasen y eliminando los focos de las enfermedades en el agua y el aire. Su éxito le había ganado un puesto en el personal, donde trabajaba en el momento en que se había producido la epidemia de la neumonía atípica.

Por último, Lee relató a Gamay cómo había sido enviada al campo después de cuestionar la respuesta de su gobierno a la epidemia, y de su rehabilitación y destinación a Bonefish Key para trabajar en una vacuna basada en un organismo oceánico para una nueva cepa de la gripe.

—¿La medusa azul?

—Así es. —Pareció sorprendida—. Está relacionada con la mortalmente tóxica avispa de mar. ¿Cómo lo sabe?

—Incordié tanto al doctor Mayhew que me mostró la sala donde estaba.

—Me sorprende que le permitiese verla —dijo Lee. Miró a Gamay como si no la conociera—. Acabo de darme cuenta de que no sé quién es usted.

—Soy una bióloga marina que trabaja para la NUMA. Vine a Bonefish Key porque me interesa la biomedicina oceánica.

—Por lo que parece, estaba más interesada en mí —señaló Lee.

—A veces las cosas ocurren simplemente porque tienen que ocurrir —admitió Gamay.

—Habla como un filósofo chino, doctora Trout —dijo Lee sonriendo—. De todas maneras, me alegro de su interés por mí; sin él, yo no estaría aquí.

—El doctor Mayhew mencionó que la medusa azul era una especie nueva.

—Así es. Más grande y agresiva que la avispa de mar. Después de que el trabajo pasase al nuevo laboratorio iban a utilizar la ingeniería genética para producir una toxina aún más poderosa.

—No sabía de la existencia de otro laboratorio —comentó Gamay.

—Era un secreto. Lo llamaron Davy Jone's Locker. El doctor Kane y Lois Mitchell, su ayudante, dejaron Bonefish Key y se llevaron con ellos a un grupo de científicos y técnicos. El doctor Mayhew y el resto del personal se quedaron para asegurarse de que no hubiese ningún fallo en la investigación original. Mi trabajo es diseñar un patrón probable de la dispersión del virus y la mejor manera de contenerlo.

—¿Hasta qué punto es eficaz el medicamento derivado de la toxina? —preguntó Paul.

—Al principio era limitado —contestó Lee—. La toxina de la medusa es del todo imprevisible. Incluso una mínima cantidad podría matar a un ser humano, y en las primeras etapas había más muertes que curaciones entre los animales de ensayo. Entonces hicimos un gran avance al identificar la composición molecular del microbio que produce la toxina. Estábamos muy cerca de la síntesis. Las pruebas clínicas habrían sido el siguiente paso.

A Song Lee se le cerraban los párpados, y Gamay le sugirió que se acostase en el sofá. Después ella y Paul salieron de la caravana a la cálida noche de Florida.

—Gracias por acudir en nuestro rescate, Galahad —dijo Gamay.

—Lo lamento si sir Dooley y yo llegamos con el tiempo demasiado justo. ¿Qué opinas del relato de Song Lee?

—Sé a ciencia cierta que no se inventó al hombre al que mató y a sus amigos asesinos, y, por lo tanto, deduzco que todo lo demás es cierto.

—Hablaré con Dooley. Quizá él pueda llenar los huecos.

Cuando Trout se acercó al muelle olió el humo del puro antes de ver a Dooley. Trout fue a hablarle, pero Dooley le hizo callar. Trout prestó atención y oyó el murmullo de un motor en el canal. Dooley apagó el puro con el tacón y de un agarrón obligó a Trout a agacharse detrás de una pila de cajones.

El sonido del motor se oía cada vez más próximo, y una embarcación entró en el canal. Avanzaba lentamente, y el reflector se movía adelante y atrás hasta que llegó al final del canal, donde viró en semicírculo y volvió a dirigirse a mar abierto. Dooley siguió con el cañón de su escopeta la lancha hasta que ya no se oyó el sonido del motor. Encendió otro puro.

—Vigilaré, pero creo que lo mejor será sacar a la doctora Lee de aquí.

—Tiene toda la razón —asintió Trout.

Paul volvió a la caravana. Mientras hablaba a Gamay de la embarcación sospechosa, sonó el móvil. Miró la pantalla. Era Austin, que llamaba preguntando por Gamay.

—Ahora estoy en Florida. Gamay está bien, pero tuvimos problemas en Bonefish Key.

—¿Qué clase de problemas?

—Gamay fue atacada junto con una científica de Bonefish Key llamada Song Lee, que trabajaba en algo denominado la medusa azul.

—Quiero hablar con la doctora Lee en persona —dijo Austin—. Llama a la NUMA y que envíen un avión de inmediato para que os recojan. Joe y yo dejaremos la ciudad en unas horas. Reúnete conmigo en el aeropuerto.

—Ahora mismo llamo.

—Gracias. Tengo que pedirte otro favor. —Dio a Trout un número de móvil—. Llama a Cate Lyons, la amiga de Joe en el FBI, y dile que me disculpe por haberle colgado. Infórmala de que voy a la Good Luck Fortune Cookie en Falls Church. Tengo que irme.

Momentos más tarde, Trout retransmitió el mensaje de Austin a Lyons, quien le dio las gracias y colgó. Mientras marcaba el número del departamento de viajes de la NUMA, dijo:

—Volamos de regreso a Washington esta noche. Kurt quiere hablar con Song Lee cuanto antes.

Gamay sacudió la cabeza.

—El instinto de Kurt nunca falla. Me pidió que buscase algo curioso en Bonefish Key.

—Más curioso no puede ser —dijo Paul.

Gamay miró a la mujer china dormida y pensó en lo cerca que había estado de morir en la embarcación abandonada, y luego observó la expresión grave en el rostro de su marido.

—Si es tan curioso, ¿cómo es que nadie se divierte?

28

Unos pocos minutos antes de llamar a los Trout, Austin había pasado junto al Cornette aparcado cerca de la torre del reloj del Eden Center y pensó que Zavala debía de haber tenido una muy buena razón para dejar a la niña de sus ojos sin atención. Giró por el bulevar Wilson y se sumó al tráfico que se movía con la lentitud de un caracol. Por fin, desaparecieron los barrios y los centros comerciales suburbanos, y entró en una zona industrial.

El GPS le indicó que estaba a una manzana de su objetivo. Como sin duda un Cherokee turquesa llamaría la atención, aparcó en una callejuela entre dos edificios. Fue a pie hasta la reja de la Good Luck Fortune Cookie Company. El aparcamiento estaba vacío, y la única luz provenía de un foco encima de la puerta de las oficinas.

La reja estaba cerrada. Austin caminó a lo largo de la alambrada hasta la reja de atrás. La abrió y continuó su camino hacia una plataforma de carga iluminada por una única bombilla. Se mantuvo al abrigo de las sombras todo lo posible.

Se preguntó si tenía la dirección correcta. Las dudas desaparecieron cuando una figura surgió detrás de un contenedor de residuos y cegó a Austin con el rayo de una potente linterna.

—Quieto ahí, soldado —dijo una voz profunda—. Levante las manos.

Austin se detuvo en seco y cumplió con la orden. Notó

más que vio a alguien que se acercaba por detrás y que le quitaba el revólver de la funda.

—Eso está mejor —añadió la voz—. Ahora vuélvase... muy despacio. Es una advertencia de amigo. Estos tíos se llaman a sí mismos los Diablos Fantasmas, y no mienten. Yo no me buscaría problemas.

Al menos media docena de figuras habían salido de entre las sombras.

—¿Es un fantasma o un diablo? —preguntó Austin.

El hombre se acercó.

—Solo un tipo que hace su trabajo. Me llamo Phelps. —Movió la linterna para alumbrar su cara, y el ángulo convirtió su sonrisa en una máscara de Halloween—. Este lugar tiene cámaras por todas partes. Ni una polilla podría acercarse sin ser vista. Le hemos estado observando desde que ha llegado a la puerta principal. Gracias por facilitar tanto mi trabajo.

—Ha sido un placer. ¿Cómo sabe que no me he dejado pillar a próposito?

—No lo sé, y es por eso que nos movemos con tanta precaución.

—¿Dónde está Joe? —preguntó Austin.

Phelps señaló con la linterna la puerta del muelle de carga.

—Por allí —contestó.

La puerta se abrió. Phelps abrió la marcha, subió la escalera del muelle e hizo pasar a Austin al interior de un almacén a oscuras. Phelps apretó un interruptor y se encendieron las luces. El enorme espacio estaba vacío excepto por una montaña de cajas de cartón aplastadas junto a una pared y dos sillas colocadas una al lado de la otra delante de una pantalla.

—El negocio de las galletas de la suerte no debe de ir muy bien —comentó Austin.

—No es más que una tapadera —dijo Phelps—. Este lugar se utilizaba para esconder a inmigrantes ilegales. Además, no querrá conocer su suerte. Las personas para las que trabajo no están muy contentas con usted.

Austin habría estado de acuerdo en que sus perspectivas de una vida larga y feliz vida eran escasas. Además de Phelps, estaba vigilado por los asiáticos de rostro duro, hombres jóvenes vestidos con chándales negros y zapatillas de baloncesto. Llevaban pañuelos rojos atados alrededor de la cabeza. Parecían peligrosos e impredecibles, y, por la manera insolente con que empuñaban las armas, también indisciplinados.

Phelps era un hombre alto, cercano a la cincuentena, vestido con vaqueros, botas Doc Martens y una camiseta negra que dejaba a la vista sus brazos musculosos. En la cabeza llevaba una gorra de béisbol. Tenía en la mano el Bowen de Austin, que observó con ojos de experto.

—Bonita arma —comentó.

—Gracias. ¿Cuándo la recuperaré?

Phelps rió y guardó el arma en su funda, que enganchó al cinturón. Consultó su reloj y llamó a un par de asiáticos. Salieron por la puerta que daba al frente del edificio y volvieron al cabo de un minuto con Zavala. Le obligaron a sentarse en una de las sillas e hicieron un gesto a Austin para que se sentase en la otra. Los esposaron a los brazos de las sillas.

El rostro de Zavala estaba manchado de sangre seca, pero consiguió sonreír cuando vio a Austin.

—Hola, Kurt, es agradable ver que te has sumado a la fiesta. ¿Es hora de largarse?

—Tendrás que preguntárselo al señor Phelps. ¿Estás bien?

—Charlie Yoo me tendió una trampa y algunos de estos tipos utilizaron mi cabeza como punching de boxeo, pero que yo sepa, no tengo nada roto.

—No debemos olvidarnos de agradecerles la hospitalidad.

Zavala sonrió con los labios ensangrentados.

—Es lo que me gusta de ti, Kurt. Siempre ves el vaso medio lleno. Caray...

Se apagaron las luces, y los dos hombres quedaron envueltos por la oscuridad. Al cabo de un momento, se encendió un foco sobre sus cabezas y se encontraron en el centro de un círculo de brillante luz blanca. Un segundo foco se iluminó a unos ocho metros delante de ellos.

La pantalla había desaparecido y había quedado a la vista una mesa cubierta con un tapete verde. Detrás de la mesa se encontraba una mujer que parecía estar observando a los dos hombres de la NUMA. Vestía un traje de dos piezas color púrpura oscuro y una capa a juego echada sobre los hombros. El pelo oscuro estaba peinado con raya en el medio, y las cejas curvas enmarcaban un rostro euroasiático.

Austin miró a la mujer con una expresión de asombro.

—Te parecerá una locura —susurró—, pero la conozco. Es la Dama Dragón.

—He visto dragones con peor aspecto. ¿Por qué no me la presentas?

—No sé si podré, Joe. La Dama Dragón no es una persona real.

Zavala se volvió para mirar a Austin como si su amigo se hubiese vuelto loco.

—Soy yo el que ahora no entiende nada —dijo Zavala—. A mí me parece muy real.

—A mí también, Joe, pero la Dama Dragón es un personaje de cómic. *Terry y los Piratas*. El estereotipo de la mujer fatal. Mi padre me los leía cuando yo era un crío. Siempre estaba causando problemas. Maldita sea. ¿Cómo se llamaba?

Los labios de la mujer se separaron en una sonrisa.

—Mi nombre es Lai Choi San —dijo con una voz que habría sido seductora de no haber carecido de toda emoción—. Muy bien, señor Austin. Pocas personas saben que tengo otro nombre. Esperaba este encuentro con mucho interés.

—Desearía poder decir lo mismo —manifestó Austin—. Ahora que somos buenos amigos, quizá quiera decirnos por qué nos ha invitado a venir aquí.

Le costaba creer que estuviese hablando con un personaje de cómic. A ese paso, dentro de poco estaría hablando con Roger Rabbit.

—Para empezar, quiero que me diga cuál es el paradero del doctor Kane.

Austin se encogió de hombros.

—Kane está bajo la protección del gobierno. No le puedo decir dónde lo tienen. Al parecer, alguien intenta matarlo.

—¿De verdad? —dijo la Dama Dragón—. ¿Quién querría hacer tal cosa al brillante doctor?

—Las mismas personas que secuestraron el laboratorio que estaba desarrollando una vacuna a partir de la toxina de una medusa.

La mujer le dirigió una mirada de rabia, y su rostro pareció brillar de ira. Austin lo consideró como una manipulación.

—Lo que no sabe —manifestó—, es que la Pyramid creó el nuevo virus. Nuestra compañía farmacéutica estaba experimentando con la vacuna para la gripe destinada al mercado mundial, y por error produjo una cepa más virulenta y adaptable. Querían destruirlo cuando intervinieron unas mentes más sensatas.

—¿Por qué esas mentes más sensatas no impidieron que se propagase el virus?

—Aquello fue un accidente, algo que habríamos debido evitar hasta haber desarrollado la vacuna destinada primero a los miembros de mi organización. Verá, el virus encaja en nuestro plan principal para desestabilizar al gobierno. La epidemia de neumonía atípica casi tumbó a los líderes de China. Imagínese cómo reaccionaría el pueblo llano ante su impotencia para enfrentarse a un virus todavía más letal. Verían cómo aparecería la Pyramid y curaría a las masas. A cambio, conseguiríamos poder y fortuna. Podríamos reemplazar al gobierno chino.

—¿Sabe que el virus llegará a las grandes ciudades en un par de días?

—Solo era cuestión de tiempo, sin importar lo que hiciese el gobierno. Cuantos más, mejor.

Austin miró al holograma.

—¿Está dispuesta a matar a miles de compatriotas solo para provocar problemas a su gobierno? —preguntó.

—Sabe mucho, y también muy poco. ¿Qué más da si matamos a unos pocos cientos o a unos pocos millones de chinos? Tenemos mil millones de habitantes. Una epidemia sería una manera mucho más eficaz de controlar la población que la ley de un hijo por pareja.

—Nunca podrán mantener controlado al virus, incluso con la vacuna que está preparando el laboratorio. Se mueve demasiado deprisa. Estará en todos los países en una semana o poco más.

—¿No cree que la muerte de unos cuantos millones sería una razón muy convincente para que los ciudadanos comprasen nuestra vacuna? —preguntó la mujer—. Véalo como una cuestión de marketing y promoción.

—Está loca si cree que un plan como ese funcionará.

—Son los líderes de nuestro gobierno los que están locos. La Pyramid ha pertenecido a nuestra familia durante generaciones. Los anteriores gobiernos que han intentado destruir nuestra organización han pagado por ello. Estábamos aquí mucho antes de que estos líderes hubiesen nacido. No seremos arrojados a la papelera de la historia.

La figura sentada a la mesa pareció brillar con una luz incandescente cuando comenzó a soltar una feroz diatriba contra el gobierno chino por haber tenido la audacia de enfrentarse a una organización de centenares de años de antigüedad.

Zavala no había dejado de mirar a la mujer como si estuviese en trance.

—Kurt —susurró—. Puedo ver a través de ella. Mira su brazo derecho, el que mueve.

Austin se fijó en el brazo derecho. A través de la tela de la manga, alcanzó a ver trozos de la pared de ladrillos que había detrás.

—Tienes razón. No es más que una proyección, como

Max. —Era el nombre que Hiram Yeager había dado a la figura holográfica generada por su ordenador.

La Dama Dragón vio la sonrisa de Austin y se calló.

—Es usted un hombre extraño, señor Austin. ¿No le asusta la perspectiva de la muerte?

—No si quien me amenaza es irreal.

—¡Basta! Le mostraré lo real que soy. Mi hermano Chang espera su llegada. Él se ocupará de que su muerte sea lenta y dolorosa.

Dio una orden en chino, y los guardias se acercaron.

—Un momento —dijo Austin—. ¿Qué pasa si encuentro al doctor Kane?

La mujer dio una segunda orden y los guardias se detuvieron.

—Antes ha dicho que Kane estaba en un lugar seguro y que no se le podía encontrar.

—He mentido... lo hago muy a menudo.

—Es verdad —intervino Zavala—. Kurt es uno de los mayores mentirosos que conozco.

Austin miró a Zavala de soslayo para decirle que se estaba pasando de la raya.

—Permítame que haga una llamada —continuó Austin con la mirada puesta en la Dama Dragón—, y le encontraré.

Austin intentaba ganar tiempo, con la esperanza de que sus captores le soltasen de la silla. Su plan era coger un arma. Era jugárselo todo a una carta, pero no tenía nada más.

—Un esfuerzo inútil, señor Austin. Ya no me importa si Kane vive o muere. El proyecto está casi acabado y ya no necesitamos de sus servicios... Adiós.

Austin, que ya se veía perdido, de pronto se fijó en que los guardias sostenían las armas a la altura del pecho y miraban hacia el fondo del almacén.

El holograma fluctuó.

—¿Qué pasa? —preguntó.

En respuesta, llegó una voz amplificada desde el exterior.

—Les habla el FBI. Arrojen las armas y salgan con las manos en alto.

Era una voz de mujer que hablaba a través de un megáfono.

Gordon Phelps se había quedado a un lado, atento a la conversación entre Austin y el holograma. Salió de las sombras y se acercó a la luz. Gritó una orden en chino a los Diablos Fantasmas y dijo a Austin y a Zavala en inglés:

—No os vayáis, chicos.

Después él y los guardias corrieron hacia la puerta del muelle de carga.

Austin y Zavala intercambiaron una mirada.

—Ningún momento será mejor que el presente —dijo Austin. Tiró de la esposa, se levantó de la silla y la arrastró hacia la Dama Dragón. Dio unos pocos pasos con la silla a la altura del pecho y las patas por delante. Zavala siguió el ejemplo y puso la silla en la misma posición.

Juntos cargaron contra la mesa.

Una persona de verdad se habría agachado o movido, pero el sistema de cámaras, proyectores, micrófonos y ordenadores que generaba el holograma no estaba dotado de instinto humano.

La figura pareció congelarse. Solo cambiaron las facciones, y Austin y Zavala casi titubearon cuando la Dama Dragón se convirtió en un hombre de ojos de feroces y un sombrero de tela rojo, y a continuación en una serie de terribles rostros masculinos y femeninos. Después apareció una última cara un tanto desdibujada por los bordes que se deshizo en una nube de motas resplandecientes.

Solo había un espacio vacío cuando Austin y Zavala chocaron contra la mesa y la tumbaron. Se pusieron en pie y vieron a Phelps bajo la luz del foco donde ellos habían estado sentados hacía un momento.

Les apuntaba con el Bowen.

—Al jefe no le va a gustar —comentó con voz pausada.

—No, supongo que no —dijo Austin—, y no sabe cuánto lo lamento.

Las comisuras de la boca de Phelps se curvaron un poco hacia arriba.

—¿Qué decía de la vacuna y el virus? —preguntó.

—Los gobiernos chinos y norteamericanos han estado trabajando en secreto para producir una vacuna que acabe con el virus letal, pero el equipo de sus jefes robó el laboratorio.

—Lo sé todo del laboratorio —dijo Phelps—. Soy yo quien secuestró la maldita cosa.

—Si eso es verdad —dijo Austin—, entonces sabe dónde está el laboratorio. Trabaje con nosotros para rescatarlo de las manos de estos payasos.

—No bromeaba con eso de que el virus se propagará a Estados Unidos, ¿verdad?

Austin lo miró a los ojos.

—¿Usted qué cree, Phelps? ¿Qué cree de verdad?

—No es lo que creo sino lo que sé —respondió—. Tengo familia en Estados Unidos —añadió después de una pausa.

—No hay nada que impida que caigan enfermos. No puede permitir que eso ocurra.

—No voy a dejar que suceda. Pero tengo que hacerlo a mi manera... y trabajo solo.

Volvió la cabeza hacia el lugar donde sonaban disparos y gritos.

Metió la mano en el bolsillo de la camisa y sacó las llaves de las esposas, que dejó en el suelo. Después desenganchó del cinturón la pistolera, colocó el Bowen en la funda y, agachado, lo lanzó a través del suelo hasta que se perdió de vista. Un segundo más tarde, desapareció en las sombras.

Cuando se encendieron las luces del almacén al cabo de unos instantes, había desaparecido. Cate Lyons tenía una mano apoyada en un interruptor y en la otra empuñaba una pistola. Cuando vio a Austin y a Zavala corrió hacia ellos.

—¿Estáis bien? Dios, Joe, vaya pinta que tienes. Lamento

llegar tarde. Esperaba los refuerzos. Están buscando en el edificio, pero creo que todos han escapado. ¿Alguno de los dos quiere decirme qué está pasando?

Austin recogió la llave del suelo, se quitó las esposas y liberó también Zavala. Se puso en pie y fue a buscar el Bowen.

—Te diremos todo lo que sabemos en el camino de regreso a Washington. —Austin se enganchó la funda en el cinturón—. Luego, queremos hablar con el agente Yoo.

29

Después de llevar a Zavala a Falls Church, Charlie Yoo había vuelto a las oficinas centrales del FBI. Habló con un agente de la unidad de crímenes asiáticos, en busca de informaciones útiles para sus empleadores. Como miembro de una de las mayores organizaciones criminales internacionales, sentía una emoción perversa al pasearse por los pasillos de la agencia más importante de cuantas perseguían en todo el mundo a los delincuentes. Aun estaba en el edificio cuando Caitlin Lyons lo llamó para preguntarle si podían encontrarse para tomar una copa en un bar de Georgetown. Yoo aceptó de inmediato. Caitlin era una buena fuente de los cotilleos del FBI, además de ser muy atractiva.

Bajó al garaje en el ascensor y caminaba hacia su coche cuando Lyons apareció desde detrás de una columna.

—Hola, Charlie —dijo.

Yoo le dedicó su mejor sonrisa.

—¿Te he entendido mal? —preguntó—. Creía que íbamos a encontrarnos en el bar.

—He decidido ahorrarte el viaje. Debes de estar cansado después de haber llevado a mis amigos Joe y Kurt a una trampa.

Yoo mantuvo la sonrisa con esfuerzo, y metió una mano debajo de la chaqueta.

—Hola, Charlie. ¿Cómo estás?

Zavala había aparecido detrás del agente.

—¡Joe! —exclamó Yoo—. Me alegra verte. Vaya sorpresa...

—¿Te asombra que todavía esté vivo?

—¿Eh? No sé de qué me hablas, Joe. Supongo que nos separamos en el almacén.

La mano de Yoo se movía debajo de la chaqueta de una manera que habría parecido natural para un ojo desentrenado.

—Te hago una apuesta, Charlie —dijo Zavala—. Cinco pavos a que Lyons te agujerea el cráneo antes de que puedas sacar la pistola de la funda.

—Creo que tendré suerte —manifestó Lyons—. Que sean diez.

Sujetaba la pistola con ambas manos y los brazos extendidos.

—Quítate la chaqueta poco a poco y déjala caer al suelo —ordenó Zavala.

Yoo obedeció. Zavala se adelantó para quitarle las dos armas, no solo la que llevaba en la sobaquera sino también otra en el cinturón. Cuando lo cacheó, Zavala encontró un puñal corto de doble filo en una funda sujeta al tobillo.

—Vayamos a dar un paseo, Charlie —añadió Zavala.

Levantó un brazo como si llamase a un taxi. Se encendieron unos faros. Un coche apareció de la nada con un violento chirrido de neumáticos y se detuvo a unos centímetros del hombre chino. Zavala sacó un rollo de cita aislante, le ató las muñecas a la espalda, le puso un trozo sobre los ojos y otro en la boca. Después empujó a Yoo al asiento trasero y se sentó junto a él, con Lyons al otro lado.

Condujeron en silencio durante media hora. Sacaron a Yoo del coche y bajaron un corto tramo de escalera. Lo sentaron en una silla, y le quitaron la cinta aislante de los ojos y la boca. Yoo recorrió con la mirada la austera habitación.

—¿Dónde estamos?

—En una casa segura del FBI —respondió Lyons.

Estaba sentada al extremo opuesto de una mesa rectangular. Zavala, acomodado a su costado, miraba a Yoo sin pizca de humor en su rostro magullado. Al otro lado de Zavala había un hombre de pelo canoso cuyos ojos taladraban a Yoo como rayos láser azules.

—Me llamo Kurt Austin —se presentó el desconocido. ¿Para quién trabaja?

—Para la Agencia de Seguridad Estatal china —respondió Yoo.

Austin exhaló un suspiro y miró a Lyons.

—Charlie —dijo Caitlin—, ¿recuerdas la vez que fuimos al polígono de tiro y te mostré lo bien que disparaba? —Levantó la pistola y le apuntó—. Responde a la pregunta de Kurt o te abriré un tercer ojo.

Yoo tragó saliva.

—También trabajo para la Pyramid —contestó.

Austin hizo un gesto a la agente para que bajase el arma.

—¿Cuál es su trabajo?

—Nunca dejé las bandas —respondió Yoo—. Soy un soldado de infantería de alto rango. No tomo las decisiones. Solo cumplo las órdenes.

—¿Quién le ordenó llevar a Joe al almacén?

—Después de que Joe estuviese en mi despacho, informé de su visita. Por lo general, solo hablo con mi inmediato superior en la línea de mando. Es lo máximo a que puedo llegar. De esa manera, si alguna vez me descubren, no puedo decir nada más. Esa vez, hablé con el jefe.

Austin pensó en el asalto al *Beebe*.

—Lleva mucho tiempo con la tríada —dijo Kurt—. ¿Qué sabe de un tipo de su organización con la cabeza afeitada y un humor de perros?

Yoo parpadeó, sorprendido.

—Debe de ser Chang, el hombre con el que hablé. Está al mando de la red mundial de bandas, gente como los Diablos. ¿Le conoce?

Austin no hizo caso de la pregunta.

—¿Quiénes son los otros líderes? —preguntó.

—Vamos, Charlie —dijo Caitlin con impaciencia cuando Yoo titubeó—, sabemos que Wen Lo está al frente de la Pyramid.

—Quizá —admitió Yoo—. Sí, eso creo.

—Hábleme de Phelps —dijo Austin—. Estaba al mando de la banda en el almacén.

—Los Diablos son la banda local. Se reúnen en el almacén. Es allí donde reciben las órdenes del jefe. Nunca sabes si será un hombre o una mujer. Pero el holograma es fantástico, ¿no?

Yoo miró los rostros implacables y su sonrisa se desvaneció.

—Vale —dijo, y se movió inquieto en la silla—. Phelps es un mercenario. No sé mucho de él, va y viene. Se encarga de los grandes trabajos para la tríada.

—¿No es poco habitual tener a un extranjero de tan alto nivel? —preguntó Austin.

—La jefatura nunca confía del todo en nadie que no sea chino. Ni siquiera confían los unos en los otros, y es por eso que utilizan los hologramas. De esa manera, pueden aparecer en cualquier lugar del mundo y dar las órdenes sin siquiera estar allí.

—¿Por qué sus jefes quisieron secuestrarnos a Joe y a mí?

—No les caen bien. Advertí a Phleps que estábamos jugando con fuego al secuestrar a alguien de una gran agencia gubernamental como la NUMA. Respondió que no importaba, que eran las órdenes recibidas. Confiaban en que se presentasen a la vez, pero Joe sirvió de señuelo.

—¿Cómo podían estar seguros de que encontraría a Joe?

—Phelps iba a llamarlo haciéndose pasar por un agente del FBI para darle la ubicación de Joe. Supongo que no recibió el mensaje.

—Supongo que no.

Entonces Austin le formuló una pregunta que no tenía relación con lo ocurrido.

—¿Qué sabe de Bonefish Key?

Yoo le dirigió una mirada tan transparente que no podía ser fingida.

Austin creía que Yoo sabía más de lo que decía y que tenía un cargo más alto en la tríada, pero acabó con el interrogatorio.

—Ya he acabado.

—¿Puedo irme a casa? —preguntó Yoo.

—Después de que hablemos un poco más —respondió Caitlin—, te llevaremos de vuelta a Washington. Pero no se acaba ahí.

—Puedo negociar. Hablemos.

—Bien —dijo Caitlin—. Espiarás a la tríada para nosotros. Si creemos que nos estás engañando, haremos saber a través de nuestra gente en Hong Kong que te has cambiado de bando.

—Eso no me convendría —admitió Yoo—. Lo haré.

Le interrogaron un rato más hasta que decidieron que había poco más que ganar. Le volvieron a tapar los ojos y la boca, y lo llevaron de vuelta el edificio del FBI. Allí le quitaron la cinta aislante y lo dejaron en la acera. Luego regresaron a la NUMA.

—Tengo la cabeza hecha un lío —dijo Caitlin—. ¿Qué acaba de pasar?

—La Pyramid ha desarrollado un virus de la gripe que piensan utilizar para derribar al gobierno chino —contestó Austin—. Secuestraron el laboratorio donde preparan la vacuna y, una vez que la tríada derroque al gobierno, la Pyramid sacará al mercado la vacuna en todo el mundo y ganará miles de millones.

—Centenares de miles de personas morirán antes de que eso ocurra —señaló la agente.

—¿Crees que importa a alguien de la Pyramid? —preguntó Kurt.

—No, por lo que he visto. ¿Por dónde empezamos?

—Debes conseguir que la unidad del crimen asiático acabe con los Diablos. Mientras tú te ocupas de eso, Joe y yo intentaremos encontrar el laboratorio.

—¿Qué hago con Charlie Yoo?

—Utilízalo y después que se las arregle.

—Eso me gusta —dijo Caitlin con una sonrisa malvada.

La agente dejó a la pareja en el edificio de la NUMA. Austin y Zavala se separaron para ir a hacer el equipaje y dijeron que volverían a encontrarse en el aeropuerto.

Austin buscó los mensajes del móvil mientras iban a su casa. Lo había dejado en el coche cuando fue a investigar el almacén. Escuchó el mensaje de Phelps diciendo que era un agente del FBI. Yoo había dicho la verdad al menos en una cosa.

Austin apagó el móvil y pisó a fondo el acelerador.

El tiempo, como siempre, se había convertido en enemigo.

30

A las tres de la mañana, un vehículo azul de la marina se detuvo delante de un hangar del aeropuerto nacional Reagan junto a un flamante Cessna Citation X que llevaba el nombre de la NUMA escrito en letras negras sobre el fuselaje turquesa. Austin y Casey se apearon del coche, y el teniente dio a Kurt un sobre de plástico.

—Aquí tiene todos los detalles de la misión de la que hablamos en el viaje al aeropuerto —dijo Casey—. Buena suerte, Kurt, y tenga mucho cuidado con los tiburones.

—Gracias, teniente —contestó Austin. Se estrecharon la mano—. Pero prefiero a un devorador de hombres antes que a todos los políticos de dientes afilados y los burócratas que nadan en las aguas del Potomac.

Casey le dirigió una sonrisa de suficiencia.

—No olvidaré tener a mano el repelente de tiburones, Kurt.

—Puede que otra clase de repelente resulte ser más adecuado en Washington, pero buena suerte de todas maneras.

Austin cogió el macuto del coche y lo entregó a un encargado de equipajes que lo metió en la bodega del reactor. Con el sobre debajo del brazo subió hasta la puerta y allí se detuvo. Unos faros se acercaban al Citation, y la música de salsa atronó desde los altavoces del coche de Zavala, que cruzaba la pista con la capota baja.

El Cornette se detuvo junto al hangar, y Zavala le saludó con una mano. Austin sacudió la cabeza. Como si quisiese compensar la suavidad de sus modales, Zavala nunca llegaba como cualquiera a su destino, sino que hacía una gran entrada. Austin respondió al saludo, entró en la lujosa cabina y dejó el sobre en una mesa. Mientras Austin iba a hablar con los pilotos, Zavala levantó la capota del Cornette, cogió el macuto, lo dio al encargado de los equipajes y subió a bordo. Cuando entró en la cabina, Austin volvía de hablar con los pilotos.

—Vamos bien de tiempo —notificó a Zavala.

Los asientos eran de cuero beige y había un sofá que podía convertirse en cama. Zavala se estiró en uno de los cómodos sillones, bostezó y preguntó:

—¿Alguna idea de adónde vamos?

Austin se sentó en el sofá, recogió el sobre de la mesa y lo sostuvo en alto para que Zavala pudiese leer la etiqueta que decía: ALTO SECRETO.

—Nuestras órdenes de marcha —anunció.

Rompió el sello con la uña del pulgar y sacó un grueso fajo de papeles. Desplegó la primera página, que estaba cubierta de diagramas, y la pasó a Zavala. Joe echó una ojeada, y luego leyó en voz alta las palabras escritas en letras de imprenta:

«Hábitat y observatorio submarino de la marina de Estados Unidos».

Zavala apartó la vista de los diagramas.

—Son los planos del laboratorio —dijo, y sus ojos oscuros brillaron de entusiasmo.

Austin asintió.

Zavala colocó los diagramas sobre la mesa con mucho cuidado. Observó los detalles de las esferas y los pasillos que las unían de la misma manera en que algunos hombres podían contemplar la foto de una mujer desnuda. Como brillante diseñador de docenas de sumergibles de la NUMA, prestó una especial atención a los planos del transbordador y a los sumergibles que recogían especies para el laboratorio. Al cabo de unos pocos minutos, dio su opinión desde el punto de vista de un ingeniero naval que se había enfrentado muchas veces con los duros desafíos planteados por las corrientes, la profundidad, la presión y el agua salada.

—Soberbio —afirmó Zavala con una clara admiración. Frunció el entrecejo—. Resulta difícil creer que algo de este tamaño pueda desaparecer.

—El diseño del laboratorio quizá explique cómo fue posible el secuestro —señaló Austin—. Si te fijas, verás que se concibió como un observatorio submarino móvil. El teniente Casey dijo que la marina construyó los componentes en tierra, los llevaron al mar en unas barcazas diseñadas para ese propósito, armaron las partes y después bajaron el laboratorio a su posición. Construyeron flotadores, y reforzaron las estructuras de las esferas y los pasillos de forma tal que el laboratorio pudiera ser trasladado sin desarmarse. Además cuenta con un sistema de estabilización que lo mantiene nivelado durante el transporte.

Zavala sacó un bolígrafo del bolsillo de la camisa y lo colocó sobre el diagrama.

—Imagina que el bolígrafo es un submarino o un sumergible grande —dijo—. Lo enganchan al laboratorio, bombean hasta que adquiere una flotación neutra y lo arrastran.

—Las grandes mentes piensan de la misma manera —afirmó Austin—. El gobierno ruso ha intentando vender su flota de submarinos Tifón para ser utilizados como transportes de carga en el Ártico. Quizá encontraron un comprador.

—Eso resuelve parte del misterio —dijo Zavala—. Si esto es un secreto, ¿cómo se enteraron los secuestradores de la existencia del laboratorio y dónde estaba ubicado?

—La seguridad del laboratorio estaba asignada a un contratista privado —respondió Austin—, y ese puede haber sido el punto débil. La marina habló con los supervivientes del barco de apoyo. El teniente Casey dijo que la tripulación recibió la solicitud de la compañía de seguridad para que llevasen a un representante al laboratorio poco antes del ataque. Dijeron que era un tipo amable con acento sureño. No puede ser otro que Phelps.

—Phelps admitió que había secuestrado el laboratorio —añadió Austin—. Lo que no dijo fue que el representante de la compañía que autorizó su visita había muerto en un accidente. Yo creo que le obligaron a dar una identificación a Phelps y después le mataron.

—Una coincidencia muy conveniente —opinó Zavala—. ¿Cuál es la última posición conocida del laboratorio?

Austin sacó un mapa del sobre y lo desplegó sobre la mesa. Había una zona del océano Pacífico marcada con rotulador negro cera de la isla Pohnpei en la Micronesia.

Zavala se echó hacia atrás en la silla y entrelazó las manos detrás de la nuca.

—Eso lo reduce un poco —comentó con una expresión agria—. Podríamos tardar meses en encontrar el laboratorio.

—Sandecker dice que tenemos que encontrarlo en menos de setenta y dos horas.

—Me sorprende que el viejo lobo no nos pidiera que resolviésemos el problema del hambre mundial y la crisis energética en nuestro tiempo libre.

—No les des ideas —dijo Austin—. Querrá que limpiemos los océanos en la pausa del café.

El sonido de unos motores rompió la quietud de la mañana. Austin se levantó para ir a la puerta. Un avión de la NUMA se acercaba al hangar. Se apagaron las turbinas, y tres figuras descendieron del avión y cruzaron la pista hacia el Citation. Austin vio la silueta alta de Paul Trout y el pelo rojo de Gamay. No sabía quién era la mujer asiática que caminaba junto a la pareja.

Austin saludó a los Trout y advirtió a Paul que agachase la cabeza al entrar en la cabina. Saludó a la mujer asiática con una sonrisa amistosa.

—Usted debe de ser la doctora Song Lee. —Austin le tendió la mano—. Soy Kurt Austin. Él es Joe Zavala. Somos de la NUMA. Gracias por venir a Washington.

—Gracias a usted por haber enviado a Paul y a Gamay a Bonefish Key, señor Austin —dijo Lee—. Estaría muerta si no hubieran llegado cuando lo hicieron.

Los ojos de Kurt se recrearon en la belleza de Song Lee.

—Habría sido una pena, doctora Lee. Por favor, siéntese. No tenemos mucho tiempo, y usted debe de tener muchas preguntas.

Song Lee se sentó en el sofá y miró alrededor asombrada. Con su imponente físico, su tranquila competencia y su naturalidad frente al peligro, los Trout le habían parecido personas impresionantes. Pero aquel hombre de pelo canoso, de anchos hombros y perfil esculpido era aún más intrigante. Los modales corteses de Austin no podían disimular la valentía y el atrevimiento que observaba en sus singulares ojos de color azul coral. En cuanto a su amigo Zavala, tenía todo el aspecto de un príncipe pirata.

—Los Trout me relataron el ataque a la batisfera —dijo Lee—. ¿Sabe dónde está el doctor Kane?

—Sano y salvo. Hablé con Kane anoche, y me informó de las investigaciones en Bonefish Key y en el laboratorio submarino.

Lee lo miró boquiabierta.

—Conocía la existencia del laboratorio secreto, pero no tenía idea de que estuviese en el fondo del mar.

—En el océano Pacífico, para ser exactos. En aguas de la Micronesia a cien metros por debajo de la superficie.

Lee tenía una expresión de asombro en sus delicadas facciones.

—El doctor Kane puede ser poco convencional —comentó—, pero nunca imaginé nada parecido.

—El trabajo y la ubicación del laboratorio eran un secreto de máximo nivel —continuó Austin—, pero, no sabemos cómo, fue secuestrado junto con el personal. Joe y yo creemos que la desaparición del laboratorio, el ataque a la batisfera y el intento de secuestrarla están vinculados. El doctor Kane me habló del Proyecto Medusa. ¿Cuál era su trabajo en el laboratorio de Florida?

—Soy viróloga y epidemióloga —contestó Lee—. Me quedé en Bonefish Key para trazar la probable evolución que seguiría una epidemia y los lugares donde situar nuestros recursos y las instalaciones para producir la vacuna.

—Eso la convertiría en parte integral del proyecto.

—Querría creerlo así. La vacuna sería inútil sin una estrategia para suministrarla. Sería como si un general enviase a sus tropas a la batalla sin un plan.

—¿Qué consecuencias habría sufrido el proyecto si la hubieran secuestrado?

—Muy pocas —dijo ella, y se encogió de hombros—. Los planes ya estaban casi trazados, a la espera de que se sintetizase una vacuna viable. Desaparecido el laboratorio, no hay muchas posibilidades de que eso ocurra.

—No renuncie a la esperanza, doctora Lee. Hay un gran operativo de búsqueda. Es más, Joe y yo iremos a la Micronesia para ver si podemos ayudar.

Lee miró el mapa en la mesa.

—¿Irán a Pohnpei? —preguntó.

—Eso parece —dijo Austin—. ¿Ha estado allí?

—No, pero la isla fue el epicentro de una epidemia letal que castigó a la flota ballenera del Pacífico a mediados de 1800. Es muy significativo.

—¿En qué sentido, doctora Lee?

—En Harvard llevé a cabo una investigación para el profesor Codman basado en un artículo que encontré en una vieja revista médica. El autor había reunido las estadísticas de un grupo de balleneros de New Bedford que habían vivido libres de toda enfermedad durante la mayor parte de sus largas vidas.

Austin intentó consultar su reloj sin parecer demasiado

obvio. Le interesaban muy poco los fenómenos médicos. El silbido de las turbinas que se calentaban le dio una excusa.

—Ha sido un placer conocerla —dijo—. No tardaremos en despegar...

—Escúcheme, señor Austin. —Lee alzó la voz por encima del estrépito de las turbinas.

Austin sonrió ante la inesperada firmeza.

—Continúe, doctora Lee, pero por favor, sea breve.

Ella asintió.

—Los hombres del grupo de estudio habían navegado todos en el ballenero *Princess*. Enfermaron después de que el barco recalase en Pohnpei.

—Sigo sin ver la relación con el laboratorio...

Esta vez fue el turno de Song Lee para mostrarse impaciente.

—Lo tiene delante de las narices, señor Austin. ¡Toda la tripulación se salvó! Si eso no llama su atención, quizá esto lo haga: los síntomas de la enfermedad eran idénticos a los de esta última epidemia. Los tripulantes tendrían que haber muerto, pero en cambio gozaron de una excelente salud durante el resto de sus vidas. De alguna manera, se curaron.

—¿Me está diciendo que aquello que curó a los balleneros podría servir para el nuevo virus? —preguntó Austin.

—Así es.

La maquinaria mental de Austin se puso en marcha. Un grupo de balleneros había vivido libre de enfermedades hasta una edad muy avanzada después de un viaje a Micronesia, en el mismo lugar donde estaba el hábitat de la medusa azul. Lo relacionó con aquello que le había dicho Kane sobre la toxina que mantenía a la presa sana hasta que la medusa se la comía. Miró a sus colegas.

—El diario de a bordo del *Princess* correspondiente a aquella expedición sería una lectura muy interesante —comentó Paul Trout.

—Intenté dar con el diario de 1848 en la biblioteca de Harvard —dijo Lee—. Mi búsqueda me llevó a New Bedford. Un vendedor de libros antiguos llamado Brimmer mencionó que quizá podría encontrarlo, pero yo estaba a punto de emprender el regreso a mi casa y tuve que dejarlo correr.

La voz del piloto sonó desde la cabina.

—Tenemos autorización para el despegue. Cuando ustedes quieran.

—Gracias, doctora Lee —dijo Austin—. Lamento interrumpirla, pero tenemos que marcharnos.

—Quiero ir con ustedes —dijo ella sin pensarlo.

La afirmación había escapado de su boca por propia voluntad, pero entonces la recalcó adelantando la barbilla.

—No es posible —respondió Austin—. Estaremos en constante movimiento y las cosas pueden ponerse difíciles. Joe ha encontrado una información que sugiere que la Pyramid, una tríada china, está involucrada en todo esto.

—¿Una tríada? —La doctora se rehízo de la sorpresa de inmediato—. ¿Por qué una tríada se interesaría en la búsqueda de una vacuna antigripal?

Zavala respondió a la pregunta.

—La tríada desarrolló el virus como parte de un plan para desestabilizar al gobierno chino. Su vacuna habría echado por tierra los planes. Necesitaban controlar el laboratorio para impedir que el antiviral fuese utilizado por otros.

—Esto es abrumador —dijo Song Lee—, pero tiene sentido. A mi gobierno le aterrorizan los disturbios sociales y por eso reprime con tanta dureza cualquier protesta organizada. Razón de más para que me lleven con ustedes. Debo ser parte de cualquier intento para detener algo que han comenzado mis compatriotas. Conozco a fondo todo el programa de investigación y quizá haya algo relevante en Pohnpei.

Austin observó la camiseta y los pantalones que olían a humo de Lee; al parecer, eran las mismas prendas que había usado en Bonefish Key.

—Viaja con muy poco equipaje, doctora Lee. Podemos darle un cepillo de dientes, pero poca cosa más.

—Le acepto el cepillo de dientes... y me compraré ropa cuando lleguemos allí.

Austin se echó hacia atrás en el asiento y se cruzó de brazos. A pesar de su lenguaje corporal, disfrutaba con la demostración de coraje de Song Lee.

—Adelante, doctora Lee. Tiene treinta segundos para exponer su tesis.

Ella asintió.

—Creo que la medusa azul, que el laboratorio utilizaba en las investigaciones, era parte del medicamento nativo utilizado para curar a la tripulación del *Princess*. Si encontramos el lugar donde ocurrió, podríamos hallar el laboratorio.

—Es una posibilidad muy pequeña, doctora Lee.

—Lo sé, señor Austin. Pero es algo. Ahora mismo, no tenemos nada. Por favor, no me diga que es más peligroso que los manglares de Florida donde fui secuestrada y casi me matan.

Zavala rió por lo bajo.

—La dama no se equivoca —dijo.

Austin miró a los Trout.

—¿Qué opináis vosotros?

—Pensaba en dejar a la doctora Lee con mi tía Lizbeth en Cuttyhunk Island hasta que pasase el peligro —dijo Paul.

Gamay rió a carcajadas.

—Conozco a tu tía Lizzy. Volvería loca a esta pobre mujer con su incesante charla sobre la mejor confitura de ciruelas.

—Gamay tiene razón respecto a mi tía Lizzy —admitió Paul—, y la doctora Lee tiene razón cuando dice que su experiencia en el trabajo del laboratorio podría ser muy útil. Sé lo mucho que te gusta la seguridad.

Austin tenía fama en la NUMA de una osadía que bordeaba lo temerario. Aquellos que trabajaban con él, como los Trout, sabían que sus riesgos siempre eran calculados. Era como un tahúr que no solo tenía una sino dos cartas en la manga.

Austin levantó las manos.

—Al parecer me superan en número, doctora Lee. —Llamó a la cabina—. Preparado para despegar en cinco minutos —dijo al piloto.

—¿Qué quieres que hagamos mientras estás en Micronesia? —preguntó Gamay.

—Llama al teniente Casey y dile que la doctora Lee viaja con nosotros. Llama a la amiga de Joe en el FBI y ponla al corriente. —Hizo una pausa y después añadió—: A ver si puedes encontrar el diario de a bordo del *Princess*.

—Comenzaremos con Perlmutter y te diremos algo —dijo Paul.

Los Trout les desearon buena suerte y bajaron del reactor. Lo observaron mientras rodaba por la pista y despegaba.

Paul miró las nubes rosadas del alba.

—Cielo rojo al amanecer es que el mar se ha de mover —sentenció.

—Esas predicciones han quedado obsoletas desde que pusieron en órbita los satélites meteorológicos, capitán Coraje —dijo Gamay.

Paul era un pescador de tercera generación y el saber popular basado en la observación de los fenómenos atmosféricos había pasado en su familia de padres a hijos. Gamay se enfadaba cada vez que Paul le salía con alguna de aquellas viejas frases de lobo de mar.

—Una tormenta sigue siendo una tormenta —afirmó con una sonrisa.

—Ponte tu traje impermeable —dijo Gamay mientras le cogía del brazo—. No has visto ninguna tormenta comparable con sacar a Perlmutter de la cama.

31

Julien Perlmutter acostumbraba trabajar hasta la madrugada y dormía hasta mucho más tarde de la salida del sol. Por lo tanto, cuando sonó el teléfono como la campana de un barco junto a su gran cama de agua y despertó al famoso historiador naval de su profundo sueño, su saludo tenía cierto retintín.

Su mano regordeta cogió el antiguo teléfono de origen francés y se lo llevó al oído. Todavía dormido, gritó:

—Julien Perlmutter. Diga qué demonios quiere de la forma más breve posible. Más le vale tener una buena excusa para llamar a esta hora intempestiva.

—Buenos días, Julien —dijo una dulce voz femenina—. Espero no haberte despertado.

Las facciones rubicundas que quedaban casi ocultas por la barba gris sufrieron una milagrosa transformación. Desapareció el enfado, los ojos azul cielo brillaron de buen humor y los labios rosados debajo de la pequeña nariz respingona se abrieron en una cálida sonrisa.

—Buenos días, mi querida Gamay —dijo Julien—. Por supuesto que no me has despertado. Estaba en esa deliciosa fase entre dormido y despierto, soñando con el desayuno.

Gamay rió por lo bajo. Era raro el momento en que Julien, que pesaba ciento ochenta kilos, no estuviese pensando en comida.

—Me alegra saberlo, Julien, porque Paul y yo queremos hacerte una visita. Te llevaremos algunos manjares.

Julien se relamió ante la perspectiva.

—Haré el café —dijo—. Sabéis donde vivo.

Colgó el teléfono y se levantó de la cama colocada en una habitación que era una mezcla de dormitorio, sala de estar y despacho. Julien había instalado su casa en una vieja cochera entre dos mansiones cubiertas de hiedras a solo unas manzanas de la casa de los Trout. Las estanterías que ocupaban todas las paredes desde el suelo hasta el techo se combaban bajo el peso de miles de libros. Había más libros apilados en las sillas y las mesas, en el suelo en precarias pilas, e incluso cubrían los pies de la ondulante cama de agua.

Lo primero que veía Julien cada mañana al abrir los ojos era lo que muchos expertos reconocían como la mejor colección de libros de historia naval. Los eruditos de todo el mundo estaban verdes de envidia ante su impresionante colección. Julien tenía que rechazar una y otra vez las llamadas de los museos que querían que la donase a sus bibliotecas.

Se puso una bata roja y dorada sobre el pijama de seda púrpura y se calzó unas suaves zapatillas de cuero. Fue a la cocina para preparar una cafetera de café de Papúa Nueva Guinea. Luego se lavó la cara y los dientes. Se sirvió el espeso café color chocolate en una taza de porcelana de Limoges. La deliciosa fragancia casi lo hizo babear.

Un sorbo de café lo despertó del todo. Se sentía casi humano cuando sonó el timbre. Abrió la puerta, y su sonrisa se esfumó al ver la caja de Dunkin' Donuts en las manos de Paul. Julien se echó atrás como un vampiro al que le ofrecieran ajo, y habría escapado al interior de la casa si Trout no hubiese levantado la tapa de la caja.

—Solo te gastaba una broma —dijo Paul con una sonrisa traviesa.

—Hemos comprado todas estas exquisiteces en la tienda de delicatessen de la esquina —dijo Gamay—. Salmón ahumado escocés, blini y caviar, y cruasanes recién hechos. Nada que ver con tus notables creaciones culinarias, pero hemos creído que quizá no querrías cocinar a esta hora de la mañana.

Julien se llevó una mano al pecho y con la otra cogió la caja, como si tuviese miedo de que estuviese contaminada, y los invitó a pasar.

—Por un momento me habéis pillado —comentó, recuperado su buen humor—. Es obvio que pasáis mucho tiempo con ese joven atrevido de Austin. Por cierto, ¿dónde andan Kurt y Joe? Lo último que sé es que estaban sumergiéndose con una réplica de la batisfera.

—Van de camino a Micronesia a cumplir con una misión —contestó Gamay.

—¿Micronesia? Es un lugar que me gustaría visitar. Me han dicho que celebran todas las grandes fiestas con unos estupendos banquetes.

Julien llevó a sus visitantes a la cocina, les sirvió sendas tazas del café de Nueva Guinea y repartió las viandas en tres platos de porcelana de Limoges. Se sentaron a la pulida mesa de cocina, una de las pocas superficies planas de la casa que no estaba ocupada por libros.

—Lamento lo temprano de la hora —comenzó Paul—, pero hay cierta urgencia en nuestra búsqueda. Estamos tratando de rastrear el diario de a bordo del año 1848 de un ballenero de Nueva Inglaterra llamado *Princess*. Esperamos que tú nos digas por dónde empezar.

Las cejas de Julien se alzaron y bajaron.

—¡El barco de Caleb Nye! —exclamó.

Gamay echó la cabeza hacia atrás y rió.

—Nunca dejas de sorprenderme, Julien —dijo—. Mencionamos a un ballenero, uno entre centenares, y tienes el nombre del capitán en la punta de la lengua.

—Solo porque ese joven tuvo una experiencia muy memorable en los anales de los balleneros. Caleb no era el capitán. Era el novato del barco. Afirmaba haber sido tragado por un cachalote. La historia fue muy conocida en su época.

—¿Es eso posible? —preguntó Paul.

Julien mordisqueó pensativo un cruasán y después respondió:

—Es algo que se viene discutiendo desde Jonás. Nye no fue el único en proclamar que un cachalote se lo había comido. En 1891, unos años después de la aventura de Nye, un ballenero llamado James Bartley, que servía a bordo del *Estrella de Oriente*, navegaba en aguas de las islas Malvinas, en el Atlántico Sur, y desapareció después de que un cachalote hiciera zozobrar su ballenera. Más tarde, cuando la tripulación descuartizaba la ballena para sacar la grasa, encontraron a Bartley vivo. La piel y el pelo se le habían vuelto blancos, al parecer por los jugos gástricos del mamífero. Volvió al trabajo después de unas pocas semanas de descanso. Al menos es lo que cuenta la historia...

—Noto un tono de escepticismo en tu voz —comentó Paul.

—Con toda razón. La historia de Bartley es una de aquellas que nunca muere, como las del Yeti o del monstruo del lago Ness. De vez en cuando, algún escritor que resucita el tema me llama. Les digo que lean a Edward B. Davis, que investigó a fondo la historia.

—¿Cuáles fueron sus conclusiones? —preguntó Paul.

—Davis buscó todos los documentos que pudo sobre la historia de Bartley. Existió en realidad una nave llamada *Estrella de Oriente*, pero nada que confirmase el informe de que Bartley había sido atendido en un hospital de Londres para observar los efectos de los jugos gástricos de una ballena sobre la piel. Además, la esposa del capitán del barco dijo que la historia era una invención. El *Estrella* no era un ballenero, y los británicos por aquel entonces no cazaban ballenas en las Malvinas. A pesar de esas declaraciones, las historias de la supuesta peripecia de Bartley se han mantenido a lo largo de los años.

Paul se volvió hacia Gamay.

—Tú eres la bióloga marina de la familia. ¿Es posible que un cachalote devore a un hombre?

—Han encontrado calamares gigantes en los estómagos de los cachalotes, así que fisiológicamente podría ser posible.

Julien probó el salmón, se secó los labios y declaró que era apto para consumo humano.

—Davis sostuvo que Bartley se aprovechó de la palidez de su piel —dijo—. Utilizó el nombre de un barco real, consultó algunas historias en los periódicos locales e incluso convenció a un amigo para que se hiciese pasar por capitán. Acabó formando parte de un circo, donde se anunciaba como el Jonás del siglo XIX.

Gamay frunció el entrecejo.

—Fascinante —comentó—. Pero ¿qué tiene que ver con Caleb Nye y el *Princess*?

Julien apartó el plato vacío y se levantó. Sabía dónde encontrar cada libro de su enorme colección. Abrió un armario metálico, a prueba de humedad y con la temperatura controlada para proteger los documentos, y sacó un cartel de sesenta por noventa centímetros. Anunciaba con grandes letras de imprenta que CALEB NYE, UN JONÁS VIVIENTE, ofrecería una PRESENTACIÓN ILUSTRADA en la PRIMERA IGLESIA METODISTA EN WORCESTER, MASSACHUSETTS. La litografía, coloreada a mano, mostraba a un cachalote atacando a una ballenera.

—Yo creo que Bartley se enteró del espectáculo de Caleb y decidió montar uno por su cuenta —dijo—. Tras recibir otra petición de un periodista, decidí ir más allá de la investigación de Davis. Fue entonces cuando descubrí que unos cincuenta años antes de que apareciese Bartley, Nye había sido la estrella de un espectáculo ambulante que lo presentaba como el Jonás moderno.

—La historia de Caleb ¿no era más que una primera versión del engaño? —dijo Gamay.

Julien se mesó la barba.

—Creo que no. A diferencia de Bartley, Caleb Nye sirvió a bordo de un ballenero en el océano Pacífico, y los testigos declararon que se lo había tragado un cachalote. Presentó declaraciones juradas del patrón del barco, el capitán Horatio Dobbs, y de otros tripulantes donde se informaba de que la historia era verídica. Creo que Bartley utilizó la historia de Nye. Por desgracia, el escepticismo creado por la historia de Bartley perjudicó a la de Nye. ¿Dijisteis que buscabais el diario de a bordo de 1848 del *Princess*?

—Así es —dijo Paul—. Confiamos en que tú puedas ayudarnos a dar con su paradero.

—Una decisión muy sabía por vuestra parte. Sugiero que comencéis con Rachael Dobbs.

—¿Rachael está relacionada con el capitán? —preguntó Gamay.

—Es una tataranieta. Vive en New Bedford, y es la encargada del Museo Dobbs. Hablé con ella cuando investigaba el tema.

—Podemos estar allí en un par de horas —dijo Paul.

—Muy bien. La llamaré.

Julien consultó la agenda y marcó un número. Habló amablemente con alguien, colgó y dijo:

—Os recibirá a las tres, pero tiene buenas y malas noticias. La buena noticia es que el diario de a bordo de 1848 fue dado a Caleb Nye. La mala es que un incendio destruyó la biblioteca de Nye.

—Creo que no vamos a viajar a New Bedford —dijo Paul, que sacudió la cabeza.

—¿Por qué la gente de Nueva Inglaterra es tan pesimista? —preguntó Gamay.

—Porque somos realistas —respondió Paul—. Sin el diario de a bordo, no sabemos dónde estuvo el *Princess* después de dejar Pohnpei.

—Es verdad —dijo Gamay—. Pero quizá no necesitemos el diario si nos concentramos en Caleb Nye.

—Por supuesto —dijo Paul y chasqueó los dedos—. Caleb

fue testigo del viaje. Habló a centenares de personas de la experiencia. Quizá encontremos a alguien en alguna parte con los detalles de su viaje.

—Vale la pena una charla con la señora Dobbs —dijo Julien—. Por cierto, no me habéis dicho por qué os interesa el diario de a bordo.

—Es una larga historia, Julien —dijo Paul—. Te lo contaremos todo mientras cenamos a nuestro regreso. Tú eliges. Invitamos nosotros.

La sugerencia apartó a Julien del tema del diario de a bordo, que era lo que pretendía Paul.

—Hay un restaurante francés nuevo cerca del Watergate que tengo la intención de probar —dijo Julien—. Pero volvamos a lo nuestro.

Buscó en una sección de las estanterías y comenzó a sacar libros. Minutos más tarde, los Trout salieron de la casa cargados con los libros escogidos de la colección de temas balleneros. Los colocaron en el maletero del Mini Cooper Clubman, que utilizaban como coche de ciudad.

En el breve trayecto hasta su casa, Paul comentó:

—Detesto ser pesimista una vez más, pero Kurt y Joe se han asignado a sí mismos una impresionante tarea. Encontrar el laboratorio desaparecido puede ser imposible. Nosotros podríamos estar haciendo algo más importante que rastrear un ballenero del siglo XIX, cuyas aventuras pueden o no tener importancia en el caso.

Gamay asintió.

—Comprendo que este viaje puede ser la pérdida de un tiempo del que no disponemos —dijo—, pero hay un hecho ineludible.

—¿Cuál es?

—Caleb Nye es todo lo que tenemos.

32

Mientras el reactor cruzaba el continente norteamericano en dirección oeste a novecientos sesenta kilómetros por hora, reinaba el silencio en la cabina, donde los pasajeros dormían profundamente con catorce mil metros de aire debajo de las almohadas.

Song Lee fue la primera en dormirse, seguida por Joe Zavala, que se acomodó en la butaca reclinada al máximo. Kurt Austin leyó un rato más, luego dejó a un lado los documentos que le había dado Casey y miró a Song, que dormía en el sofá. Sus piernas desnudas asomaban por debajo de la manta. Austin la tapó, y fue a la cabina de mando para comunicarse con el encargado de operaciones terrestres del aeropuerto de Los Ángeles. Volvió, se sentó en su butaca y en cuestión de minutos se quedó dormido.

Cuando los pasajeros bajaron en el aeropuerto de Los Ángeles para estirar las piernas, el encargado de operaciones terrestres esperaba para dar a Lee una bolsa de plástico. A petición de Austin, el hombre había llamado a su esposa y esta se había ocupado de buscar a Lee prendas con las cuales reemplazar la camiseta y los pantalones cortos que llevaba desde Bonefish Key.

Lee abrió la bolsa, soltó una exclamación de regocijo y corrió a un hangar para probarse las prendas. Se dio una ducha rápida, hizo una fugaz llamada telefónica después de vestirse y a continuación el reactor despegó de nuevo para proseguir el viaje a Honolulú. Con la costa de California perdiéndose en la distancia, Lee se sentó junto a Austin y Zavala, que estudiaban los mapas y cartas náuticas que estaban en el sobre del teniente Casey. Vestía unos pantalones de algodón negro y una blusa blanca sin mangas que se veían muy elegantes en su delgada figura.

—Tengo entendido que se encargó de conseguirme un nuevo vestuario. Muchas gracias, Kurt. Las prendas me van a la perfección.

—Los marineros somos muy buenos tomando medidas con los ojos —dijo Austin.

Vio a Zavala mover los labios para decir «Bien dicho», y comprendió que había comparado el esbelto cuerpo de Song Lee con la quilla de un barco. Se apresuró a cambiar de tema.

—Son los planos del laboratorio submarino del doctor Kane. A partir de la disposición, ¿puede decirme qué pasa allí?

—Lo intentaré. —Miró los planos—. Estas esferas marcadas como «dormitorios» y «administración» son obvias. Las otras marcadas como «laboratorio» y «cultivo de recursos» solo cuentan parte de una historia.

—Tenemos mucho tiempo. Me interesa escuchar toda la historia, Song.

La científica se pellizcó la barbilla con un gesto pensativo.

—Imagínese el Proyecto Medusa como una obra en tres actos. En el acto primero se realiza la investigación básica de la toxina de la medusa en Bonefish Key. En el acto segundo tenemos la aplicación práctica de la investigación para conseguir sintetizar la vacuna, que se hace en el laboratorio submarino. El acto tercero sería la producción masiva de la vacuna en los centros elegidos. Ahora estamos en el segundo entreacto.

—¿Por qué han tenido ustedes más éxito que los demás laboratorios que se ocupan de biotecnología? —preguntó Austin.

—Porque el doctor Kane es un genio —declaró Lee—.

Reunió a los principales expertos en un nuevo campo conocido como biología de sistemas. La investigación era una mezcla de estudio de las proteínas, los genomas y las matemáticas. El laboratorio utilizaba la tecnología informática más avanzada para realizar la investigación.

—¿En qué difiere ese enfoque de la investigación convencional? —quiso saber Austin.

—Es la diferencia entre mirar a través de un telescopio y mirar una escena con los dos ojos. El laboratorio tenía centenares de ojos, que absorbían la información para después introducirla en un cerebro informático para su análisis. Incluso así, necesitamos de todos nuestros esfuerzos para descifrar la estructura molecular de la toxina y valorar la respuesta inmunológica que provocaba en un organismo vivo.

—El doctor Kane mencionó el desarrollo de una medusa genéticamente modificada para hacerla más grande y venenosa —dijo Austin.

Lee asintió.

—Quería producir más toxina y un organismo más brillante.

—Tengo entendido que cuanto más grande es la medusa, mayor es la cantidad de toxina. ¿Qué hay de la bioluminiscencia?

—El brillo de la criatura indica qué está pasando en sus procesos moleculares. Actúa como un termómetro biológico. El objetivo es producir la vacuna en grandes cantidades. Transferimos los genes que producían los compuestos esenciales a una bacteria capaz de acelerar el cultivo de la vacuna.

—El doctor Kane dijo que la toxina de la medusa no mata de inmediato sino que paraliza a la presa y la mantiene sana y viva.

—Un antiviral tiene que matar a los patógenos sin dañar al huésped. La toxina de la medusa iba más allá, protegiendo al organismo huésped durante un tiempo. El proceso se llama hormesis. En pequeñas dosis, una toxina puede poner en marcha mecanismos de curación en el cuerpo, quizá incluso retrasar el envejecimiento. Funciona de la misma manera que el ejercicio, que fuerza al cuerpo de forma tal que cambia el metabolismo para mejorarlo.

—Es aquello de que lo que no mata engorda —sentenció Austin.

—Es una descripción muy acertada —dijo Lee.

—La hormesis ¿podría tener alguna relación con la anomalía de New Bedford?

—Podría tenerla toda. Suministrada en la cantidad adecuada, la toxina de la medusa podría mejorar la salud de los sujetos y prolongarles la vida. —Lee ladeó la cabeza—. Ahora deje que le haga una pregunta.

—Adelante.

—Usted, Joe y los Trout han trabajado juntos en el pasado. ¿Quiénes son ustedes?

Austin le respondió de una manera que satisfaciese su curiosidad sin revelar demasiado del funcionamiento de su equipo.

—Somos miembros de un equipo especial de la NUMA que investiga los misterios oceánicos que se apartan de las posibilidades normales.

—Este misterio desde luego encaja en esa categoría —señaló Lee—. Gracias por ser sincero.

—Gracias a usted por informarme de las investigaciones del laboratorio. Hablemos de este nuevo virus de la gripe. ¿Hasta qué punto puede ser grave si se propaga más allá de las fronteras de China?

—Puede resultar de mucha gravedad. La neumonía atípica afectó a unas ocho mil personas y murieron menos de mil. Si este virus llega a su país, mataría a un mínimo de doscientas mil personas.

—¿Y el máximo?

—Se acercaría a millones. Pero incluso si fuesen centenares de miles, la epidemia paralizaría el sistema sanitario de cualquier país. Entre los muertos habría personal médico y sanitario, lo que aumentaría más las proporciones del desastre. El impacto total en el mundo industrializado sería de unas setecientas mil muertes y más de dos millones de personas hospitalizadas. Los países en vías de desarrollo lo tendrían mucho peor. El coste global ascendería a billones de dólares.

Austin no dejaba de mover las mandíbulas mientras escuchaba las terribles estadísticas.

—Acaba de describir una catástrofe mundial, Song.

—No sé si no me quedo corta. La comunidad médica se ha preocupado por la mutación de un virus de la gripe durante años. Incluso sin ayuda, el virus puede reinventarse a sí mismo, cambiar su estructura genética y atacar a personas que no están inmunizadas.

—La medicina ha evolucionado mucho más allá de lo que estaba en las pasadas epidemias.

—También el transporte —señaló Lee—. Un portador infectado en Estados Unidos o China podría propagar la enfermedad en cualquier parte del mundo en cuestión de horas. Las vacunas actuales no sirven, y por eso resulta tan importante desarrollar la vacuna de la medusa.

—¿Cómo se propaga el nuevo virus?

—El viejo virus se propagaba por contacto. La cepa mutante puede que se propague de esa manera, pero lo que es más grave es que puede propagarse por el agua.

—¿Está diciéndome que podría meterse en las capas freáticas?

—Es una posibilidad.

—También significa que el virus podría introducirse en el agua potable.

—Algo que complicaría todavía más el control de la dispersión. Todo el mundo bebe agua, mientras que el contacto personal es una cuestión de azar. En cualquier caso, es muy contagioso. Es posible que enfermase toda la especie humana.

Lee se sentía abatida emocionalmente por las implicaciones de sus palabras y esperaba que Austin compartiese su pesimismo. Pero, para su sorpresa, dijo:

—Gracias por su análisis, doctora Lee, pero no podemos permitir que ocurra.

—¿Qué pretende hacer?

—En cuanto encontremos el laboratorio, nos aseguraremos de que el personal está a salvo. Luego reemprenderemos la investigación y que siga adelante la producción de la vacuna. Después, procederemos a acabar con la tríada. ¿Tú qué dices, Joe?

—Yo digo que tendremos que comer algo para funcionar a tope. Veré qué puedo encontrar en la cocina.

Austin había expuesto su estrategia con la misma naturalidad de quien describe una jugada de un partido de fútbol. En lugar de asustarse, Zavala estaba preparando el desayuno. Lee no vio ninguna señal de locura o de humor en los rostros de los hombres de la NUMA, sino una serena determinación y una voluntad de acero.

Por primera vez desde que se había enterado de la desaparición del laboratorio, comenzó a tener esperanzas.

33

Los Trout hubieron de esperar hasta la tarde para tener un reactor disponible de la NUMA, pero el aeropuerto de New Bedford estaba a solo una hora de vuelo de Washington. Con Gamay como copiloto, Paul condujo el todoterreno alquilado más allá de las lujosas mansiones que bordeaban la calle y cogieron un camino en forma de herradura. Un cartel frente a la mansión de estilo neoclásico la identificaba como Museo y Jardines del capitán Horatio Dobbs.

Subieron a la galería, pasaron entre las columnas dóricas y tocaron el timbre. Una mujer de mediana edad abrió la puerta.

—Ay Dios —dijo, y su sonrisa se borró—. Creía que era el electricista.

—Me temo que no —respondió Gamay—. Somos de la NUMA. Llamamos antes desde Washington.

Reapareció la sonrisa.

—Ah, sí, los amigos del señor Perlmutter. Julien es un hombre encantador. Pasen. Soy Rachael Dobbs. Perdonen si me ven un tanto agitada. La fundación ha alquilado el patio para un concierto de jazz esta noche, y tienen un problema con el equipo de sonido.

Los Trout entraron en un vestíbulo de techo muy alto y siguieron a Rachael a lo largo de un pasillo. El parquet estaba encerado y brillaba como un espejo. Se detuvo delante de dos cuadros al óleo. El hombre barbudo de uno de los retratos sujetaba un sextante en sus grandes manos. Los ojos gris pedernal miraban por encima de una nariz aguileña. La mujer del otro retrato vestía un traje de terciopelo oscuro, con una sencilla gorguera de encaje que rodeaba su cuello de cisne. Sus grandes ojos castaños observaban con mirada firme. Sus labios esbozaban una ligera sonrisa, como si se riera de una broma secreta.

—Son mis tatarabuelos, el capitán Horatio y Hepsa Dobbs —explicó Rachael.

Hepsa y Rachael compartían el mismo pelo de color zanahoria.

—El parecido es sorprendente —comentó Paul.

—Agradezco el regalo del cabello rojo que me hizo Hepsa, pero habría preferido no heredar la nariz del capitán. Como ven, no era nada desdeñable.

Rachael llevó a los Trout por un recorrido de la mansión, y les presentó a todos los miembros de su familia desde los retratos que cubrían todas las paredes. Los hombres llevaban sombreros cuáqueros de ala ancha y las mujeres cofias.

Señaló una vitrina donde había un sombrero de copa.

—Aquel era el sombrero de la suerte del capitán. Lo llevaba cuando se embarcaba para cazar ballenas.

Salieron a una amplia terraza que daba a un jardín inglés con setos de rosales. Invitó a los Trout a sentarse a una mesa con sombrilla en el patio y les sirvió vasos de té frío.

—Gracias por la visita —dijo Gamay—. Es una casa preciosa.

—El capitán y su esposa se trasladaron aquí desde Johnny Cake Hill. Los balleneros querían casas más grandes y jardines que reflejasen su posición en la comunidad. ¿En qué puedo ayudarles? Julien me dijo que les interesaba uno de los diarios de a bordo del capitán.

—Recibimos la petición de una viróloga que nos preguntó por una epidemia que afectó a la flota ballenera del Pacífico en 1848 —respondió Gamay—. Estamos buscando los diarios de a bordo de aquella época para ver si encontramos alguna mención del acontecimiento.

Rachael enarcó las cejas.

—El viaje de 1848 fue la última expedición ballenera del capitán. Se retiró después de aquel viaje.

—¿No fue algo insólito? —preguntó Paul—. Por lo que sabemos, su antepasado era un ballenero muy bueno.

—Sin duda fue el mejor de su época. Tiene razón, es extraño que dejase de navegar en el momento cumbre de su carrera. Había llenado las bodegas con aceite de ballena en el primer viaje del barco y podría haber pedido el mando de cualquier buque. Dijo que quería pasar más tiempo con Hepsa, con quien se había casado antes de su última expedición.

—No le culpo por haber querido quedarse en casa —señaló Paul—. Su antepasada era una mujer hermosa.

Rachael se ruborizó ante el cumplido indirecto.

—Gracias. El capitán entró a trabajar para la familia Rotch. Crearon un modelo de integración vertical que todavía utilizan las multinacionales y lo aplicaron a la industria ballenera. —Hizo una pausa—. Según las leyendas de la familia Dobbs, ocurrió algo en aquel último viaje que le hizo cambiar de opinión.

—El rostro del capitán en aquel retrato no es el de un hombre que se asuste fácilmente —apuntó Paul.

—Estoy de acuerdo, señor Trout. El capitán había sido arponero antes de ascender. Cualquiera que se pone en pie en un frágil bote de madera y se enfrenta a un cachalote no es un débil de corazón.

Gamay se inclinó hacia delante.

—El incidente de Caleb Nye ¿pudo tener algo que ver con la decisión del capitán? —preguntó.

Rachael sacudió la cabeza.

—La experiencia de Caleb no debió de ser para él otra cosa que una magnífica historia que contaba cuando se reunía con otros capitanes de barco.

—Creo que explicó a Julien que el diario de a bordo de 1848 se perdió —dijo Gamay.

—Por desgracia, así fue —manifestó Rachael con un suspiro—. La biblioteca de Caleb se quemó cuando se incendió su casa. Debió de sentirse muy mal al perder su amada biblioteca. Ahora hay una residencia para ancianos en el lugar donde estaba su vieja mansión.

—¿No es curioso que el capitán diese su diario de a bordo a un antiguo tripulante? —dijo Gamay.

—En realidad no. El capitán sin duda conocía la biblioteca de Caleb. Además, había un vínculo especial entre los dos hombres. Se decía que el capitán se sentía responsable de la desafortunada condición del joven. Escribió una declaración jurada donde aseguraba que la historia de Jonás era verídica. La leían en el espectáculo ambulante y ayudó a convertir a Caleb en un hombre rico.

—¿Caleb escribió alguna vez un libro relatando su aventura?

—No, que yo sepa. Realizó un circuito de conferencias durante años bajo la guía de un promotor llamado Strater, y vendían panfletos en las conferencias, y seguramente aquello era más lucrativo que vender un libro. Tiene que haber muchos escritos que hablen de Caleb. Podrían buscar en los periódicos de entonces.

Rachael se disculpó para atender una llamada a la puerta y volvió al cabo de unos momentos.

—Ha llegado el electricista. Hablaremos más tarde, si no les importa esperar.

—Estamos escasos de tiempo —dijo Gamay—. ¿Tiene usted alguna sugerencia acerca de dónde podríamos encontrar algo más referente a Caleb Nye?

—Pueden empezar por el sótano. Tenemos una parte del diorama que Nye utilizaba en sus presentaciones. Lo donó a la biblioteca, pero se quedaron sin espacio y nos lo enviaron aquí. Tampoco nosotros tenemos sitio. Quizá se lo pueda mostrar cuando no esté tan ocupada. Mientras tanto, tienen el Museo de la Pesca de la Ballena de New Bedford, y varias sociedades históricas locales. Pero dada su premura de tiempo, hay otra posibilidad, aunque dudo en sugerirla.

—Necesitamos lo que sea —dijo Paul—. ¿Qué sugiere?

—En ese caso —dijo la mujer, y se encogió de hombros—, quizá querrían hablar con Harvey Brimmer. Se dedica a documentos antiguos en una tienda cerca del Seamen´s Bethel en Johnny Cake Hill. De vez en cuando encuentra algún documento antiguo realmente notable.

—¿Por qué duda en recomendar al señor Brimmer? —preguntó Paul.

—Harvey tiene fama de pedir dinero por adelantado, y luego no encontrar los documentos que debería buscar. También han corrido rumores sobre falsificaciones y ventas de documentos robados, pero los rumores son falsos... o es demasiado listo para que lo pillen. Creo más en esto último.

—Gracias por la advertencia —dijo Paul—. Tendremos cuidado si hablamos con el señor Brimmer.

—Por favor, no digan a Harvey que le mencioné. Lo aprovecharía como un permiso para utilizar el nombre de Dobbs en alguna publicidad.

Los Trout dieron a Rachael una considerable contribución para la caja de donaciones del museo. En el camino de salida, la mujer se detuvo delante de un cartel que mostraba un enorme molino textil.

—Es el molino Dobbs. El capitán se hizo todavía más rico cuando invirtió en el negocio textil. Era un hombre robusto y muy sano que habría vivido muchos años de no haber sufrido un accidente cuando uno de los telares se le cayó encima. Que tengan suerte con su búsqueda —dijo como despedida, y luego se apresuró a ir al encuentro del electricista.

—¿Brimmer no era el tipo con quien Song Lee se puso en contacto cuando buscaba el diario de a bordo? —preguntó Paul.

—Estoy segura de que ese era el nombre —respondió Gamay—. Quizá tengamos más suerte que ella.

Después de dejar la mansión Dobbs, los Trout fueron al muelle. Lo que había sido el centro de la industria ballenera mundial se había convertido con el paso de los siglos en varias manzanas de edificios históricos. En las viejas callejuelas adoquinadas, los viejos bancos y las tiendas de abastecimiento marino que habían atendido las necesidades de la industria del aceite de ballena ahora daban a la flota pesquera y a los edificios de procesamiento que se alzaban a la orilla del río Acushnet.

El local de Brimmer estaba en la planta baja de un edificio de madera de tres pisos. La descascarillada pintura roja dejaba a la vista una capa de imprimación gris, y el cartel de madera negra sobre la puerta estaba tan desvaído que casi hacía imposible leer el nombre del local: H. BRIMMER LIBROS, MAPAS y DOCUMENTOS ANTIGUOS. Los Trout entraron en la tienda y tardaron unos momentos en acomodar sus ojos a la penumbra. Varios archivadores estaban junto a las paredes cubiertas con pinturas donde aparecían diversas tareas de la actividad ballenera. En el centro de la sala había una gran mesa de madera y un par de lámparas con pantallas verdes. Docenas de mapas de todos los tamaños cubrían la mesa.

Una puerta al fondo del local se abrió en respuesta al tintineo de la campanilla colgada sobre la puerta principal, y apareció un hombre delgado. Miró a los Trout a través de las gafas de cristales muy gruesos. Aquellos visitantes no encajaban en el molde de coleccionistas eruditos o de ocasionales turistas, que eran sus principales clientes. Con una estatura de metro noventa y seis, Paul era más alto que la mayoría de los hombres, y Gamay tenía una presencia magnética que resultaba más impactante que la belleza.

—Buenas tardes —saludó el hombre con una sonrisa—. Soy Harvey Brimmer. ¿En qué puedo servirles?

Brimmer podría haber hecho de farmacéutico rural en una

película de Frank Capra. Medía menos de la estatura habitual y era un tanto encorvado, como si hubiese pasado mucho tiempo inclinado sobre un pupitre. Sus cabellos canosos estaban peinados con raya a un lado. Vestía un pantalón gris y camisa blanca. Llevaba una corbata azul con el motivo de una ballena con un nudo tipo Wilson.

—Soy Paul Trout y esta es mi esposa Gamay. Estamos buscando cualquier material que pueda tener referente a Caleb Nye.

Los ojos azules de Brimmer se abrieron de par en par detrás de las gafas bifocales con montura metálica.

—¡Caleb Nye! Ese es un nombre que no se oye con frecuencia. ¿Cómo es que se enteraron de nuestro Jonás local?

—Mi esposa y yo somos aficionados a la historia ballenera. Nos encontramos con el nombre de Caleb relacionado con Horatio Dobbs. Íbamos de camino al museo ballenero y vimos su cartel.

—Bueno, están de suerte. Puedo conseguirles algunos folletos de su espectáculo ambulante. Los tengo guardados en mi taller.

—Nos preguntábamos si tendría alguno de los diarios de a bordo del *Princess* que quizá se salvaran del incendio de la mansión Nye —dijo Gamay.

Brimmer frunció el entrecejo.

—El incendio fue una tragedia. Como anticuario, solo puedo imaginar los volúmenes que tenía en su biblioteca. Pero no todo está perdido. Quizá pueda conseguir uno de los diarios del *Princess*. Navegó durante muchos años antes de convertirse en parte de la flota Stone, y se hundió en la bahía de Charleston durante la guerra civil. Los diarios de a bordo están repartidos entre varios museos y coleccionistas privados. Necesitaré una paga y señal.

—Por supuesto —asintió Gamay—. ¿Podría encontrar el diario de a bordo de 1848?

Los ojos de Brimmer se entrecerraron detrás de los bifocales.

—¿Por qué ese diario de a bordo en particular?

—Fue el último viaje ballenero del capitán Dobbs —respondió ella—. Estamos dispuestos a pagar lo que sea.

Brimmer se pellizcó la barbilla con el pulgar y el índice.

—Creo que quizá podré ayudarles.

—Entonces ¿el diario de a bordo no resultó destruido? —preguntó Paul.

—Es posible. Hay una historia poco conocida de Caleb Nye. Se casó con una muchacha de Fairhaven, pero la familia de ella, disgustada el ver que se unía a alguien considerado un monstruo, por más rico que fuese, lo mantuvo en silencio. Los Nye incluso tuvieron una hija, que recibió algunos libros de la biblioteca como parte de la dote. Tengo contactos que pueden informarme, pero necesitaré de algunas horas. ¿Puedo llamarlos?

Paul dio a Brimmer una tarjeta donde figuraba su número de móvil.

Brimmer vio el logo.

—¿La NUMA? Espléndido. Una averiguación en nombre de su famosa agencia puede abrir muchas puertas.

—Por favor, avísenos en cuanto sepa algo —pidió Paul.

Gamay firmó un acuerdo y un cheque por un adelanto considerable. Se estrecharon las manos.

Harvey Brimmer miró a través del escaparate de su tienda hasta que los Trout se perdieron de vista, luego colgó el cartel de cerrado en su puerta y fue a su oficina al fondo del local. Los documentos y los mapas de su tienda eran en realidad copias de los originales o antigüedades baratas para los turistas. Brimmer echó una ojeada al teléfono y marcó un número que figuraba en su agenda.

—Harvey Brimmer —dijo a la persona que atendió la llamada—. Hace unos días hablamos de un libro particular. Tengo algunos compradores interesados en la misma propiedad.

El precio quizá suba. Sí, puedo esperar a su llamada. Pero no tarde mucho.

Colgó y se echó hacia atrás en la silla, con una expresión complacida en el rostro. Recordaba la primera vez que alguien le había preguntado por el diario de a bordo del *Princess* correspondiente a 1848. La llamada la había recibido unos años antes de una joven de Harvard. Le había dicho que haría correr la voz, pero ella le respondió que no podía esperar porque tenía que volver a China. No había recordado aquella llamada hasta hacía unas pocas semanas, cuando un asiático se presentó en la tienda preguntando por el mismo artículo. El hombre era un cliente poco habitual, joven y de aspecto duro, y no había ocultado su irritación cuando supo que el libro no estaba disponible.

Brimmer no podía saber que la visita del joven había sido investigada cuando Song Lee había llamado al doctor Huang desde Bonefish Key y mencionado la historia de una anomalía en New Bedford. Dijo a su mentor que estaba convencida de que una curiosidad médica tenía importancia para su trabajo, y tenía pensado ir a New Bedford para ver a un librero llamado Brimmer cuando tuviese tiempo.

De acuerdo con las instrucciones recibidas, el doctor Huang había transmitido los detalles de cada conversación que había mantenido con la joven epidemióloga. En cuestión de minutos se había hecho una llamada a un club social en el barrio chino de Boston, con órdenes de visitar la tienda de Brimmer. Poco después, el jefe de la banda de los Dragones había entrado en la tienda de Brimmer y había dicho que buscaba el diario de a bordo del *Princess* correspondiente a 1848.

Y ahora la pareja de la NUMA.

Brimmer no sabía qué estaba pasando, pero no había nada mejor para un vendedor que tener a los compradores pujando entre ellos. Se pondría en marcha y haría unas cuantas llamadas. Se quedaría con los adelantos de los tres y les ofrecería alguna otra cosa. Era un maestro en esas jugadas. Los negocios no iban muy bien, y ese prometía ser un día afortunado.

Lo que no sabía era que sería su último día.

Los Trout salieron del local en penumbra al brillante sol de la tarde y subieron por Johnny Cake Hill para ir a Seamen's Bethel. Echaron un puñado de dólares en el cepillo y entraron en la vieja iglesia de los balleneros. El púlpito había sido reconstruido hacía poco para imitar la proa de un barco, como en el tiempo de Herman Melville.

Paul esperó a que se marchase una pareja de turistas y luego se volvió hacia Gamay.

—¿Qué opinas de Brimmer? —preguntó.

—Creo que es una anguila —respondió ella—. Mi consejo es que no contengamos el aliento esperando a que nos traiga algo. Sacará el primer diario de a bordo que encuentre, falsificará la fecha e intentará venderlo.

—¿Has visto cómo cambió su expresión cuando mencionamos el diario de a bordo del capitán Dobbs?

—¡Imposible no verla! Brimmer olvidó su interpretación del señor Simpatía.

Paul miró las lápidas de mármol en las paredes donde aparecían los nombres de los capitanes y de las tripulaciones perdidas en los más lejanos rincones del mundo.

—Los viejos balleneros eran duros como clavos —comentó él.

—Algunos eran más duros que otros, si te crees la historia de Song Lee y de los tipos de New Bedford.

Paul frunció los labios.

—Aquel fenómeno médico es un vínculo entre el pasado y el presente. Me encantaría leer el trabajo que Lee escribió en Harvard.

Gamay sacó su BlackBerry del bolso.

—¿Recuerdas el nombre del profesor de Lee?

—¿Cómo podría olvidarlo? —dijo Paul con una sonrisa—. Su nombre era Codman.

—Trout... Cod...* ¿Por qué casi todos los tipos de Nueva Inglaterra llevan nombres de peces?

—Porque nosotros no tenemos padres expertos en vinos.

—*Touché*.

Llamó a la facultad de medicina, escribió el nombre de Codman en el buscador de personas y marcó el número que ponía en la pantalla. Un hombre que se identificó a sí mismo como Lysander Codman respondió a la llamada.

—Hola... ¿Doctor Codman? Me llamo Gamay Morgan Trout. Soy amiga de la doctora Song Lee. Espero que la recuerde.

—¿La doctora Lee? ¿Cómo podría olvidar a una joven tan brillante? ¿Qué tal está?

—La vimos ayer y estaba bien. Trabaja con algunos colegas míos de la NUMA, pero mencionó un trabajo que había hecho en Harvard y que se lo había presentado a usted. Tenía algo que ver con un fenómeno médico llamado la anomalía de New Bedford.

—Ah, sí —dijo Codman, y Gamay creyó haberle oído reír—. Fue un tema poco habitual.

—Dijimos a Song Lee que estaríamos por la zona, y ella preguntó a mi esposo si podíamos pasar a verle a usted y pedirle una copia. Perdió el original.

El profesor no tenía ningún motivo para haber guardado un trabajo hecho por uno de los centenares de alumnos que habían pasado por su clase, pero respondió:

—Por lo general no conservo los trabajos de los alumnos, pero el tema era tan extraño que lo guardé en lo que llamo el libro de los condenados, como la obra que Charles Fort dedicó a esos temas que no pueden ser probados ni refutados. Estoy seguro de que lo podré encontrar.

* *Trout* significa trucha, y *Cod*, bacalao. (*N. del T.*)

Gamay levantó el pulgar.

—Muchísimas gracias, profesor. Si le va bien, estaremos allí en menos de una hora.

Anotó las indicaciones para encontrar el despacho de Codman en la BlackBerry, y luego Paul y ella salieron de la capilla para ir al coche. Minutos más tarde, dejaban la ciudad y conducían en dirección norte.

34

La voz del piloto sonó a través de la megafonía del reactor.

—Lamento despertaros, pero nos acercamos a Pohnpei y aterrizaremos dentro de unos minutos. Por favor, abrochaos los cinturones.

Austin bostezó una vez y miró a Zavala, que era capaz de dormir en mitad de un terremoto. Después miró a través de la ventanilla la pista de aterrizaje en la isla de Deketik y la calzada de kilómetro y medio de largo que la unía con la isla principal. El cielo estaba despejado exceptuando unas pocas nubes.

—Bienvenida a Bali Hai —dijo Austin a Song Lee, que se frotaba los ojos para espantar el sueño.

Lee frunció el entrecejo, confundida por la referencia de Austin a la mítica isla que aparecía en el musical *South Pacific*. Ella apretó su nariz contra la ventanilla de plexiglás. La isla era prácticamente circular y estaba rodeada por una barrera coralina que enmarcaba una enorme laguna de un color azul intenso. Verdes bosques donde abundaban las cataratas cubrían las laderas del impresionante pico que dominaba la isla.

—Es hermosa —afirmó.

—Estuve aquí con un barco de investigación de la NUMA hace un par de años —dijo Austin—. El pico se llama Nahna Laud. Los exploradores europeos la llamaron isla de la Ascensión. Les pareció que se elevaba hasta el cielo.

—¿Hay algún lugar en el mundo donde no haya estado? —preguntó Lee.

—He estado en todos los océanos. Mire, allí, en la costa sudeste de la isla, puede ver las ruinas de la vieja ciudad de Nan Madol. La llaman la Venecia del Pacífico. Quizá podamos visitar el lugar cuando acabemos con nuestros asuntos. Le diré una cosa: la invitaré a cenar en un restaurante con vistas al mar y le haré probar el sakau. Es el aguardiente local que los nativos hacen con los pimenteros.

Song miró con curiosidad el rostro esculpido de Kurt. Se mostraba tan entusiasmado como un colegial ante la perspectiva de regresar a Nan Madol. El hecho de que se enfrentara a una tarea digna de Hércules y que tuviera centenares de miles de vidas en sus manos no parecía preocuparle. Su confianza debía de ser contagiosa, pensó ella, porque respondió:

—Me encantaría. Quizá podamos hacer la visita a Nan Madol mucho antes. He estado pensando que podría tener relación con esos otros asuntos, como dijo.

—¿De qué manera, doctora Lee?

—Hay un curioso relato del primer oficial del *Princess*. La isla a la que el barco fue cuando la tripulación enfermó era conocida como poco amistosa para los balleneros. Así que después de echar el ancla, él y el capitán fueron a tierra para ver si había algún nativo. No vieron a nadie, pero sí encontraron unas ruinas. El capitán comentó las extrañas esculturas y dijo que eran similares a aquellas que había visto en un templo en Nan Madol.

—Por lo tanto, si podemos encontrar una isla que tiene ruinas como las de Nan Madol —dijo Austin—, entonces está la posibilidad de que el *Princess* hubiera recalado allí.

—Es lo que creo —contestó Lee.

—¿En qué nos ayuda para encontrar el laboratorio? No olvide, doctora Lee, que es nuestra principal razón para venir a Micronesia.

—Sí, lo sé. Pero cuando estuve en Bonefish Key, oí que el

laboratorio se estaba quedando sin medusas azules y que había que encontrar una nueva fuente.

—Kane mencionó que habían desarrollado una mutación —señaló Austin—. ¿Por qué motivo iban a necesitar más ejemplares de la especie original?

—No había ninguna seguridad por el momento de que la mutación fuese la respuesta —contestó Lee—, en cuyo caso habría que buscar otras posibilidades. Existía el plan de recoger medusas en una nueva fuente. Si el laboratorio continúa trabajando en la vacuna, se necesitarán más medusas. Eso significa que si encontramos la fuente, el laboratorio puede estar cerca.

—¿No sabría el doctor Kane dónde está la nueva fuente?

—No necesariamente. Dejaba muchas de las cuestiones del día a día en manos de la doctora Mitchell.

Austin pensó durante unos momentos.

—Conozco a un guía llamado Jeremiah Whittles que vive en Kolonia, la capital de Pohnpei y la ciudad más grande de la isla. Whittles me llevó a las ruinas la última vez que estuve aquí. Tiene un conocimiento enciclopédico de Nan Madol. Creo que valdría la pena hablar con él y averiguar si sabe algo que nos pudiese ayudar.

El reactor realizó una última vuelta, luego hizo una aproximación impecable y se posó en la única pista con un suave brinco. Cerca del final de la pista, el Citation X giró ciento ochenta grados y rodó por la pista hasta la terminal.

La escalera móvil golpeó contra el fuselaje. Austin abrió la puerta y salió del reactor para llenar sus pulmones con el aire cálido cargado de fuertes fragancias de las flores tropicales. Fue como entrar en un baño turco, pero nadie se quejó del calor o de la humedad, después de haber estado encerrados durante tantas horas en una cabina con aire acondicionado.

Un funcionario de aduanas muy amable selló los pasaportes y les dio la bienvenida a la Federación de Estados de Micronesia. Lee se había dejado el pasaporte en Bonefish Key, pero el departamento de Estado había llamado a Honolulú para facilitarle los documentos necesarios para entrar y salir de Micronesia.

El vestíbulo estaba desierto excepto por un hombre que sostenía un trozo de cartón con la palabra NUMA. Llevaba una gorra de béisbol, pantalones de loneta, sandalias y una camiseta blanca con un rectángulo azul y cuatro estrellas blancas, la bandera de Micronesia.

Austin se acercó y se encargó de las presentaciones.

—Es un placer conocerlo —dijo el hombre—. Soy el alférez Frank Daley. Perdonen el disfraz. Los lugareños están acostumbrados a ver a personal de la marina, pero intentamos que esta operación pase lo más desapercibida posible.

A pesar de su atuendo, la estatura, el porte, el corte de pelo casi al rape y la barbilla tan afeitada que brillaba le señalaban como un militar.

—Está perdonado, alférez —dijo Austin—. ¿Qué tiene planeado para nosotros?

—Tenemos un helicóptero que los espera para llevarlos al comando de búsqueda en mi nave, el crucero *Concord*.

Mientras iban hacia el Sikorsky Seahawk gris que esperaba su llegada, Austin preguntó a Daley cuáles habían sido los resultados de la búsqueda.

—Hemos recorrido centenares de millas cuadradas por mar y aire —explicó el alférez—. Hasta ahora, nada.

—¿Han lanzado sonoboyas para detectar los movimientos submarinos?

Daley dio una palmada en el morro del helicóptero.

—Este pájaro fue construido para la lucha antisubmarina. Tiene los últimos adelantos en detección acústica. La información de los sensores es transmitida al barco y desde allí a un sistema de ordenadores. Hasta el momento, todos los resultados han sido negativos, señor.

—¿Han investigado a fondo el lugar donde estaba el laboratorio? —preguntó Zavala.

—Todo lo que se puede con un ROV —dijo Daley.

—He oído que hay una nave de la NUMA que colabora en la búsqueda —añadió Zavala—. Veré si le puedo pedir prestado su sumergible y acercarme al lugar para echar una ojeada.

Austin, mientras tanto, había estado pensando en su conversación con Lee.

—La doctora Lee tiene una pista que nos gustaría seguir en la isla —comentó—. ¿Podría llevar a Joe hasta el barco y venir a recogernos dentro de unas horas?

—Me han dicho que tienen toda la marina a su disposición, señor Austin. El helicóptero vuela a trescientos veinte kilómetros por hora. Podemos estar de regreso en muy poco tiempo.

Austin se volvió hacia Zavala, que había comenzado a cargar los macutos en el helicóptero.

—Song ha descubierto algunas cosas interesantes sobre Nan Madol —dijo—, que podrían darnos alguna pista sobre el laboratorio. Joe, ¿puedes encargarte tú de la búsqueda mientras nosotros vamos a echar una ojeada?

—Un momento, Kurt. Tú te largas con la preciosa doctora Lee y a mí me dejas que me revuelque en el fango. ¿Qué es lo que no cuadra, compañero?

—Nada hasta donde yo pueda ver, compañero —contestó Austin.

—Debo admitir que tienes razón —aceptó Zavala con una sonrisa—. Te veo dentro de unas horas.

Subió al helicóptero con Daley. El encendido puso en marcha los dos motores gemelos General Electric y comenzaron a girar los rotores. El aparato de veintidós metros de longitud despegó de la pista, se mantuvo inmóvil a unos pocos centenares de metros de altura, dio la vuelta poco a poco y voló sobre la laguna hacia mar abierto.

Mientras el helicóptero se llevaba a Joe para unirse a la flotilla de búsqueda, Austin y Lee salieron de la terminal del aeropuerto en busca de un taxi. Un joven de unos veintitantos que debía de pesar ciento setenta y cinco kilos estaba apoyado en un Pontiac familiar con paneles de plástico que imitaban la madera y con el logo de Kolonia Taxi Company pintado en la puerta. Austin se acercó al taxista y le preguntó si conocía a un guía turístico llamado Jeremiah Whittles.

—¿El viejo Jerry? Claro que sí. Esta retirado. Si necesita un guía, puedo conseguirle a mi primo.

—Gracias, pero preferiría hablar con Jerry —dijo Austin—. ¿Puede llevarme hasta a su casa?

—Ningún problema —respondió el chófer con una brillante sonrisa—. Vive aquí en Kolonia. Suban.

Austin mantuvo la puerta abierta para Song Lee, luego subió al coche y se sentó a su lado. El conductor, que dijo llamarse Elwood, se sentó al volante, y se oyó el crujido de la suspensión y el chasis se inclinó a un costado. Cuando Elwood se apartó del bordillo, una camioneta Chevrolet Silverado negra que había estado aparcada varios coches más atrás lo siguió por el viaducto que llevaba a Kolonia, una ciudad de unos seis mil habitantes cuya avenida principal tenía el aspecto de una vieja calle de la frontera. Elwood salió de la avenida para entrar en un barrio residencial y se detuvo delante de una casa color amarillo con los acabados blancos.

El Silverado dejó atrás el Pontiac y aparcó un poco más allá, desde donde el conductor vigiló por el espejo retrovisor cómo Austin y Lee se acercaban a la puerta. Austin tocó el timbre y oyó que alguien desde el interior decía hola. Un momento más tarde, un hombre delgado que parecía rondar los ochenta abrió la puerta.

Jeremiah Whittles dedicó una sonrisa a Lee. Después su mirada se fijó en Austin y abrió mucho los ojos como muestra de su sorpresa.

—¿Eres Kurt Austin de la NUMA? ¡Dios mío, no me lo creo! ¿Cuánto tiempo ha pasado?

—Demasiado, Whit. ¿Cómo estás?

—Más viejo, pero no más sabio. ¿Qué te trae a mi preciosa isla, Kurt?

—Un trabajo de rutina de la NUMA para la marina. Acompaño a la doctora Lee a un recorrido turístico. Le interesa Nan Madol y no se me ocurre nadie que sepa más del tema que el mejor guía de Pohnpei.

—Di mejor el antiguo mejor guía —dijo Whittles—. Pasad.

Con la calva rosada, la delgada nariz aquilina, los bondadosos pero al mismo tiempo inquisitivos ojos azules detrás de unas gafas bifocales con monturas de acero y los hombros un tanto encorvados, Whit parecía un buitre amistoso.

—Me han dicho que te has retirado —comentó Austin.

—Mi cerebro aún está lleno de toda la información, pero comencé a tener problemas de columna y me costaba girar la cabeza, cosa que necesitaba para señalar los puntos de interés a los turistas. Tenía que volverme por la cintura como un soldado de madera. Después comencé a perder la vista. No hay mucha demanda para un guía medio ciego, así que decidí retirarme.

Whittles los guió a través de las habitaciones repletas de objetos de artesanía micronesia. Había mascaras, ídolos y grotescas figuras talladas en todas las paredes y rincones. Acomodó a los visitantes en la galería y los dejó para ir a buscar agua.

En sus viajes alrededor del mundo, Austin había visto clones de Whittles, ingleses peripatéticos que se convertían en guías de hermosas catedrales, antiguos palacios y templos olvidados. Aprendían hasta el último detalle y en el proceso se convertían en personajes famosos entre los lugareños.

Austin había conocido a Whittles durante una gira por Nan Madol, y la profundidad y amplitud de sus conocimientos tanto históricos como culturales le habían impresionado. Años antes, Whittles había servido como oficial a bordo de un buque mercante que había hecho escala en Pohnpei y se había sentido hechizado por su belleza e historia. Retirado de la marina, y gracias a sus ahorros, se trasladó a la isla y llevó una existencia de monje centrado en las ruinas. Nan Madol se convirtió no solo en su medio de vida sino en toda su vida.

Whittles volvió con el agua, se acomodó en una silla y preguntó a Lee qué sabía de Nan Madol.

—En realidad, muy poco, solo que la llamaban la Venecia del Pacífico.

—Nan Madol dista mucho de ser una ciudad como la del Adriático, pero de todas maneras es impresionante. Está compuesta por noventa y dos islas artificiales que se remontan al siglo XI. Los constructores ligaron pilares de basalto hexagonales en las llanuras de marea y los bajíos de Tenwen. Algunos de los pilares medían más de seis metros y los acomodaron horizontalmente para formar islotes artificiales planos. Una cuadrícula de canales poco profundos conectan las islas unas con otras. Debido a que la ciudad es tan remota y misteriosa, y está ubicada donde nada como esto debería existir, ha dado pie a teorías que sostienen que Nan Madol era parte de un continente perdido llamado Mu o Lemuria.

—¿Usted qué cree, señor Whittles? —preguntó Lee.

—Creo que la realidad es más prosaica, pero así y todo maravillosa. La ciudad era sede de templos, centros administrativos, cementerios, casas para los sacerdotes y nobles, y un estanque que, según se decía, era el hogar de la anguila sagrada... ¿En qué puedo ayudarla, doctora Lee?

—¿Sabe de algunas ruinas que tengan unas tallas un poco extrañas y similares a las de otra isla?

—Solo una —contestó Whittles—. El templo conocido como el Culto de los Sacerdotes Sanadores. He oído comentarios de un templo parecido en otro lugar, pero nunca lo he podido verificar.

—¿En qué consistía ese culto? —preguntó Austin.

—Se originó en una de las islas cerca de Pohnpei. Los sacerdotes viajaban de isla en isla para atender a los enfermos y se hicieron famosos por sus curas milagrosas.

Austin intercambió una mirada con Lee.

—Como médica —dijo la joven—, me interesa mucho la parte de la curación.

—Desearía poder decirle más, pero las guerras intestinas provocaron el derrumbamiento de la civilización. Si bien hay una posibilidad de que las creencias y ceremonias del culto sobreviviesen en alguna forma primitiva, la mayor parte de lo que sabemos en la actualidad nos ha llegado por transmisión oral. No hay ningún registro escrito.

—¿Las tallas no podrían ser consideradas, en cierto modo, un registro escrito? —preguntó Austin.

—Claro que sí —dijo Whittles—. Pero por lo que vi, son más simbólicas y alegóricas que históricas.

—¿Qué representan las tallas de Nan Madol? —preguntó Lee.

—Será mejor que las vea usted misma —respondió Whittles.

Fue a su despacho, buscó en los archivadores y volvió con un sobre. Sacó del interior unas fotografías de trece por veinte. Desplegó las fotos como una baraja, cogió una y la dio a Lee.

—Es la fachada del templo visto desde un canal —explicó—. Hay un hueco debajo del suelo del templo que parece haber sido algo así como una piscina. La foto muestra las tallas en el interior.

Lee miró la foto por un momento y la pasó a Austin, que observó las formas acampanadas y luego miró a la científica.

—¿Medusas? —preguntó.

—Eso parecen —dijo Whittles—. No sé por qué decoraron la pared del templo con esas criaturas, pero, como dije, si había un estanque dedicado a la anguila sagrada, por qué no podía haber uno para las medusas.

—Así es, por qué no —afirmó Lee, y sus ojos oscuros brillaron de entusiasmo.

—Me gustaría ver el lugar —dijo Austin—. ¿Puedes decirnos dónde esta?

—Puedo mostrarte el lugar exacto, pero espero que hayas traído el bañador. La plataforma donde estaba el templo se derrumbó en un terremoto y está hundida en el canal. No es muy hondo, quizá unos cuatro metros.

Austin miró a Lee.

—¿Qué desea la señora? ¿Ir al barco o visitar Nan Madol?

—Creo que la respuesta a la pregunta es obvia —respondió Song.

A él no le sorprendió la respuesta porque ya había visto su decisión.

Austin pidió prestada una guía de teléfonos y en cuestión de minutos había alquilado una lancha y equipos de buceo. Whittles le señaló la ubicación del templo en un mapa turístico de las ruinas. Le dieron las gracias, se despidieron y después fueron hacia el taxi. Mientras el coche se dirigía al puerto, el Chevrolet Silverado se puso en marcha y lo siguió a una distancia prudencial.

35

El doctor Lysander Codman recibió a los Trout en el vestíbulo de un edificio que daba al verde rectángulo de Longwood Avenue donde la facultad de medicina de Harvard formaba parte de un campus con algunas de las más prestigiosas instituciones del país. El profesor era un hombre alto y desgarbado de unos sesenta y tantos años. Tenía el rostro afilado y unos dientes grandes que planteaban la posibilidad de que algunas familias yanquis se hubieran cruzado con equinos.

Codman los llevó por un pasillo e invitó a los Trout a entrar en su amplio despacho. Pidió a los visitantes que se pusiesen cómodos y les sirvió sendas tazas de té Earl Grey. Después se sentó detrás de su mesa y les hizo unas cuantas preguntas sobre su trabajo en la NUMA. A continuación sostuvo en alto un informe encuadernado para que los Trout leyesen el título en la tapa azul:

LA ANOMALÍA DE NEW BEDFORD:
UN ESTUDIO DE LA RESPUESTA INMUNOLÓGICA
DE LA TRIPULACIÓN DEL BALLENERO *PRINCESS*

Coldman bebió un ruidoso sorbo de té.

—He aprovechado la ocasión para ojear una vez más el trabajo de la doctora Lee —comentó—. Es más curioso de lo que recordaba.

—¿Curioso en qué sentido, profesor Codman? —preguntó Paul.

—Lo entenderá cuando lo lea. La primera parte del trabajo de la doctora Lee está basado en su mayor parte en notas periodísticas. El reportero entrevistó a varios balleneros retirados, con la intención de comentar sus peripecias, y comprendió que había descubierto algo. Advirtió que un grupo de balleneros que tenían entre setenta y ochenta años habían vivido casi libres de cualquier enfermedad durante la mayor parte de sus largas existencias.

—Hemos estado en el Seamen's Bethel de New Bedford hoy mismo —dijo Gamay—. Las paredes están cubiertas con lápidas que recuerdan a las tripulaciones balleneras. Paul ha comentado lo duro que debía de haber sido para todas aquellas personas.

—En este caso, fue más que duro —manifestó Codman—. Esos hombres nunca sufrieron ninguna enfermedad, ni siquiera un resfriado. Murieron a edades avanzadas, por lo general debido a afecciones degenerativas, por ejemplo cardíacas.

—Los artículos periodísticos pueden ser muy exagerados —dijo Gamay.

—Sobre todo en el siglo XIX —admitió Codman—. Pero las crónicas captaron la atención de un inmunólogo de nuestra facultad llamado Fuller. Organizó a un equipo de médicos para investigarlo. Hablaron con los hombres y los médicos que los habían tratado. Lo que encontraron fue incluso más curioso de lo que los periódicos habían informado. Los hombres que disfrutaban de la mejor salud habían servido todos en el ballenero *Princess* durante un único viaje, en 1848. Se habían contagiado en aquella expedición de una enfermedad tropical que castigaba a la flota ballenera del Pacífico. Si bien algunos de aquellos hombres habían vuelto a embarcarse y murieron en accidentes del oficio, catorce aún vivían. Los compararon con los tripulantes de otros barcos, y las diferencias de salud de acuerdo con las estadísticas eran sorprendentes. Los médicos respaldaron sus hallazgos con tablas, gráficos y más datos.

—No obstante, usted expresó dudas sobre los hallazgos de la doctora Lee —recordó Gamay.

El profesor Codman se reclinó en la silla, unió las palmas y contempló el espacio.

—Los datos preliminares no me preocuparon tanto como sus conclusiones —dijo después de un momento—. La base del trabajo de la doctora Lee eran pruebas empíricas que a mí me resultaron difíciles de creer; sobre todo, sus observaciones sobre las anécdotas relatadas por los hombres involucrados. Por desgracia, el capitán del barco murió antes de que se hiciesen las entrevistas. Su diario de a bordo nunca se encontró.

—Las observaciones de primera mano ¿no tienen alguna validez? —preguntó Paul.

—Por supuesto, pero piénselo: esos hombres habían estado enfermos en aquel momento, alguno incluso en coma, y sus recuerdos fueron registrados décadas después del episodio.

—¿Cuál era la naturaleza de esos recuerdos? —preguntó Paul.

—Todos contaron la misma historia: cayeron enfermos después de salir del puerto, quedaron inconscientes y al día siguiente despertaron curados.

—¿Es posible que huiera una remisión espontánea? —preguntó Gamay.

—La doctora Lee presentó informes de una epidemia similar a la gripe que había afectado a la flota. A juzgar por su virulencia y rapidez, además de la alta tasa de mortalidad de la gripe, yo diría que la remisión espontánea es poco probable.

—Dijo que todos los tripulantes contaron la misma historia —manifestó Gamay—. ¿Eso no reforzaría el relato de lo sucedido?

—Un ballenero es una pequeña comunidad en sí misma. Creo que llegaron a establecer una historia común. —Hizo una pausa—. Solo el primer oficial tenía una versión diferente.

—¿Contradijo la versión de los tripulantes? —preguntó Gamay.

—No. De hecho, el primer oficial la complementó. Recordó que la nave había fondeado en una isla, e incluso que había ido a tierra con el capitán. También recordó haber visto unas luces azules y tener una sensación irritante en el pecho. Despertó con la impresión de que nunca había estado enfermo.

—Es interesante eso de la irritación —apuntó Gamay—. ¿Cree que se refería a una forma primitiva de inoculación?

—Parece haber ido en esa dirección. Mencionó que todos los tripulantes y oficiales tenían una marca rojiza en el pecho. Las luces podrían haber sido alucinaciones o el fenómeno eléctrico conocido como fuego de San Telmo y las marcas picaduras de insectos. En cualquier caso, la inoculación puede prevenir la enfermedad, pero no la cura.

—El equipo de Harvard ¿recogió muestras de sangre? —preguntó Gamay.

—Desde luego. Las muestras fueron observadas en el microscopio. Vieron que había una actividad antígena inusual, pero deben comprender que los instrumentos ópticos de entonces eran primitivos comparados con los actuales. La inmunología es algo relativamente nuevo. Jenner y Pasteur aún tenían que hacer sus descubrimientos donde explicaban por qué las personas, después de haber sobrevivido a una enfermedad, por lo general nunca más volvían a contraerla.

—¿Se podrían analizar hoy las muestras de sangre? —preguntó Gamay.

—Por supuesto, si las tuviésemos. Al parecer, arrojaron las muestras a la basura o se perdieron. —Entregó el trabajo a Gamay—. En cualquier caso, estoy seguro de que les parecerá una lectura fascinante.

Los Trout iban camino de su coche cuando sonó el móvil de Paul. Escuchó por un momento, y después dijo:

—De acuerdo. —Apagó el teléfono—. Creo que le debemos una disculpa a nuestro amigo Brimmer.

—¿Ha encontrado algún documento del espectáculo ambulante de Caleb Nye? —preguntó Gamay.

—Mejor aún —respondió Paul—. Brimmer tiene el diario de a bordo del *Princess* correspondiente a 1848. Nos espera en su tienda para entregarlo.

Harvey Brimmer colgó el teléfono y miró a los cuatro asiáticos de su despacho. Eran unos veinteañeros, vestidos con cazadoras de cuero negro y vaqueros, y llevaban unos pañuelos negros con caracteres chinos en rojo atados a la cabeza. Habían llegado a New Bedford poco después de que Brimmer hiciese su llamada sobre el diario de a bordo. El jefe, un joven de rostro afilado, con una cicatriz a todo lo largo de la mejilla derecha, era el mismo que había visitado la tienda buscando el libro. Había dicho a Brimmer que llamase a los Trout.

—Vienen de camino —dijo Brimmer—. ¿Por qué quieren verlos?

El jefe sacó un arma de debajo de la camisa. Sonrió y quedó a la vista un diente que tenía incrustada una pequeña pirámide de oro.

—No queremos verlos, viejo —respondió—. Queremos matarlos.

Arrancó el cable del teléfono de la clavija, y luego ordenó a Brimmer que le diese el móvil, que se guardó en el bolsillo.

A Brimmer se le heló la sangre en las venas. Era lo bastante listo para saber que, como testigo de un doble crimen, no le dejarían vivir. Mientras permanecía sentado, pensó en el móvil que tenía guardado en uno de los cajones. Cuando viese una oportunidad, haría su jugada.

36

Como muchas viejas embarcaciones construidas antes de que los astilleros estuviesen seguros del grosor que debía tener un casco hecho con fibra de vidrio, un material nuevo, la lancha de cuatro metros de eslora que Austin había alquilado en el muelle de Kolonia estaba construida como un acorazado. La embarcación, muy ancha de manga, estaba impulsada por un motor fuera borda de quince caballos que parecía rescatado de un museo de artefactos navales.

Austin se alegró al ver que el equipo de buceo que había alquilado estaba en mucho mejor estado que la lancha o el motor. Inspeccionó todas las piezas y vio que lo habían mantenido bien. Compró una cámara submarina con carcasa de plástico. Después, cuando acabó de guardar el equipo, ayudó a Song Lee a subir a bordo. Tras un par de tirones con el cable de arranque, el motor se puso en marcha. Una vez en funcionamiento, demostró tener un fuerte corazón mecánico capaz de impulsar a la pesada embarcación a una velocidad lenta pero constante a lo largo de la costa.

Nan Madol estaba a unos cuarenta y cinco minutos de Kolonia. Cuando se acercaron a la ciudad en la costa sudeste de la isla Tenwen y vieron un primer atisbo de las enigmáticas islas, Austin buscó en su memoria los comentarios que el viejo guía le había hecho de las ruinas años atrás. El lugar había sido un centro ceremonial que se remontaba al siglo II de nuestra era, pero la arquitectura megalítica no había comenzado a tomar forma hasta después del siglo XII.

La ciudad había servido como residencia de los nobles y los sacerdotes, y la población nunca había superado el millar de personas. La necrópolis se extendía por las cincuenta y ocho islas en la parte nordeste de la ciudad, un sector llamado Madol Powe. Whittles había llevado a Austin allí y le había mostrado las islas donde habían vivido y trabajado los sacerdotes. Madol Pah había sido el sector administrativo, en la parte sudoeste de Nan Madol. Era allí donde vivían los nobles y donde estaban los campamentos de los guerreros.

Los constructores de Nan Madol habían erigido muros de contención para proteger la ciudad de los caprichos del Pacífico. Las islas rectangulares eran casi todas iguales. Habían apilado las columnas de basalto como si fuesen una cabaña de troncos para levantar los muros, y las habían rellenado con coral machacado. Una vez que las paredes habían alcanzado un par de metros de altura sobre el nivel del mar, habían construido las plataformas para los templos y viviendas, e incluso criptas. Alguna de las islas, como el espectacular cementerio en Nandauwas, tenía paredes de ocho metros de altura, que rodeaban todo el recinto real.

En el dibujo que el guía había hecho para Austin, el templo del Culto de los Sacerdotes Sanadores estaba en el sector de la necrópolis de Nan Madol. Era una versión en pequeño de Nandauwas, lo que sugería que la isla había tenido cierta importancia entre los habitantes. Al templo se accedía por un portal en el muro exterior, que encerraba un patio, y luego por otro portal en una segunda pared.

Austin siguió las indicaciones del mapa de Whittles y llevó la lancha al interior de la ciudad, pasando entre muros derrumbados que parecían fuera de lugar en aquella remota ubicación. Saludaron a los turistas de un par de embarcaciones de paseo que se protegían del sol tropical bajo sombrillas multicolores. Nan Madol se había convertido en un sitio popular para las excursiones de un día, y la lancha pasó junto a un guía escoltado por una formación de kayaks como si fuesen una fila de patitos.

Austin consultó de nuevo el mapa y salió de la zona turística para entrar en un canal sin salida flanqueado por muros de basalto y palmeras. Antaño, el templo de los Sacerdotes Sanadores habría presidido el final del canal, pero la única señal de su existencia era un montón de fragmentos de columnas que asomaban unos treinta centímetros por encima de la superficie. Apagó el motor, dejó que la lancha se acercase hasta unos metros de las ruinas y echó el ancla.

Austin se había comprado un bañador estampado con figuras de surfistas hawaianos y bailarinas de hula hula de un color naranja fuego, porque era el único de su talla en la tienda. Guardó la cartera y el móvil en una bolsa estanca y luego se colocó el chaleco hidrostático, el cinturón de lastre, la botella de aire comprimido, la máscara y las aletas. Se dejó caer de espaldas desde la borda hasta el agua tibia, y asomó la cabeza para hacer un gesto rápido a Song Lee, antes de colocarse la boquilla del regulador entre los dientes y sumergirse un par de metros.

Encendió la linterna submarina que había comprado en la tienda. La visibilidad en el agua turbia era limitada, pero la luz le mostró el basalto partido que una vez había sido el cimiento de la isla. Austin nadó dando toda la vuelta a la isla y emergió junto a la lancha.

Whittles le había dicho que el núcleo de coral que soportaba el templo se había partido cuando el terremoto sacudió la ciudad, con la consecuencia de que el edificio se había hundido hasta el fondo del recinto y los muros de contención habían caído encima.

Austin nadó de nuevo alrededor de la isla, esta vez a mayor profundidad, y vio una abertura donde las placas de basalto habían caído en un ángulo. Metió la linterna en el agujero. La luz se perdió, indicando que al otro lado había un espacio abierto. Entró por la angosta abertura, y la botella de aire golpeó contra el basalto.

En cuanto cruzó el pasaje, Austin movió la linterna de un lado a otro y vio que estaba en un espacio parecido a una caverna creado cuando la pared interior y la exterior habían caído la una contra la otra. Incluso si el templo no había resultado destruido, quedaba oculto detrás del derrumbe de la pared interior, que había caído encima y alrededor del mismo.

Austin creyó que había llegado al final de la exploración y se preparaba para retirarse cuando hizo otro barrido de la caverna con la luz. Esta vez había algo curioso en la manera cómo indicaban las sombras de los escombros a su derecha. Se acercó y vio que una de las lápidas caídas tapaba unas columnas y había dejado una brecha.

Se coló por la abertura y, después de entrar unos pocos metros, llegó a una entrada casi rectangular. El templo se inclinaba hacia la izquierda, y la entrada tendría que haber estado cerrada por los escombros, pero el dintel había caído de tal manera que la abertura estaba intacta. Hizo una rápida inspección visual para asegurarse de que la entrada no se desplomaría, y a continuación la cruzó para acceder al templo.

La luz de la linterna alumbró de inmediato el estanque que había descrito el viejo guía. Era rectangular, de unos seis metros de largo y cinco de ancho. En el interior se amontonaban los escombros, pero Austin calculó que debía de tener una profundidad de dos metros. Al alumbrar una de las paredes, comprobó que no estaba solo.

Talladas en la pared había seis figuras masculinas vestidas con taparrabos. Estaban de perfil, cada una sujetando un cuenco por encima de la cabeza. Tres figuras se enfrentaban unas a las otras a cada lado de una enorme medusa con forma de campana cuyos tentáculos caían sobre un altar de piedra de un metro por dos construido contra la pared. Austin alumbró la estancia y vio tallas y altares idénticos en cada pared.

Se acercó y siguió los contornos de una de las medusas con

los dedos, como si al hacerlo pudiese vincularse al antiguo culto de los sanadores. Después retrocedió un par de metros y sacó la cámara. Tomó una docena de fotos y luego la guardó.

Ansioso por explicar a Lee qué había encontrado, Austin salió del templo y cruzó la pared interior y exterior. Al mirar hacia arriba para orientarse, vio la silueta de la lancha en la superficie. Mientras ascendía, sus oídos captaron el zumbido apagado de un motor. El ruido se hizo más fuerte. Austin se preguntó por qué alguien navegaría a tanta velocidad por el tranquilo canal. Entonces una alarma se disparó en su mente.

Siguió la cadena del ancla. Su cabeza asomó a la superficie a un par de metros de la lancha. Se subió la máscara a la frente, y parpadeó ante la intensidad del sol. Vio una neumática que se aproximaba desde la entrada del canal a gran velocidad. Estaba demasiado lejos para distinguir los rostros de los pasajeros, pero el sol se reflejó en la brillante calva de Chang, el jefe de la banda que había atacado al *Beebe*. La alarma disparada en la mente de Austin le avisó que el peligro era real.

Song Lee estaba sentada en la lancha de alquiler, sin darse cuenta de la amenaza que se cernía. Austin gritó y señaló la neumática que iba hacia ellos. La sonrisa con la que Lee había saludado su reaparición se convirtió en una expresión de extrañeza. Austin miró de nuevo la neumática. Estaba lo bastante cerca para ver la sonrisa en el rostro de Chang cuando este se arrodilló en la proa con un arma apoyada en el hombro. Habría estado junto a ellos en unos segundos de no haber sido porque los kayaks que habían visto antes les cortaban el paso. La neumática viró para evitarlos y el oleaje que levantó hizo que zozobrasen dos.

Austin aprovechó la ventaja de esos segundos perdidos al realizar la difícil maniobra.

—¡Salte! —gritó a Lee.

Ella apoyó las manos en la borda y se inclinó sobre el agua, sin comprender el peligro en que estaba, hasta que vio los fogonazos y oyó el tableteo. Una línea de surtidores que llevaba directamente hacia la lancha como una sierra mecánica apareció en el agua. Se quedó paralizada por el miedo.

Austin sacó el cuerpo del agua todo lo que pudo, tendió una mano a Lee, la sujetó por la pechera de la blusa y la arrastró hacia abajo con él. Cayó de la borda al canal unos segundos antes de que las balas de Chang alcanzaran la embarcación y una lluvia de astillas de fibra de vidrio volara por los aires.

El peso adicional de Lee los arrastró hacia abajo varios metros. Austin quitó aire del chaleco hidrostático y se hundieron todavía más. Le pasó un brazo alrededor de la cintura, como si la guiase en un paso de baile, y con la mano libre se alumbró el rostro. La joven había respirado a fondo antes de sumergirse, pero se le había acabado el aire y se movía aterrorizada. Austin la soltó, llenó los pulmones, se quitó el regulador de la boca y señaló las burbujas que salían de la boquilla.

Los ojos de Lee estaban muy abiertos por el miedo, pero comprendió lo que Austin intentaba decirle. Cogió la boquilla y se la puso en la boca. En cuanto respiró con normalidad, desapareció el miedo de sus ojos. Le devolvió el regulador.

Respirar de la misma botella los mantendría vivos, pero aún tendrían que enfrentarse a Chang y a sus hombres. Eso quedó muy claro cuando Austin vio unas figuras que saltaban al agua. Los sicarios de Chang se sumergían.

Los hombres habrían podido dar con Austin y Lee en las aguas poco profundas del canal con solo seguir el rastro de las burbujas. Llegaría el momento en que Chang podría tener suerte, o sencillamente podía esperar hasta que a los dos se les agotase el aire. Pero estaba impaciente.

Austin respiró de nuevo, pasó el regulador a Lee, y señaló con el índice.

«Por aquí.»

Cogió a Lee por la mano, se sumergió más y fue hacia la entrada del templo. Los hombres de Chang estaban en desventaja al no tener botellas de aire y no tardaron en dejarlos atrás. Cuando sus presas desaparecieron detrás de la pared del templo, los matones nadaron de vuelta a la superficie. La embarcación de Chang fue adelante y atrás buscando las burbujas delatoras. Al no ver ninguna, Chang dedujo que sus perseguidos se habían escapado. Ordenó que la embarcación se alejase un poco más. Para entonces, Austin y Lee ya estaban en el interior del templo.

Lee compartía la botella como una profesional, pero casi tragó agua cuando Austin le señaló las tallas de la pared. Al igual que Austin, apoyó una mano en la medusa. Sacudió la cabeza enfadada por no poder hablar. Austin le señaló la cámara enganchada al chaleco y le hizo la señal de ok con el índice y el pulgar.

Se sentaron en el borde del estanque del templo y, mientras compartían el suministro de aire, contemplaron las maravillosas tallas. Austin comprobó cuánto aire quedaba en la botella, señaló su reloj de pulsera y también la entrada del templo. Compartir el aire consumía la botella el doble de rápido. Lee asintió. Nadaron uno al lado del otro, como si estuviesen unidos por la cadera, hasta que llegaron a la pared exterior. Austin indicó a Lee que esperase. Se quitó el chaleco y nadó hacia el canal. Todo estaba tranquilo. Miró hacia la superficie, pero no había ninguna señal de Chang o de la lancha alquilada.

Oyó el sonido de un motor, pero su oído distinguió que sonaba diferente al de un fuera borda. Decidió correr el riesgo. Se acercó a la base de la isla, salió a la superficie y espió por detrás de un saliente donde había caído la base de basalto.

Una embarcación de turistas se movía por el canal hacia la lancha casi hundida, excepto por la proa, que sobresalía del agua en ángulo. Lo más importante era que Chang y sus hombres habían desaparecido.

Austin agitó un brazo hasta que alguien lo vio. Cuando la embarcación viró hacia él, respiró a fondo y bajó a buscar a Song Lee. Le levantó el pulgar y señaló hacia arriba. Ella respondió de la misma manera, y juntos ascendieron poco a poco hasta la superficie.

37

Poco después de que el helicóptero despegase de Pohnpei, Zavala había sacado una carta náutica del sobre que le había dado Austin y fue buscando las islas y atolones que veía desde el aparato. El alférez Daley le tocó en el hombro y señaló al frente, donde las siluetas de las naves salpicaban la superficie del mar.

—Es como si nos acercásemos a una flota invasora —comentó Zavala.

—Estamos entrando en la zona de búsqueda —informó Daley—. Tenemos a seis barcos buscando en las aguas alrededor del lugar del laboratorio. Una nave de la NUMA ha venido de refuerzo. Mi barco es el centro de mando. Nos acercamos a él en dirección mediodía.

El helicóptero cubrió en unos minutos la distancia hasta el *Concord*, sobrevoló la popa por un instante y luego bajó lentamente hasta el gran círculo pintado en cubierta. Zavala abrió la puerta del helicóptero y bajó. Lo recibió un hombre de pelo canoso vestido con un uniforme caqui.

—Soy Hank Dixon, señor Zavala —se presentó, y le tendió la mano—. Soy el comandante del crucero *Concord*. Bienvenido a bordo.

—Gracias, capitán. Por favor llámeme Joe. Mi jefe, Kurt Austin, está ocupado en Pohnpei; llegará en un par de horas. El alférez Daley me dijo que el *Concord* actúa como centro de mando de la flotilla de búsqueda.

—Así es. Venga, le mostraré lo que hemos estado haciendo.

El capitán lo llevó al centro de búsqueda y rescate debajo de la cubierta principal. Una docena de hombres y mujeres sentados delante de las pantallas de ordenador procesaban la información que llegaba de los barcos y los aviones participantes en la búsqueda.

—¿A qué distancia estamos de la ubicación del laboratorio? —preguntó Zavala.

Dixon señaló la cubierta debajo de sus pies.

—Está a cien metros en la vertical del casco. Éramos la nave de respaldo del *Proud Mary.* Cuando recibimos la llamada de socorro, llegamos al lugar en cuestión de horas.

—¿Dónde está ahora el barco de apoyo?

—Una nave de salvamento lo remolca hacia un astillero, donde los especialistas podrán revisarlo a fondo. Lo más urgente era el cuidado de los supervivientes, así que pasó un tiempo antes de que pudiésemos ocuparnos del laboratorio. Cuando no conseguimos comunicarnos por radio, interpretamos erróneamente que se había estropeado la boya de comunicaciones. Tenemos un ROV para inspección del casco, y lo enviamos. —Se acercó a una de las pantallas—. Las depresiones circulares que ve en el fondo corresponden a las bases de las patas que soportaban el laboratorio.

—No veo marcas de arrastre —señaló Zavala—. Eso indica que el laboratorio fue levantado del lugar, algo posible con sus sistemas de flotación neutra. ¿Puede mostrarme el punto preciso en el mapa de satélite?

Dixon pidió a un técnico que buscase la imagen combinada de las aguas donde se realizaba la búsqueda.

—Hemos estado utilizando los satélites espías que pueden enfocar un lugar tan pequeño como un metro cuadrado para buscar emisiones infrarrojas —dijo Dixon—. El laboratorio estaba al oeste de Pohnpei entre la isla Nukuoro en el norte y la isla Oroluk en el sur. Hemos trazado líneas desde estas tres islas y concentrado nuestros esfuerzos en el triángulo Pohnpei.

—Los cuadrados rojos deben de ser las zonas ya investigadas —dijo Zavala.

—Así es. Los cuadrados marcan el territorio que ha sido barrido por el sónar. Las naves transmiten la información a nuestros ordenadores. Hacemos una cuadrícula del océano, y los barcos van de un cuadrado a otro paralelo en una línea que se extiende varias millas y después pasan al siguiente. De esta manera, podemos cubrir una gran zona en muy poco tiempo. También tenemos aviones y helicópteros que efectúan una búsqueda visual.

—Los círculos rojos deben de ser las islas —dijo Zavala.

—Sí. Van desde islas de tamaño medio hasta atolones poco más grandes que un pulgar. Casi todas están desiertas. Hemos ido en helicóptero a unas cuantas y hablado con los habitantes, pero nadie informó de nada sospechoso. Los lugares a los que no se puede acceder por mar o aire los hemos inspeccionado muy a fondo con reconocimientos aéreos.

—El alférez me comentó que han lanzado sonoboyas.

Dixon asintió.

—Pasaron unas horas antes de comprender que el laboratorio había desaparecido y que se decidiera efectuar el lanzamiento de los sensores acústicos Tenemos tres sumergibles antisubmarinos equipados con oídos electrónicos tan sensibles que pueden captar el estornudo de un pez recorriendo los perímetros del triángulo.

—Quizá pueda decir a los submarinos que utilicen los detectores acústicos para buscar la huella sonora de un submarino ruso de la clase Tifón. Los Tifón se mueven en silencio, pero quizá pueda captar algo.

Dixon miró a Zavala con una expresión intrigada.

—¿Cree que los rusos están involucrados en esto?

—No —dijo Zavala—, pero sí puede estarlo uno de sus viejos submarinos. Al parecer tiene todas las bases cubiertas. Me gustaría volver al cuadro uno. Llamaré al barco de la NUMA para ver si me prestan un sumergible y puedo bajar al lugar.

—Lo llamaré —dijo el capitán Dixon—. Me estoy quedando sin ideas. ¿Tiene alguna sugerencia?

Zavala miró la enorme zona representada por la imagen de satélite. La marina se enfrentaba a una difícil y casi imposible tarea. La Federación de Estados de Micronesia consistía en más de seiscientas islas dispersas en un millón y medio de millas cuadradas del Pacífico. La tierra cubría un área más pequeña que el estado de Rhode Island pero, si se tenía en cuenta el océano, la federación tenía dos tercios del tamaño de Estados Unidos.

—La buena noticia es que su plan de búsqueda es soberbio, capitán. Si tuviese tiempo, no dudo que podría encontrar el laboratorio.

—Gracias. —El capitán entrecerró los ojos, y preguntó—: ¿Cuál es la mala noticia?

Zavala le dirigió una sonrisa triste.

—No tenemos tiempo.

38

Paul Trout llevó el todoterreno alquilado al aparcamiento vacío del molino textil de cuatro plantas que había sido abandonado décadas antes cuando la industria textil de New Bedford dejó la ciudad. Recortado contra el cielo nocturno, el edificio de piedra habría parecido una reliquia de una vieja civilización de no haber sido por el enorme cartel que anunciaba muebles de rebajas. Una lámpara encima de la puerta principal iluminaba una péqueña placa de madera donde se leía: ANTIGÜEDADES BRIMMER, CUARTA PLANTA.

El molino estaba a oscuras, excepto por las luces de la sala de exposición y un resplandor amarillo en la ventana del cuarto piso.

—¿Te resulta conocido? —preguntó Gamay.

—Sí —contestó Paul—. Es el viejo molino Dobbs, el lugar que Rachael nos mostró en aquella foto antigua de la casa.

Gamay señaló el último piso.

—Si Brimmer no está ahí —dijo—, es el fantasma del capitán Dobbs trabajando fuera de su horario.

Paul cogió el móvil y marcó el número de Brimmer.

—Curioso —comentó—. La luz está encendida, pero Brimmer no responde. Ni siquiera hay un contestador automático. ¿Tus antenas están captando como yo las vibraciones de que aquí pasa algo raro?

Gamay frunció la nariz.

—A mí me huele mal —dijo. Comenzó a apuntar con los dedos—. Brimmer nos asegura que el diario de a bordo ha desaparecido y luego llama para decir que sabe dónde está. Después nos pide que nos encontremos en este viejo edificio en lugar de en su librería, ni siquiera en un lugar público. ¿A qué viene tanto secreto?

—Comienzo a olerme una ratonera —dijo Paul—. Solo que en lugar de queso, el cebo es un viejo libro. Nosotros somos los ratones.

—Quizá este edificio siniestro nos vuelve paranoicos —comentó Gamay—. Brimmer no parece un tipo violento. ¿Qué quieres hacer?

—No sé si la información del diario de a bordo de Dobbs ayudará a Kurt y a Joe a encontrar el laboratorio desaparecido. Pero dado que hay vidas involucradas, yo digo que hay que ir a por él.

—Si lo miramos desde el punto de vista de coste-beneficio, estaría de acuerdo contigo. De todas maneras, eliminemos el factor riesgo y exploremos un poco.

Paul aparcó el coche en las sombras, y luego se acercaron cautelosamente a la puerta principal.

—Está abierta —dijo Paul—. No tiene nada de sospechoso. Brimmer nos espera.

—Pero no ha respondido al teléfono —dijo Gamay—. Si no estuviese en su despacho, no dejaría la puerta sin cerrar. Eso sí es sospechoso.

Caminaron a lo largo de los cien metros del edificio y se encontraron con otra puerta. Esta sí estaba cerrada con llave.

Continuaron rodeando el edificio y llegaron a la escalera de incendios que subía hasta la última planta. La subieron y probaron las puertas de cada rellano, pero todas estaban cerradas.

Paul metió la llave del coche en el marco de la puerta del último piso. La madera estaba podrida. Dio un paso atrás y se lanzó con el hombro contra la puerta, la sintió ceder y dio otros cuantos golpes más hasta que saltó el pestillo. Gamay sacó una pequeña linterna halógena del bolso, y entraron.

Sus pisadas resonaron cuando caminaron por el suelo cubierto de polvo. El enorme espacio donde una vez los obreros habían atendido centenares de telares estaba silencioso como una tumba. Fueron hasta el otro extremo, donde una luz se filtraba por debajo de una puerta, y por fin llegaron a un tabique. Había cajas de cartón apiladas. El nombre de Brimmer estaba escrito en las cajas.

Paul cogió una tabla de un montón de basura, la balanceó como un bate y susurró a Gamay que llamase a la puerta. Ella lo hizo con suavidad. No hubo respuesta, así que se hizo a un lado, y Paul volvió a hacer de ariete. La puerta se abrió al primer golpe.

El suelo estaba cubierto de libros y papeles de las estanterías, ahora vacías, que cubrían las paredes. Unas hojas de papel colgaban de unos hilos tendidos de una punta a otra de la habitación. La luz visible desde el exterior a través de la ventana la daba una lámpara colocada sobre la mesa donde también había un ordenador, un pequeño atril y el cuerpo de Brimmer. El anticuario estaba tumbado boca abajo, su mano tendida hacia un teléfono móvil a unos centímetros de sus dedos. En la espalda, su chaqueta estaba perforada por un único agujero de bala con el borde rojo.

Paul apoyó los dedos en la arteria del cuello del anticuario.

—Ahora sabemos por qué Brimmer no ha contestado a nuestra llamada.

Gamay se inclinó sobre el tablero del dibujo, donde había un documento a medio acabar, escrito con una letra muy florida. A su lado había unas cuantas plumillas de caligrafía y un frasco de tinta. Leyó en voz alta una nota manuscrita en una hoja de papel junto a un libro abierto.

—Pueden ustedes llamarme Ismael...

—¿La primera frase de *Moby Dick*? —preguntó Paul.

Gamay asintió.

—Por lo que parece, nuestro señor Brimmer estaba falsificando páginas manuscritas de Melville.

—¿Podrían haberle matado por algo así? —preguntó Paul.

—Rachael Dobbs sería mi primera sospechosa. Pero lo más probable es que alguien no quisiese que utilizara el teléfono.

Paul metió un trozo de papel por debajo del móvil y le dio la vuelta para ver la pantalla.

—Llamaba a la policía. Llegó a marcar los dos primeros dígitos.

—Creo que podemos llegar a la conclusión de que Brimmer fue obligado a venir aquí —opinó Gamay—. De otra manera, nunca habría permitido que nadie viese su taller de falsificación. A juzgar por el desorden en el suelo, diría que buscaban algo.

—¿El diario de a bordo de 1848?

—Como diría Holmes, si eliminas lo imposible, tienes lo posible.

—Su cuerpo todavía está caliente, señora Holmes. ¿Eso qué te dice?

—Que lo mejor será estar alerta. Los asesinos sabían que vendríamos a ver a Brimmer.

—¿No te parece un tanto cogido por los pelos? —preguntó él.

Gamay señaló el cadáver.

—Díselo al señor Brimmer.

—Vale. Me has convencido.

Paul se llevó un dedo a los labios y abrió la puerta opuesta a la otra por donde habían entrado. Salió a un rellano, con una barandilla, y miró escalera abajo. Vio un pequeño resplandor naranja y olió el humo de cigarrillo que subía por el hueco. Volvió a la oficina, cerró la puerta con mucho sigilo y echó la llave.

Cogió el móvil de Brimmer, marcó el tercer dígito para completar la llamada de emergencia. Cuando atendió el operador de la policía, Paul dijo que su nombre era Brimmer, dio la dirección y explicó que alguien rondaba por el edificio. Sospechaba que iba armado y era peligroso.

Paul colgó y colocó el móvil en los dedos laxos de Brimmer.

Gamay y él salieron del despacho y se apresuraron a cruzar la sala donde habían estado los telares. Paul dejó la tabla apoyada en la pared, y bajaron por la escalera de incendios solo para detenerse casi de inmediato.

La vieja escalera de incendios se tambaleaba y se oía el ruido de pisadas que subían por los escalones de hierro. Los Trout entraron a la carrera, y Paul cogió la tabla que había dejado antes. Se pegaron a la pared a cada lado de la puerta. Él sujetó con fuerza la tabla.

Oyeron unas voces masculinas que susurraban y luego una exclamación de sorpresa. Los hombres habían visto la cerradura rota; entonces se apagaron las voces.

La puerta se abrió poco a poco. Entró una figura, seguida por otra. Hubo una chispa cuando la primera encendió un mechero. Paul calculó que solo disponía de un segundo para actuar y descargó la tabla contra la cabeza de la segunda figura. El hombre con el mechero se volvió al oír el ruido de la madera golpeando el cráneo. Sujetaba un revólver en la otra mano. Paul le golpeó en el vientre con el borde de la tabla y siguió con otro golpe en la cabeza cuando el hombre se dobló.

Los Trout salieron corriendo al rellano, se detuvieron por un momento, para asegurarse de que nadie más subía por la escalera de incendios, y luego bajaron los escalones de dos en dos y corrieron a su coche. Mientras se alejaban, se cruzaron con dos vehículos de la policía que iban a gran velocidad hacia el edificio, con las luces de emergencia encendidas, pero las sirenas apagadas.

Gamay recuperó el aliento y preguntó:

—¿Dónde aprendiste a batear como Ted Williams?

—En la liga de sófbol del Woods Hole durante el verano. Jugaba de primera base para el equipo oceanográfico de la institución. Solo por pura diversión. Ni siquiera apuntábamos los tantos.

—Bueno, voy a apuntarte un dos a cero, después de la excelente doble jugada —dijo Gamay.

—Gracias. Hemos llegado a un callejón sin salida con el diario de a bordo de Dobbs... literalmente —manifestó Paul.

Gamay frunció los labios mientras pensaba.

—El capitán Dobbs no fue el único que escribió sus memorias.

—¿Caleb Nye? —dijo Paul—. Todos sus archivos se quemaron.

—Rachael Dobbs mencionó el diorama. ¿No podría considerarse como un documento?

—Vale la pena intentarlo —dijo Paul con renovado entusiasmo.

Paul pisó el acelerador a fondo y cruzó la ciudad para ir a la mansión Dobbs.

Rachael Dobbs se despedía del equipo que se había encargado de la limpieza después del concierto de jazz y estaba a punto de cerrar el edificio. Parecía más relajada que antes.

—Me temo que se han perdido el concierto —dijo—. ¿Han encontrado la tienda del señor Brimmer?

—Sí, gracias —respondió Gamay—. No pudo ayudarnos. Pero entonces Paul y yo recordamos el diorama de Nye que nos mencionó. ¿Podríamos verlo?

—Si vienen mañana, se lo mostraré con mucho gusto —dijo Rachael.

—Para entonces ya estaremos de nuevo en Washington —explicó Gamay—. Si hay alguna posibilidad...

—Bueno, después de todo, su generosa contribución a la Sociedad Dobbs les ha convertido en miembros de primera —manifestó Rachael—. Vayamos al sótano.

El sótano de la mansión era enorme y olía a moho. Buscaron su camino entre antigüedades y armarios llenos que, según Rachael explicó, tenían temperatura controlada. Abrió las dobles puertas de uno para dejar a la vista los estantes metálicos donde había cajas de plástico, cada una etiquetada. Un objeto cilíndrico de unos dos metros de largo envuelto en plástico ocupaba el estante inferior.

—Este es el diorama de Nye —dijo Rachael—. Me temo que pesa lo suyo y es probable que sea la razón por la que nadie se ha molestado en sacarlo.

Paul se agachó y levantó un extremo del cilindro un par de centímetros.

—Puede hacerse.

Durante sus años de estudiante, Paul había ayudado a su padre en el barco pesquero, y, desde entonces, había pasado muchas horas en el gimnasio para mantenerse en forma y poder responder a las exigencias físicas del trabajo.

Gamay también era una fanática de la gimnasia y, aunque su figura de largas piernas podría haber salido en las páginas de *Vogue*, era más fuerte que muchos hombres. Entre los dos levantaron el paquete sin problemas y cargaron con él escalera arriba.

A sugerencia de Rachael, llevaron el cilindro a la tienda, donde había espacio para desenrollarlo. Los Trout quitaron el plástico y desataron las cuerdas que sujetaban el diorama. Lo habían enrollado muy fuerte, con el reverso de un color marrón grisáceo hacia fuera.

Con mucho cuidado y poco a poco desplegaron el diorama.

Quedó a la vista una primera imagen. Correspondía a una pintura al óleo de un metro cincuenta de alto y dos metros de ancho, que mostraba un ballenero amarrado en el muelle. Había una leyenda al pie de la imagen: «Final del viaje».

—Debemos de estar viendo la última sección del diorama —dijo Rachael—. Muestra el barco descargando las bodegas en New Bedford. ¿Ven cómo bajan los barriles por una rampa hasta el muelle?

Los colores del mar y el cielo aún conservaban sus tonos vivos, pero los otros colores eran chillones, al estilo de los carteles de circo. Las pinceladas eran enérgicas, como si la pintura la hubiesen aplicado deprisa. La perspectiva era errónea vista a través de los ojos de un artista poco experto.

—¿Alguna idea de quién lo pintó? —preguntó Gamay—. La técnica es deficiente, pero el artista tenía buen ojo para los detalles. Incluso se ve el nombre del barco en el casco: *Princess*.

—Es usted muy observadora —dijo Rachael Dobbs—. Seth Franklin era autodidacta y vendía cuadros de los barcos a sus propietarios o capitanes. Antes de dedicarse a la pintura era carpintero naval. Según tengo entendido, Nye se colocaba delante del diorama a medida que se desenrollaba, panel a panel, y explicaba los detalles con su propia historia. La iluminación tendría que ayudar mucho, y quizá incluso había efectos sonoros. Ya saben, alguien detrás del diorama gritando: «¡Allá sopla!».

El siguiente cuadro mostraba al *Princess* rodeando una lengua de tierra que una frase identificaba como LA PUNTA DE ÁFRICA. En otra imagen, el barco aparecía anclado contra el fondo de una isla volcánica. Unas figuras oscuras que podían haber sido nativos estaban en la cubierta, bañada por una luz azul. La frase decía: «Trouble Island, última recalada en el Pacífico».

El panel siguiente mostraba otra isla volcánica, al parecer mucho más grande, con una docena o más de naves en la rada. La anotación al pie la identificaba como Pohnpei.

Paul continuó desenrollando el diorama. Los siguientes paneles mostraban a la tripulación descuartizando un cachalote y fundiendo la grasa para convertirla en aceite. Muy interesante era lo que parecía ser un hombre de pelo blanco tumbado en la cubierta y la explicación: «Un Jonás moderno».

—Es el Fantasma —exclamó Rachael—. ¡Es fantástico! Muestra a Caleb Nye con el aspecto que debía de tener después de que lo sacasen del estómago de la ballena.

La lona del diorama era cada vez más difícil de mover, pero con Paul desenrollándola y Gamay tirando, continuaron desplegando la saga ballenera.

El panel que tenían delante era la clásica representación de una ballena con los arpones clavados en lo alto de unas olas. Dos piernas asomaban de la boca del cachalote. La explicación identificaba la escena: «Caleb Nye, tragado por la ballena».

Rachael Dobbs apenas si podía contener el entusiasmo. Comenzó a hablar de una campaña para recaudar fondos destinados a restaurar el diorama y buscar espacio en las paredes para colgarlo.

Paul y Gamay encontraron el diorama fascinante pero de poca ayuda. Sin embargo, continuaron mirando hasta llegar a la primera imagen que era casi una repetición de la última, donde el ballenero llegaba al final de su largo viaje. En esta, había una multitud en el muelle, y las velas estaban desplegadas. La explicación decía: «Soltando amarras».

Paul se levantó para estirar las piernas, pero la mirada atenta de Gamay vio que aún quedaba un poco más de tela. Le pidió que continuara desenrollando, a la espera de ver un título. En cambio, se encontraron con un mapa del Pacífico Sur. Habían trazado unas líneas onduladas a través del océano. Aparecían dibujos de colas de ballenas. Cada cola tenía marcada la longitud y la latitud.

—Es el mapa del viaje del *Princess* en 1848 —explicó Rachael—. Las coordenadas señalan dónde capturaron las ballenas. Los capitanes a menudo ilustraban sus diarios de a bordo para marcar las buenas zonas de caza. El mapa daba al público de Caleb una idea de la extensión del viaje y mostraba dónde habían ocurrido sus aventuras.

Gamay se puso a gatas y siguió una línea con el dedo índice desde Pohnpei hasta un punto llamado Trouble Island. La posición de la isla estaba anotada a su lado.

Los Trout copiaron las coordenadas, enrollaron el diorama y lo llevaron a la cocina. A pesar de las protestas de Rachael, le dieron una generosa donación para poner en marcha la campaña de exponer en un mural el diorama.

Mientras Rachael se ocupaba de cerrar el museo, los Trout salieron al jardín.

—¿Qué te parece? —preguntó Gamay.

—No estoy seguro de si esto nos ayudará a encontrar el laboratorio —dijo Paul—. Pero todo está relacionado de alguna manera: el presente y el pasado, la medusa azul y la cura milagrosa de los hombres del *Princess*.

—No olvides que alguien creyó que el diario de a bordo era lo bastante importante para matar a Brimmer. Debemos informar a Kurt y a Joe de lo que hemos encontrado.

Paul ya tenía el móvil en la mano y buscaba el número en la agenda.

39

Como cualquier buen detective, Joe Zavala comenzó su búsqueda del laboratorio en la escena del crimen. Con un sumergible para una única persona tomado prestado del barco de la NUMA, se sumergió hasta el fondo y realizó un par de pasadas sobre las depresiones circulares dejadas por las patas del laboratorio. Al no ver nada nuevo, se alejó del lugar y comenzó a explorar la zona circundante. Los focos del sumergible de pronto se reflejaron en un trozo de metal.

Utilizó los brazos mecánicos para recoger del fondo un fragmento de acero retorcido y lo observó a la luz antes de depositarlo en el cesto colgado debajo del sumergible.

—Acabo de recoger un trozo del *Proud Mary* —comunicó al puente de la nave.

—¿Está seguro de que no es un fragmento del laboratorio? —preguntó el capitán Campbell, comandante del barco de la NUMA.

—Muy seguro. El metal está retorcido y fundido, de la manera que queda cuando recibe el impacto de un misil. No se parece en nada a la estructura que vi en los diagramas. Lo que acabo de ver encaja con nuestra teoría de que el laboratorio fue levantado de su sitio y remolcado.

—¿Ha buscado en el cañón donde el laboratorio capturaba las medusas? —preguntó Campbell.

—Sí. Está a unos centenares de metros del lugar. Me sumergí unos sesenta metros. El cañón parece no tener fondo. Vi unas cuantas medusas azules flotando, pero nada más. Podría sumergirme más, pero he oído que la definición de locura es repetir la misma acción inútil una y otra vez.

—Entonces ascienda hasta la superficie —dijo Campbell—. Llamaremos al *Concord* e informaremos del hallazgo al capitán Dixon... Un momento, Joe. Llega una llamada para usted a través de la red de la NUMA. Se la paso.

Al cabo de unos segundos, una voz de mujer sonó en los auriculares de Zavala.

—¿Cómo va tu búsqueda, Joe?

—Hola, Gamay, me alegra oírte. Acabo de recoger un trozo de la nave de apoyo, pero nada más. ¿Cómo os va a vosotros?

—Quizá tengamos algo —dijo Gamay—. Intentamos hablar con Kurt, pero la llamada no pasa, así que te buscamos en las profundidades del mar. Paul y yo hemos encontrado las coordenadas de un lugar denominado Trouble Island. Está a unas cien millas del emplazamiento del laboratorio. Podría ser donde la tripulación del *Princess* recibió la cura milagrosa. No estoy segura de cómo se relaciona con el laboratorio desaparecido, pero quizá pueda ayudar.

—Pasa la información al capitán —pidió Zavala—, y yo subiré para ver cómo van las cosas.

—Vamos de camino a Washington —dijo ella—. Llama si necesitas cualquier cosa por aquí.

Zavala dio las gracias a Gamay y a Paul, apuntó la proa del sumergible hacia la superficie y puso en marcha los propulsores. Una grúa esperaba para izarlo del agua y depositarlo en la cubierta del barco de la NUMA.

Abrió la escotilla, salió del sumergible y fue al puente. El capitán Campbell estaba observando una carta náutica. Señaló en ella un punto correspondiente a las aguas micronesias.

—Este es el atolón más cercano a la posición que me acaban de transmitir sus amigos —dijo Campbell—. No parece gran cosa y, como ve, está dentro de un rectángulo rojo, lo que significa que fue inspeccionado visualmente. ¿Qué opina?

Zavala pensó en la pregunta del capitán y respondió:

—Necesito hablar con un experto.

Unos minutos más tarde, estaba en comunicación con la unidad de navegación de la NUMA, que suministraba a las expediciones de la agencia información de última hora.

—A ver si lo he entendido —dijo la experta, una joven de voz suave llamada Beth—. Estás buscando una isla del Pacífico que ya no aparece en las cartas y ni siquiera te consta que haya aparecido en ellas alguna vez.

Zavala rió por lo bajo.

—Lo siento. Debe de parecerte como buscar una aguja inexistente en un pajar muy grande.

—No te desalientes, Joe. Me gustan los desafíos.

—¿Alguna posibilidad de que la isla pueda aparecer en una carta del almirantazgo británico?

—Depende. Las cartas del almirantazgo estaban muy adelantadas a su tiempo en cuanto a exactitud, aunque las primeras se hacían de forma particular y tenían muchísimos errores. El almirantazgo dio por buenos algunos mapas que no debían haber sido aprobados.

—¿Me estás diciendo que una isla puede estar en algunos mapas pero no en otros?

—¡Por supuesto! Las cartas y los atlas del siglo XIX muestran más de doscientas islas que nunca existieron.

—¿Cómo puede ser?

—Por muchas razones. Un marinero ansioso por ver tierra podía confundir una formación de nubes con una isla y anotaba su posición. Calcular la longitud también era un problema. Alguien podía marcar una isla real en el lugar equivocado. Los estafadores se inventaban islas para crear una falsa mina de oro. Otro tipo podía mirar su carta y ver un lugar vacío donde tendría que haber estado una isla... Dime qué sabes de tu isla fantasma.

—Sé que era real —dijo Zavala—. Un ballenero norteamericano recaló allí en 1848. Pero la isla ya no aparece en ningún mapa moderno. En cambio, hay un atolón bastante cerca.

—Comenzaré buscando en una carta de 1848 o cercana. Luego, la compararás con la carta del Pacífico 2683.

—¿Qué tiene de especial?

—Es la carta náutica patrón de todas las del almirantazgo. El servicio hidrográfico británico sabía que las cartas del almirantazgo se estaban quedando desfasadas. Las cartas náuticas exactas eran esenciales para la marina y los intereses comerciales. Así que en 1875, el almirantazgo encargó al jefe del servicio de hidrografía, el capitán Frederick Evans, que limpiase de islas fantasmas sus cartas. Quitó más de cien islas del Pacífico. La carta corregida se designó con el número 2683.

—Entonces ¿es posible que la isla nunca existiese? —preguntó Zavala.

—Es posible. Pero las islas pueden desaparecer. Tu isla quizá se hundió en el mar después de una erupción volcánica, un terremoto o una inundación. Hay un precedente histórico: la isla Tuanah se hundió con sus habitantes. Hay más casos en los registros. Ahora podría ser un arrecife debajo de la superficie, y entonces ni siquiera los satélites la descubrirían. Tienes que acercarte y echar una ojeada.

—¿Por dónde comenzamos? —preguntó Zavala.

—Gran parte de lo que buscas está en internet —contestó Beth—. La Biblioteca Británica tiene la mayor colección de cartas del almirantazgo. Allí haré la primera consulta y luego pasaré a los archivos nacionales. Si tengo que ir a la Real Sociedad Geográfica o al Museo Marítimo de Greenwich, quizá tarde algo más. ¿Para cuándo necesitas esta información?

—Para ayer —contestó Zavala—. Hay muchas vidas que pueden depender de lo que encontremos.

—¿Es una broma, Joe?

—Ojalá lo fuera.

Tras una breve pausa al otro extremo de la línea, Beth dijo:

—Como te he confesado, me encantan los desafíos.

Zavala se preguntó si había sido demasiado crudo e intentó aligerar el ambiente.

—¿Estás casada o prometida, Beth?

—No. ¿Por qué?

—En ese caso, me encantaría invitarte a cenar para demostrarte mi agradecimiento.

—¡Caray! ¿Quién dijo que no puedes encontrar a un tío guapo en la división de cartografía? Tengo que irme, adiós.

Zavala apagó el teléfono y fue hacia el helipuerto del barco de la NUMA. El helicóptero estaba equipado con patines que le permitían posarse en el agua. Zavala miró el aparato ensimismado y luego volvió al puente.

—Tengo que pedir otro favor.

—Haremos lo posible para ayudar —dijo el capitán Campbell.

—Tengo a una experta de la NUMA averiguando la historia del atolón que corresponde a las coordenadas que nos dieron los Trout. Si ella encuentra alguna pista, me gustaría utilizar el helicóptero para ir a comprobarlo.

—Me ocuparé de que repostén y que esté preparado para volar cuando lo necesite.

Zavala dio las gracias a Campbell y fue al almacén de suministros en la cubierta principal. Cogió una balsa de emergencia y se preguntaba si necesitaría más equipo cuando sonó el teléfono. Era Beth.

—¡Lo tengo! —anunció la muchacha.

—Sí que ha sido rápido —dijo Zavala.

—Cuestión de suerte. Encontré lo que buscaba en los Archivos Nacionales Británicos. Lo tienen todo informatizado y clasificado por fechas. ¿Cuál es tu dirección de correo electrónico?

Zavala se la dio y, antes de colgar, se aseguró de conseguir su número de teléfono particular para poder llamarla y concretar una cita.

Fue al centro de comunicaciones de la nave y pidió prestado un ordenador. Consultó su correo y segundos más tarde la carta del almirantazgo británico correspondiente a 1850 apareció en la pantalla. Estudió la carta durante un momento, sobre todo el punto marcado como Trouble Island. Luego clicó con el ratón. Apareció la carta del Pacífico 2683.

Puso las dos cartas una al lado de la otra. Los círculos en la carta corregida designaban la posición de las islas no existentes que los especialistas del almirantazgo habían quitado. Trouble Island no estaba marcada, pero habían retirado el nombre y el punto estaba marcado como un atolón. En algún momento entre 1850 y 1875, la isla se había convertido en un atolón.

Zavala llamó a un colega de la NUMA especializado en viejos barcos de vela y consiguió la velocidad estimada para un ballenero cargado a tope. Se reclinó en la silla, entrelazó las manos detrás de la cabeza y trató de ponerse en el lugar del capitán de la nave.

Song Lee había dicho que el virus mataba en cuestión de días. La tripulación debía de estar sana cuando salió de Pohnpei. Supuso que el barco navegaba con viento a favor.

Zavala marcó con una X en la carta un punto al oeste de Pohnpei, donde el *Princess* habría estado al final del primer día. En el segundo, la fiebre habría comenzado a afectar a los tripulantes. El barco habría perdido tiempo. Con otra X indicó la posición de la nave al final de la segunda jornada. El tercer día habría sido caótico a bordo del ballenero.

La mayoría de la tripulación y los oficiales estarían imposibilitados o moribundos. El barco quizá apenas se movía. Marcó una tercera X muy cerca de la segunda.

«Vale, capitán Zavala —casi dijo en voz alta—, tienes un cargamento de aceite de ballena, tus oficiales y marineros agonizan, y estás enfermo. ¿Qué haces? Buscas dónde recalar. No en Pohnpei. Allí está el origen de la infestación. Además ya está fuera de tu alcance.

Zavala conectó el ordenador con un satélite de vigilancia y se centró en el atolón. ¿Era posible que ese atolón sin nombre hubiese sido alguna vez una isla? Beth había dicho que una isla que se hundía en el mar podía dejar un atolón en su lugar. Una erupción o un terremoto habría sido advertido por los habitantes de las islas cercanas, pero no había tiempo para investigar los archivos históricos. Enfocó la cámara del satélite en el diminuto punto. Era el típico atolón del Pacífico: una isla minúscula con unas pocas palmeras, rodeada por una laguna y un arrecife de coral que era casi una barrera sin ningún paso lo bastante grande para permitir la entrada de un enorme submarino de la clase Tifón con un laboratorio a remolque. No se veía nada en las claras aguas de la laguna.

Llamó a la nave de mando y confirmó que los aviones habían volado sobre el atolón y los barcos se habían acercado para echar una ojeada, pero era demasiado insignificante para justificar más investigaciones.

A pesar de sus dudas y los datos poco prometedores, no dejaba de pensar en el nombre: isla Trouble. Alguien había designado a la isla como una fuente de desgracia. ¿Qué clase de desgracia?

Zavala llamó al teléfono de Austin, pero no obtuvo respuesta. Con la vista perdida, pensó en qué hacer. Podía quedarse en el barco de la NUMA y cruzar los dedos a la espera de que la flotilla encontrase algo, o podía sumarse a la búsqueda, consciente de que era un desperdicio de tiempo y combustible.

Detestaba permanecer ocioso. Cogió el intercomunicador, llamó al puente y dijo al capitán que necesitaría el helicóptero para ir a inspeccionar el atolón.

La tripulación ayudó a Zavala a llevar la balsa de emergencia desde el almacén y cargarla en el helicóptero. Se sentó en la cabina, realizó la revisión previa y puso en marcha el motor. Momentos más tarde, se elevó el helicóptero, dio una vuelta alrededor de la nave y se alejó con rumbo norte.

Zavala mantuvo el aparato a una altitud de ciento sesenta metros y a una velocidad de doscientos cincuenta kilómetros por hora. Desde esta altura, el océano era un relámpago verde azulado iluminado por el sol. Pasó sobre un par de naves de la flotilla, pero la mayoría estaba buscando en otras zonas. El cegador reflejo del agua le impidió ver el atolón hasta que estuvo casi encima.

Se acercó con el helicóptero y observó un pequeño trozo de arena con palmeras. El atolón tenía el mismo aspecto que había visto en la imagen del satélite. Confirmó que no había ninguna brecha en el arrecife de coral lo bastante grande para permitir el paso de una embarcación. Bajó un poco más y se posó sobre el agua a unos centenares de metros del atolón, que curiosamente estaba al final de la laguna en lugar del centro.

Mientras las palas se detenían, Zavala se desabrochó el cinturón de seguridad y salió para ponerse sobre uno de los patines. Reinaba un silencio absoluto salvo por el susurro de las olas en la orilla. Al mirar abajo vio a través del agua cristalina un cangrejo que se movía por el fondo.

La balsa estaba en un contenedor de plástico naranja que tuvo que sacar de la cabina. La puso en el agua y tiró de la cuerda. Se oyó el siseo de la cápsula de dióxido de carbono, y la balsa se hinchó al máximo. Zavala se sentó en la embarcación y fue a remo hasta la orilla.

Dejó la balsa en la cegadora arena blanca y caminó por todo el perímetro de la isla. Se sentía como un náufrago en una de aquellas minúsculas islas desiertas que aparecían en las tiras humorísticas.

El sol tropical actuaba como un soplete en su cabeza descubierta. Buscó refugio a la sombra de las palmeras. Contempló el entorno y se quedó absorto en la belleza remota del atolón con sus extraordinarios cambios de luz y color.

Caminó sobre sus propias huellas cuando dio otra vuelta a la isla. Frunció el entrecejo. Aquel insignificante montón de arena nunca podría haber sido Trouble Island. No era más que otro atolón. Fue hasta la embarcación y se volvió para echar una última mirada. Vio un destello en la copa de una de las palmeras.

Fue hasta la palmera y se detuvo junto al tronco. Miró hacia arriba, pero no podía determinar la fuente del reflejo. Se encaramó al tronco, un tanto inclinado, y subió hasta donde se separaban las grandes hojas. Encontró el origen del destello de inmediato. El sol se reflejaba en la lente de una videocámara sujeta al tronco.

Zavala comprendió, mientras miraba la lente, que era posible que la cámara lo estuviese enfocando a él. Comenzó a bajar, pero solo hasta la mitad. El tronco tenía una textura poco natural. Cogió el cuchillo que llevaba en el cinto y clavó la punta en el tronco, pero no consiguió hundirlo más. Cortó un trozo de la corteza y se llevó otra sorpresa: parecía estar hecha de un tejido de plástico que revestía un duro núcleo metálico.

Zavala levantó una mano y cortó un trozo de una de las hojas. Se lo llevó a los dientes y mordió: más plástico. Guardó el cuchillo y bajó hasta la arena. Dio varios pasos a la derecha y luego varios a la izquierda. La cámara siguió sus movimientos.

Demonios.

Zavala corrió a través del atolón, empujó la balsa al agua y comenzó a remar. Tenía que llegar a la radio del helicóptero. Miró por encima del hombro, esperando ver a todos los demonios del infierno persiguiéndole, pero se animó al comprobar que nadie intentaba detenerle. Unos pocos golpes de remo y estaría en el helicóptero.

Entonces ocurrió algo extraño. El fondo de la laguna subió para ir a su encuentro. Un largo y brillante montículo asomó del agua delante mismo de la balsa. Luego el montículo se partió, y una enorme aleta negra cortó el fondo de la laguna y continuó subiendo hasta llegar a más de trece metros por encima de la cabeza de Zavala. Estaba mirando la torre de un submarino gigante. Segundos más tarde, la cubierta levantó la balsa en el aire. El morro del helicóptero también apuntó al cielo y se sacudió por un momento antes de caer por la cubierta redondeada. Cuando el helicóptero golpeó en el agua, la cabina se inundó de inmediato.

La balsa cayó por un costado del sumergible y el agua la inundó. Zavala intentó subirse a la cubierta, pero sus dedos resbalaban en el metal y la cortina de agua que caía de aquella lo empujaba de nuevo a la laguna.

Tragó un poco de agua y boqueó como un pez. Entonces algo como un bate de béisbol le golpeó en la cabeza. Vio una breve explosión de luz ante sus ojos y luego sintió un dolor paralizante. Acto seguido, Zavala se sumió en la oscuridad.

40

El patrón de la nave turística no estaba seguro de entender a las personas que había rescatado en el canal de Nan Madol. La joven asiática medio ahogada parecía inofensiva, pero le intrigaba el musculoso submarinista con bañador hawaiano.

—¿Qué ha pasado, tío? —preguntó al tiempo que miraba a Austin con desconfianza.

Austin señaló la lancha de alquiler que se hundía. Solo unos treinta centímetros o poco más de la proa acribillada sobresalían del agua.

—La lancha tenía una vía de agua —respondió.

—He oído mucho ruido —comentó el patrón—. Sonaban como disparos.

Austin apoyó una mano en el hombro del patrón y le hizo volverse.

—¿Ve aquella bolsa que flota allí? —La señaló—. Es mía. ¿Podemos recogerla?

La mirada dudosa en el rostro moreno del patrón sugirió que comenzaba a lamentar su decisión de rescatar del agua a sus dos nuevos pasajeros, pero intuyó que no podía negarse. Acercó la embarcación y Austin se inclinó sobre la borda y recuperó la bolsa estanca. Abrió la cremallera y cogió el billetero. Sacó un billete de cincuenta dólares.

—Aquí tiene el pago de los pasajes. —Dio al capitán otros cincuenta, y dijo—: Este es por no hacer más preguntas. —Con otros cincuenta, pasó un brazo por los hombros del patrón y, en voz muy baja para que no lo escuchasen los demás pasajeros, añadió—: ¿Cuánto falta para acabar el recorrido?

—No lo sé... quizá media hora —contestó el patrón.

—Este es para usted si reduce el tiempo a la mitad.

El patrón sonrió, y el tercer billete de cincuenta dólares siguió a los dos primeros en su bolsillo.

—Tío, acaba de comprar el barco —dijo—. Usted y la dama pueden sentarse.

Austin y Song Lee no hicieron caso de las miradas curiosas de los pasajeros y buscaron un lugar donde sentarse. La embarcación tenía una toldilla que protegía del sol a unos pocos, pero no había asientos disponibles a la sombra, y los pasajeros se sentaban en los salvavidas apilados. Una joven pareja japonesa de luna de miel dejó sitio para los nuevos pasajeros.

El patrón fue fiel a su palabra. Quince minutos después de que Austin y Lee subiesen a bordo, avisó a los pasajeros de que echasen una última mirada a las misteriosas ruinas. Sentado en la carcasa de uno de los dos motores fuera borda, aceleró y no tardó mucho en llegar al muelle de Kolonia.

Mientras Lee iba al lavabo para arreglarse, Austin fue a la tienda de alquiler de equipos de buceo y lanchas. Devolvió el equipo de buceo en buen estado, pero pidió al entristecido propietario que dijese cuánto costaría reemplazar la lancha y el motor perdidos. Aunque el precio era exorbitante, Austin sacó una tarjeta de crédito de la NUMA y le dijo que le cobrase. Los contables de la NUMA que vigilaban las finanzas de la institución se habían acostumbrado a las extrañas compras de Austin. De todas maneras, pidió la factura.

Mientras el propietario la hacía, preguntó:

—¿Su amigo le encontró?

—¿Qué amigo? —preguntó Austin.

—Un asiático que conduce una camioneta. No dijo su nombre. Apareció pocos minutos después de que usted se marchase en la lancha. Le dije que iba a las ruinas.

Austin supo disimular la sorpresa. Dio las gracias al propietario y fue al lavabo de hombres para cambiarse de ropa. Tiró el bañador a la papelera y sacó el móvil de la bolsa estanca. Se alegró al comprobar que tenía cobertura. Vio que los Trout y, después, el capitán del *Concord* le habían llamado. Devolvió primero la llamada de Dixon.

—Soy Austin. Veo que ha intentado llamarme, capitán Dixon. No tenía el móvil a mano.

—Me alegra oírlo, Kurt. Tengo malas noticias. Joe ha desaparecido. Pidió prestado un helicóptero a la nave de la NUMA y voló al norte de aquí para echar una mirada a un atolón. Desapareció del radar.

—¿Envió una llamada de auxilio? —preguntó Austin.

—Ni una palabra —respondió Dixon—. Lo que sea que le haya sucedido ha tenido que ser rápido.

—¿Cuánto tardará el helicóptero en venir a recogerme?

—Va de camino.

Austin apagó el móvil y pensó en llamar a los Trout. Pero Lee iba hacia él, así que guardó el móvil y paró a un taxi. Solo estaba un poco preocupado por Zavala. El encantador joven tenía un extraordinario talento para sobrevivir, y en cualquier caso era poco lo que Austin podía hacer en ese momento. Le preocupaba más que Chang hubiese sabido que estaba en la isla. Alguien los había seguido al puerto, y eso significaba que sus idas y venidas en el aeropuerto habían sido vigiladas desde el momento en que aterrizó el reactor.

No se imaginaba cómo, porque solo unas pocas personas de confianza sabían que estaba en Pohnpei. Se maldijo a sí mismo por subestimar a la tríada.

El taxi los dejó en el aeropuerto. Salieron a la pista para esperar la llegada del helicóptero. Austin comenzó a explicar a Lee la desaparición de Zavala, pero ella no podía contener el entusiasmo.

—¿Sabe lo que descubrimos en aquellas ruinas? —dijo—. Era un hospital o una clínica, donde administraban la toxina de la medusa para curar a los enfermos. Es el descubrimiento inmunológico del siglo. Prueba que los antiguos conocían el valor de la inoculación y lo utilizaban para curar enfermedades. No veo la hora de explicarlo al doctor Huang. Estará entusiasmado.

—¿Quién es el doctor Huang? —preguntó Austin.

—Es mi amigo y mentor —contestó Lee—. Pertenece al Ministerio de Sanidad de China, y fue quien me trajo al Proyecto Medusa.

—¿Cuándo fue la última vez que habló con él?

—Me pidió que le informase todos los días de mi trabajo. Subía a la torre de agua cada noche en Bonefish Key para tener cobertura.

—¿Le daba todos los detalles? —preguntó Austin.

—Sí —respondió Lee—. Incluso le llamé cuando hicimos escala en Los Ángeles y le dije que veníamos a Pohnpei.

—Eso explica por qué Chang y sus sicarios sabían dónde estábamos.

—Oh, no, no creerá...

Austin se encogió de hombros.

—Nuestra misión es de máximo secreto. Solo unas pocas personas de confianza sabían que veníamos aquí. Pero Chang debió de tener a alguien siguiéndonos desde el momento en que aterrizamos. ¿Hasta qué punto conoce al doctor Huang? ¿Podría ser un soplón?

—Lo conocí en Harvard y me ayudó a encontrar empleo. —Pensó en el silencio de Huang cuando pudo salvarla del exilio y en su manera engañosa de reclutarla para el Proyecto Medusa—. El doctor Huang es un hombre brillante pero temeroso. Bastaría una amenaza para someterlo a la voluntad de cualquiera.

—Alguien o algo como la tríada.

La expresión de la mujer se ensombreció.

—Sí. Pero es culpa mía haber permitido que me engañase.

—Hizo un favor a alguien a quien tenía por un viejo amigo

—señaló Austin—. Le sugiero que a partir de ahora no cuente nada al doctor Huang.

Se oyó el lejano batir de los rotores por encima de la laguna que anunciaban la inminente llegada del helicóptero del *Concord*. El aparato aterrizó poco después. Austin y Lee subieron y el aparato despegó.

Fue un viaje de menos de una hora, pero a Austin le parecieron días antes de que el helicóptero se posase en la cubierta de popa del crucero.

El capitán Dixon ayudó a Lee a bajar del helicóptero.

—Bienvenida al *Concord*, doctora Lee. Su gobierno ha estado intentando ponerse en contacto con usted.

—Sufrimos unas demoras en Pohnpei —respondió ella.

—No pasa nada —dijo el capitán—. Informé a su gente de que venía de camino. Tenemos preparado un sistema de teleconferencia; puede utilizarlo. Diré a mi oficial de comunicaciones que la lleve allí.

Mientras Dixon se apartaba para utilizar la radio, Lee se volvió hacia Austin.

—Tendrá que perdonarme, Kurt. Gracias por un día tan interesante.

—Ha sido un placer. Quizá en nuestra próxima visita a Nan Madol podríamos pasar más tiempo en la superficie.

—Eso desde luego sería diferente —afirmó ella con una sonrisa.

El oficial de comunicaciones apareció minutos más tarde y llevó a Lee a la sala para la teleconferencia. Dixon dio la bienvenida a Austin al crucero y dijo que le mostraría en la carta náutica el lugar donde había desaparecido Zavala. De camino al puente, el capitán le explicó que los aviones habían hecho varias pasadas por encima del atolón sin encontrar ningún rastro de Zavala o del helicóptero.

—¿Ni siquiera manchas de aceite? —preguntó Austin.

—Nada —contestó Dixon—. Pero continuaremos buscando.

—Gracias, capitán, pero no puede dedicar su tiempo a buscar a Joe. El laboratorio es nuestra máxima prioridad. —Al ver la mirada de frustración en el rostro del capitán añadió—: No se preocupe por Joe. Siempre aparece donde menos se lo espera.

Austin observó la ubicación del atolón y se preguntó qué había atraído a Zavala de aquel minúsculo punto de tierra y luego buscó el número de los Trout en el móvil. Gamay respondió a la llamada.

—¡Kurt! Gracias a Dios que has llamado. Estábamos preocupados. ¿Qué está pasando?

—Tuvimos un encuentro con uno de los jefes de la tríada en Nan Madol. Un tipo llamado Chang. La tríada tiene un informador. Estamos de vuelta en el *Concord*, pero ahora ha desaparecido Joe. El capitán Dixon dice que Joe pidió prestado un helicóptero para ir a inspeccionar un atolón.

—Nosotros le dimos las coordenadas del atolón —dijo Gamay—. Está localizado cerca de donde estaba Trouble Island, el lugar donde el capitán Dobbs recaló con el ballenero hace ciento cincuenta años.

—¿Encontrasteis el diario de a bordo? —preguntó Austin.

—No, tú no eres el único que ha descubierto que la tríada tiene los brazos muy largos. Nos pusimos en contacto con un vendedor de libros antiguos que dijo tener una pista del diario, pero alguien lo mató e intentó matarnos a nosotros. Nos escapamos por un pelo.

—Me alegra saberlo —dijo Austin con alivio—. Sin embargo, estoy intrigado. Si no encontrasteis el diario de a bordo, ¿cómo habéis averiguado dónde estaba el atolón?

Gamay le habló de la pista de Julien que los llevó a Caleb Nye, la visita a la mansión Dobbs y la tienda de Brimmer, y del hallazgo del cadáver de este en el viejo molino textil. Austin rabiaba mientras escuchaba los detalles del asesinato de Brimmer y el intento de emboscar a los Trout. Incluso sin el doctor Huang, la vasta organización criminal parecía tener ojos y oídos en todas partes. Pidió la longitud y la latitud de las coordenadas del diorama de Nye y dijo que las comprobaría de inmediato.

—¿Qué quieres que hagamos mientras tanto? —preguntó Gamay.

—Llama a Sandecker e infórmale de todo —dijo Austin—. Te llamaré en cuanto sepa más.

Austin se despidió con un rápido agradecimiento, luego se sentó delante de un ordenador y buscó la imagen de satélite utilizando las coordenadas de Nye. La navegación del siglo XIX no era exactamente precisa, y el atolón que Austin vio en la pantalla no concordaba con la posición en la carta. Pero una lectura de radar de la trayectoria de Joe mostró que había ido en línea recta al atolón. Austin situó el teleobjetivo en el pequeño punto. En el monitor apareció una extensión de arena con palmeras rodeada por una barrera de coral, nada extraño excepto por una mancha oscura en un extremo de la laguna. Buscó las posibilidades: un cardumen, coral, vegetación submarina, sombras... Nada parecía encajar. Miró las imágenes anteriores de la isla: la mancha entonces era más grande. Continuó yendo hacia atrás en el tiempo, hora a hora.

Mientras revisaba en las fotos de satélite, vio que la mancha había desaparecido. Fue retrocediendo más y se detuvo. Un objeto con forma de un puro había ocupado el lugar de la mancha. La torre que sobresalía del objeto lo identificaba como un submarino. Amplió la imagen e hizo una rápida búsqueda de los submarinos de la clase Akula en internet. Encontró varias fotografías, escogió una que tenía la torre más o menos en la misma posición y colocó las dos imágenes una al lado de otra. Los submarinos eran idénticos.

Con creciente entusiasmo, Austin siguió retrocediendo en el archivo fotográfico. En un momento dado, no había ningún submarino en la laguna, ni siquiera su posible silueta. Pero vio una mancha negra que, al ampliarla, mostraba el inconfundible perfil de un helicóptero. A partir de esa foto volvió a pasar las imágenes hacia delante como en un cinemascopio: laguna vacía, helicóptero, submarino, ningún helicóptero, mancha negra que disminuía en longitud.

—Gracias, Caleb Nye —exclamó Austin lo bastante fuerte para que lo oyera Dixon, quien se inclinó sobre su hombro y miró la pantalla.

—¿Caleb qué? —preguntó el capitán.

—Nye. Era un ballenero del siglo XIX, y acaba de ayudarme a encontrar a Joe.

Austin le mostró toda la secuencia de fotos.

—Maldita sea —dijo el capitán—. Creo que ha encontrado algo, Kurt.

—Tenemos que ir allí para echar una ojeada. Voy a necesitar su ayuda.

Dixon cogió el micrófono que conectaba con la megafonía del barco.

—Que todos los oficiales acudan de inmediato —ordenó.

Cinco minutos más tarde, Austin estaba en la sala de reuniones y mostraba otra vez las fotos para los oficiales del crucero. Un oficial de artillería sugirió rodear el atolón con todas las naves de la flotilla y lanzar una invasión.

Austin sacudió la cabeza.

—A mi juicio, un ataque naval en toda regla queda descartado. No hay bastante información disponible para justificar esa acción. Un error de cálculo podría revertir en la muerte de todo el equipo científico.

Al oficial no le gustaba que le llevasen la contraria.

—¿Aquí quién manda, capitán? —preguntó—. ¿La marina o la NUMA? El laboratorio es propiedad de la marina.

—Es verdad —dijo Nixon—. Pero tengo órdenes del alto mando para que la NUMA tome el control.

—No me preocupan las competencias —dijo el oficial—. Es una cuestión de poder de fuego. La NUMA es una agencia de investigación científica, hasta donde yo sé.

—Les respaldaremos lo mejor que podamos —dijo Dixon. Comenzaba a enfadarse.

Lo que menos quería Austin era una discusión sobre la estrategia. Intervino para ayudar a salvar la cara al oficial de artillería.

—El oficial ha hecho bien en hablar de la potencia de fuego, capitán. ¿Qué le parece si situamos algunos barcos cerca? Podría acudir en mi rescate si me meto en problemas.

—Por supuesto —asintió Nixon—. Podemos situar algunos cerca y los demás dispuestos a entrar en acción si es necesario.

—Confío en su juicio y en el de sus oficiales, capitán —dijo Austin—. Mi principal preocupación es llegar a la laguna sin ser visto. ¿Alguna idea de con qué puedo encontrarme?

—Tendremos que asumir que el atolón está protegido por un sistema de sensores —contestó Dixon—. Los aparatos de visión nocturna y el radar son motivos de preocupación, desde luego, pero lo que más me preocupa son los sensores termales.

—¿Alguna manera de que podamos esquivar esas medidas de seguridad? —preguntó Austin.

—Un helicóptero que volase a baja altura podría confundirse con las manchas del mar en la pantalla del radar. Si la maniobra es rápida, hay alguna posibilidad de que lo consiga.

Austin no necesitaba nada más.

—Arreglado. ¿Cuándo podemos marcharnos?

El capitán miró a sus oficiales para darles una última oportunidad de intervenir.

—¿Caballeros? —preguntó.

Al no recibir ninguna respuesta, cogió el teléfono para transmitir sus órdenes, pero entonces Austin ya había corrido hacia la puerta.

Mientras Kurt Austin perfilaba la estrategia con Dixon y sus hombres, Song Lee estaba en otra parte del barco, sentada a una mesa y con la mirada puesta en una pantalla en blanco.

—Hable a la cámara en un tono de voz normal, como si estuviese charlando con un viejo amigo —explicó el oficial de comunicaciones—. La transmisión comenzará en cualquier momento.

Lee se abrochó el pequeño micrófono en el cuello y se arregló el pelo lo mejor que pudo. El oficial hizo una llamada para informar a los otros participantes de la teleconferencia de que todo estaba preparado, y luego dejó a Lee sola en la habitación. La pantalla parpadeó por un segundo y después apareció la imagen de seis personas sentadas a una mesa en una sala con paneles oscuros. Identificó a dos de las personas como miembros del Ministerio de Sanidad de China, pero los otros rostros le eran desconocidos. Un hombre de pelo blanco, vestido con el uniforme marrón verdoso del Ejército de Liberación Popular Chino, preguntó a Lee si le veía y oía.

Cuando ella respondió que sí, él añadió:

—Muy bien, doctora Lee. Gracias por este encuentro. Soy el coronel Ming. Tenemos poco tiempo, así que obviaré las formalidades e iré al grano.

—Este comité es el homólogo de un grupo similar estadounidense con el que trabajamos. Me han pedido que sea el portavoz porque el ejército es el primer interesado en contener la epidemia.

—He estado fuera de contacto —señaló Lee—, así que solo sé que se impuso la cuarentena alrededor de la zona donde se declaró la enfermedad.

—Es correcto —asintió Ming—. El ejército fue capaz de contener la epidemia durante un tiempo, pero este es un enemigo para el que no estamos equipados para combatir. El virus está ganando.

—¿Hasta qué punto es grave la situación, coronel?

Ming se esperaba la pregunta, y un cuadrado apareció en la esquina superior izquierda de la pantalla donde se mostraba un mapa de las provincias norteñas de China. Los puntos rojos se amontonaban alrededor de una aldea, con unos cuantos más dispersos fuera de sus límites.

—Esto muestra el brote antes de la cuarentena —dijo el coronel—. Los puntos arracimados representan los focos iniciales del virus.

Apareció otra imagen. Los puntos estaban centrados en una zona, pero había otros focos correspondientes a las ciudades vecinas.

—¿También representa los brotes antes de la cuarentena? —preguntó Lee.

—No —respondió Ming—. La cuarentena está en vigor, pero el virus ha conseguido propagarse a pesar de todo lo que hemos hecho. Me reservaré el comentario para las siguientes imágenes.

A medida que los mapas iban apareciendo en la pantalla uno detrás de otro, se veía cómo los puntos rojos se expandían sobre una gran parte del territorio chino. Se agrupaban y después se replicaban como células cancerosas; más alarmante aún, el virus estaba peligrosamente cerca de Pekín, en el nordeste, y parecía extenderse hacia Shanghai a lo largo de la costa sudeste, Hong Kong, en el sur, y la enorme ciudad de Chungking, en el oeste.

—¿Cuál es el período cubierto por estas previsiones? —preguntó Lee, con la garganta tan seca que apenas consiguió articular las palabras.

—Una semana... que acaba hoy —contestó Ming—. Las previsiones del Ministerio de Sanidad indican que la propagación del virus se acelera. Primero atacará Pekín y luego se propagará a las otras ciudades en menos de dos semanas. Usted comprenderá mejor que yo lo que significa.

—Así es, coronel —respondió Lee—. En términos militares, sería como encender una mecha que condujese a diferentes polvorines. Las ascuas arrojadas por esas explosiones encenderían otras por todo el mundo.

Ming apretó los labios en una sonrisa.

—Tengo entendido que participó en la planificación del peor escenario, como parece ser este —dijo.

—Así es, coronel Ming. Tracé los planes para establecer los centros de producción de la vacuna en lugares donde se facilitaría la distribución. En cierta manera, se asemeja al modo como usted y sus colegas planean una batalla.

— Hábleme de la vacuna que estaba desarrollándose en el laboratorio desaparecido.

—La última noticia era que estaban muy cerca de conseguir sintetizar la toxina.

—Es una muy buena noticia —señaló Ming.

—Es verdad —admitió Lee—. Pero el problema desde el principio no era aislar la sustancia que podía matar al virus, sino producir millones de dosis a la mayor velocidad posible para enfrentarse a la enfermedad. El viejo método de cultivar vacunas en huevos era demasiado lento y rudimentario: se necesitarían millones de huevos y la producción podría tardar semanas. También está el problema de un virus mutante. Habría que hacer al instante una nueva vacuna para otra cepa de gripe. Las vacunas de alta tecnología que se cultivan en una célula animal o humana son capaces de producir trescientos millones de dosis en un año.

—Toda la población del planeta podría morir en menos tiempo —dijo Ming.

—Es verdad —admitió Lee—, y por esa razón el laboratorio investigaba vacunas elaboradas por la ingeniería genética. No se fabrica la vacuna, sino que se produce la molécula que la hará funcionar.

—¿Cuáles fueron los resultados de la investigación?

—No lo sé. Ya habían trasladado el laboratorio a una nueva ubicación. No tengo ninguna información de la fase final.

—¿El doctor Kane comprendería el procedimiento?

—Sí, pero no dispondría de los resultados finales de las pruebas, algo que podrá conocer si consigue volver al laboratorio.

—Para decirlo sin tantos rodeos, doctora Lee, incluso si encontramos el laboratorio y producimos la vacuna, quizá sea demasiado tarde.

—Pues sí.

El coronel Ming miró a los demás.

—¿Alguna pregunta? ¿No? Bien, muchísimas gracias por su tiempo, doctora Lee. Ya nos mantendremos en contacto.

La pantalla quedó en blanco. Song Lee se sintió aterrada al encontrarse sola con sus pensamientos en la estancia. Salió a la carrera y fue a cubierta, donde miró a un lado y al otro para ver el rostro de Kurt Austin. Necesitaba un ancla que le impidiera caer en un abismo. Subió al puente y preguntó a Dixon si había visto a Austin.

—Ah, hola, doctora Lee —saludó el capitán—. Kurt no quería interrumpir su reunión. Me pidió que le avisase de que la cena se ha postergado. Ha abandonado el barco.

—¿Se ha marchado? ¿Adónde?

Dixon le dijo que mirase la carta náutica y apoyó el índice en una gran extensión de océano.

—Ahora mismo, diría que Kurt está por aquí.

41

—¡Despierte, *tovarich*!

Joe Zavala, todavía aturdido, flotaba en una especie de limbo; sin embargo, estaba lo bastante consciente para saber que el líquido frío que le vertían en los labios tenía el sabor del anticongelante. Escupió el brebaje. Las risotadas que siguieron a su reacción instintiva le despertaron del todo.

Inclinado sobre Zavala había un rostro barbudo con una sonrisa de catorce quilates. Zavala vio que la botella se inclinaba de nuevo hacia sus labios. Su mano se alzó y cerró los dedos con la fuerza de una tenaza en la gruesa muñeca del hombre.

Una expresión de sorpresa apareció en los ojos azules ante la celeridad de la reacción de Zavala, pero la sonrisa no tardó en reaparecer.

—¿No le gusta nuestro vodka? —preguntó el hombre—. Lo olvidé. Los norteamericanos beben whisky.

Zavala aflojó los dedos. El hombre barbudo apartó la botella y bebió un trago. Se secó los labios con el dorso de la mano.

—No es veneno —dijo—. ¿Qué quiere beber?

—Nada —dijo Zavala—. Pero écheme una mano para poder sentarme.

El hombre dejó la botella y ayudó a Zavala a sentarse en el borde del camastro. Zavala echó una ojeada al abarrotado camarote.

—¿Dónde estoy? —preguntó.

—¿Dónde está? —dijo el hombre.

Se volvió y, en un idioma que Zavala identificó como ruso, tradujo la pregunta para beneficio de los otros tres hombres barbudos que se apiñaban en el reducido espacio. Se oyeron risas y se vieron vigorosos gestos de asentimiento de las cabezas peludas.

—¿Qué es tan divertido? —preguntó Zavala.

—Les acabo de decir lo que usted ha preguntado, y mi respuesta es que está en el infierno.

Zavala consiguió esbozar una sonrisa y tendió la mano.

—En ese caso —dijo—, aceptaré el vodka que me ofrece.

El hombre le pasó la botella, y Zavala bebió un sorbo. Sintió el fuerte licor que le quemaba la garganta, pero hizo poco para aliviar los latidos en la cabeza. Se llevó una mano al cráneo y notó el vendaje que lo envolvía como si fuese un turbante. Aún tenía los golpes en el cuero cabelludo de su aventura en la B3.

—Le sangraba la cabeza —dijo el hombre—. Fue lo mejor que pudimos hacer.

—Gracias por los primeros auxilios. ¿Quiénes son ustedes? —preguntó Zavala.

—Soy el capitán Mehdev, y ellos son mis oficiales. Está a bordo de un submarino nuclear lanzamisiles Akula. Somos lo que ustedes los norteamericanos conocen como el Tifón Proyecto 941, el mayor submarino nuclear del mundo. Soy el comandante.

—Es un placer conocerle —dijo Zavala, y estrechó la mano del capitán—. Me llamo Joe Zavala. Estoy con la NUMA. Es probable que haya oído mencionarla.

Mehdev metió la mano en la sudadera y sacó la identificación de la NUMA con la foto de Zavala.

—Cualquiera que surque el mar conoce el gran trabajo de la NUMA —afirmó el capitán—. Sus hermosas naves son conocidas por todo el mundo.

Zavala cogió la identificación y se la guardó en el bolsillo de la camisa, después recogió la manta de la litera y se envolvió en ella para absorber la humedad de las prendas. Bebió otro sorbo y devolvió la botella. Uno de los oficiales se acercó a un lavabo y le llevó un vaso de agua. Zavala se quitó el sabor del vodka con el agua y volvió a tocarse el vendaje.

—No se ofenda, capitán, pero tendría que prestar un poco más de atención a cómo pilota. Su submarino emergió directamente debajo de mí y del helicóptero.

Mehdev hizo otra traducción que los oficiales encontraron graciosísima, pero cuando se volvió hacia Zavala, su expresión era sombría.

—Me disculpo. Me ordenaron llevar al submarino a la superficie y traerlo a usted a bordo. Incluso para alguien con mi experiencia es difícil maniobrar un buque de doscientos metros de eslora con cierto grado de precisión. Usted estaba flotando en el agua. Lo subimos a bordo. También siento la pérdida de su helicóptero.

—¿Quién le dijo que me hiciese prisionero?

El capitán frunció el entrecejo.

—Los mismos delincuentes que asaltaron mi submarino y nos retienen prisioneros a mí a y a mi tripulación.

El capitán se lanzó a relatar su historia con una furia mal contenida. Era un veterano de la armada que había comandado un Tifón y que a su retiro había entrado a trabajar en una empresa civil. La Oficina Central de Diseño para la Ingeniería de la Marina, Rubin, responsable del proyecto del sumergible, había tenido la idea de utilizar los Tifón retirados del servicio para llevar carga a las profundidades del Ártico. Habían quitado los silos de los misiles para crear unas bodegas con una capacidad de quince mil toneladas. Una empresa había comprado el sumergible, y a Mehdev lo contrataron para entregar la nave a su nuevo propietario.

La tripulación de algo más de setenta personas era la mitad de la dotación normal, pero sin necesitar a los técnicos de armamento era suficiente para el trabajo. Les habían prometido grandes pagas. Las órdenes del capitán eran de emerger para un encuentro en alta mar. Pero un carguero chino con hombres armados los esperaba para hacerse con el control del buque. Les ordenaron que llevasen el sumergible al océano Pacífico. Con uno de los tubos de torpedo, los secuestradores habían disparado un misil contra una nave de superficie. Luego el Tifón había participado en la operación para remolcar el laboratorio submarino.

—¿Dónde está ahora el laboratorio? —preguntó Zavala. Mehdev señaló hacia abajo con el índice.

—A unos cien metros debajo de nuestra quilla, en el fondo de la caldera. Hubo una erupción hace muchos años y el volcán se hundió para dejar la caldera aquí, en el lugar donde había estado la isla alguna vez. El coral creció en el borde y formó el arrecife que usted cruzó.

—¿Cómo pasó su nave a través del arrecife? —preguntó Zavala.

—No lo hicimos. Pasamos por debajo. Los japoneses abrieron un túnel en la caldera con la voluntad de utilizar este lugar como una base de submarinos durante la Segunda Guerra Mundial. Iban a esperar hasta que pasase la flota norteamericana y luego sorprenderla por la retaguardia con los supersubmarinos alemanes para hundir sus barcos. Un plan muy astuto. Pero los aliados bombardearon las fábricas de submarinos alemanes y entonces acabó la guerra. —Luego Mehdev preguntó—: ¿Qué sabe del laboratorio? Debe de ser importante.

—Muy importante —contestó Zavala—. La marina de Estados Unidos ha enviado aviones y barcos en su búsqueda. Volé sobre la laguna. El agua es clara como el cristal. ¿Cómo es que no los vi?

—Estábamos debajo de una red de camuflaje tendida a través de la laguna. Es lo que ustedes los norteamericanos llaman baja tecnología.

—¿Qué me dice de la isla en la que me posé en la laguna?

—Eso sí es alta tecnología. Una plataforma artificial con

flotadores que se mantiene en el lugar a través de un sistema de propulsión conectado a un sistema de navegación autorregulable. Nos da un puesto de observación para detectar a los intrusos. Le vimos mucho antes de que aterrizase.

—Alguien se tomó mucho trabajo para crear un escondite.

—Hasta donde sé, las personas que están detrás de todo esto pretenden utilizar el atolón para el contrabando a través del Pacífico.

La conversación se vio interrumpida por unos golpes en la puerta. Esta se abrió y entró en el camarote un asiático armado con una metralleta. Le siguió Phelps, que dedicó a Zavala una sonrisa torcida.

—Hola, soldado —dijo—. Está muy lejos de casa.

—Podría decir lo mismo de usted, Phelps.

—Podría. Veo que se ha hecho amigo del capitán y de su tripulación.

—El capitán Mehdev ha sido muy generoso con la bebida.

—Lamento que se acabe la fiesta —manifestó Phelps—. El capitán y sus chicos tienen trabajo que hacer.

Mehdev captó la indirecta y ordenó a su tripulación que saliese del camarote. Phelps ordenó al guardia que los escoltase hasta sus puestos, y luego acercó una silla y puso los pies sobre la pequeña mesa.

—¿Cómo encontró este bonito escondite? —preguntó Phelps.

Zavala bostezó.

—Pura suerte —dijo.

—No lo creo. Siguiente pregunta: ¿alguien más sabe de este lugar?

—Solo la marina de Estados Unidos. Usted y sus amigos pueden esperar la visita de un portaaviones en cualquier momento.

—Vaya tontería —replicó Phelps con sorna—. El atolón estaría rodeado ahora mismo por barcos y aviones si la marina supiese de nosotros. La cámara de la isla envió una foto de su bonito rostro directamente a mi jefe, Chang. Fue él quien ordenó a Mehdev que lo atrapase, pese al riesgo de ser visto por alguien. Se ha metido en un embrollo, Joe.

Los labios de Zavala esbozaron una sonrisa.

—Solo lo parece —dijo.

Phelps sacudió la cabeza, incrédulo.

—¿Qué os dan para beber a los tíos de la NUMA? —preguntó—. ¿Sangre de toro?

—Algo así —dijo Zavala—. Ahora soy yo quien tiene una pregunta para usted: ¿por qué nos dio la llave de las esposas y devolvió el arma a Kurt después de nuestra refriega con su jefa?

Phelps quitó los pies de la mesa, los apoyó en el suelo y se inclinó hacia delante.

—En realidad, tengo tres jefes. Trillizos. Chang está a cargo de los matones. Tiene un hermano llamado Wen Lo que se encarga de los negocios. Pero el holograma que vio en Virginia es el jefe supremo. No sé si es hombre o mujer.

—¿A qué se refiere?

—Algunas veces es la imagen de un hombre y otras la de una mujer. Nunca se sabe.

—¿De qué va todo esto de los hologramas?

—No se fían de nadie, ni siquiera uno de otro. También están locos, pero eso ya lo sabe.

—No hace falta ser un genio para deducir que no están muy en sus cabales, Phelps. ¿Cómo es que se lió con ese grupo de maníacos?

—Soy un antiguo SEAL. Locos o no, pagan mejor que la marina. Iba a retirarme después de este trabajo. —Bajó la voz y añadió—: Como dije, tengo una familia en casa. ¿De verdad cree que el virus que creó la tríada llegará a Estados Unidos?

—Solo es cuestión de poco tiempo.

—Maldita sea, Joe, tenemos que evitarlo.

—¿Tenemos? —se burló Zavala—. Ahora mismo no estoy en posición de hacer gran cosa.

—Me encargaré de cambiarlo. He estado pensando en cómo solucionarlo. Pero necesitaré de su ayuda.

Sonó el móvil de Phelps. Atendió la llamada y escuchó por unos momentos.

—Vale —dijo y colgó. Pidió a Zavala que no se moviese y salió del camarote.

Zavala pensó en su conversación con Phelps.

El hombre era un asesino profesional, no de aquellos que por lo general se escogen como aliados, pero sus metas coincidían. Tendrían que preocuparse de mejorar la relación más tarde.

Se levantó de la litera y caminó por el camarote. Se acercó al lavabo, se lavó la cara y después caminó un poco más. Casi se sentía normal cuando volvió Phelps.

Vestía un traje de submarinista negro y cargaba con un gran macuto. Había una mirada de preocupación en sus ojos.

—Tendremos que posponer nuestra charla —dijo—. El que llamó era Chang.

—¿Qué está pasando? —preguntó Zavala.

—Las cosas se han complicado un tanto —contestó Phelps—. ¿Le apetece salir a nadar?

—Acabo de hacerlo —dijo Zavala—. ¿Tengo otra alternativa?

—No —respondió Phelps.

Dio el macuto a Zavala, quien lo sopesó.

—¿Esto es una parte de las complicaciones? —preguntó Zavala.

Phelps asintió.

Dijo a Zavala que se cambiase y lo dejó solo en el camarote. Zavala abrió el macuto y encontró un traje de neopreno. Se quitó las prendas húmedas y se visitó con el traje, luego abrió la puerta y salió.

Phelps lo esperaba en el pasillo con dos hombres, también vestidos con traje de submarinista. Hizo un gesto a Zavala para que lo siguiese y abrió la mancha por el laberinto de pasillos del gigantesco submarino. Se encontraron a varios tripulantes que miraron a Phelps con expresiones hostiles. Llegaron a un punto donde los guardias los dejaron, y Phelps entró en un compartimiento en mitad del Tifón.

—Una cámara de escape —explicó Phelps y señaló una escotilla por encima de sus cabezas—. Hay otra al otro lado de la torre que usarán nuestros dos guardias.

Abrió un armario y sacó dos equipos completos de buceo que incluían máscaras dotadas con intercomunicadores. Cuando estuvieron preparados, Phelps subió por la escalerilla a una cámara cilíndrica, Zavala lo siguió a paso lento por el peso del equipo.

La cámara de escape solo tenía espacio para dos hombres equipados. Phelps pulsó un interruptor que cerraba la escotilla y comenzó a entrar agua. Una vez que se hubo llenado la cámara, abrió la escotilla superior.

Phelps hinchó el chaleco hidrostático y salió por la escotilla. Zavala lo siguió de cerca. Emergieron del submarino en la base de la torre. Los dos guardias los esperaban. Cada uno sujetaba un arpón submarino de gas comprimido que tenía una punta muy afilada. Zavala no les hizo caso y se calzó las aletas.

La luz verdosa que se filtraba a través de la red de camuflaje bañaba el casco negro del submarino con un resplandor espectral. Zavala había visto una vez a un Tifón amarrado, cuando el casco estaba sumergido en su mayor parte, y se había sentido impresionado con su tamaño, pero no era nada comparado con ver el gigantesco submarino y su enorme torre en su totalidad.

Una voz nasal sonó a través del intercomunicador, y Phelps hizo un gesto para llamar su atención.

—Ya está bien de contemplar el panorama, Joe. Sígame. Esta es una inmersión de buceo técnico. Bajaremos a más de cien metros, pero tiene Trimix en la botella, así que no pasará nada.

Phleps encendió la linterna subacuática. Con un movimiento de tijera de las piernas, se apartó de la cubierta y se propulsó a través del agua en horizontal para luego iniciar el descenso. Zavala lo siguió, con los dos guardias detrás.

Bajaron hacia un racimo de luces ámbar. A medida que descendían, Zavala vio que las luces estaban en la parte exterior de cuatro grandes esferas unidas las unas a las otras por tuberías transparentes. De inmediato reconoció el laboratorio por los diagramas que había estudiado.

—¡El Davy Jone's Locker! —exclamó Zavala.

—Es todo un espectáculo, ¿no? —dijo Phelps.

Zavala vio algo más. Unas espectrales formas azules se movían ondulantes en la penumbra, apenas un poco más allá del alcance de los focos del laboratorio.

—¿Lo que veo son medusas azules? —preguntó.

—Sí —contestó Phelps—. Más le vale mantenerse apartado de esos bichos. Queman. Ya podremos hacer un recorrido por la naturaleza más tarde. Solo tenemos unos minutos para hablar. Somos los únicos que llevamos máscara con intercomunicador, así que no se preocupe de los tipos que le siguen. Iba a dejarlo en el submarino hasta que pudiésemos elaborar un plan, pero Chang dijo que lo quería en el laboratorio. No explicó qué tiene en mente, pero una cosa es cierta: no le ofrecerá una fiesta de bienvenida.

—Tampoco la esperaba —dijo Zavala—. ¿Qué tal si me echa un cabo?

—Haré todo lo posible. Le avisaré cuando haga mi jugada. Mientras tanto, sea un buen chico y no dé a los tipos con los arpones una excusa para que lo utilicen como diana en una práctica de tiro.

Estaban encima de la estructura hemisférica en el centro del complejo. Zavala recordó que era el módulo de tránsito donde estaba ubicado el compartimiento estanco para el vehículo de transporte. Phelps nadó por debajo del módulo de tránsito, más allá de los cuatro minisumergibles amarrados a la parte inferior como cachorros mamando, y luego subió por un tubo que comunicaba con una piscina circular en el centro de una cámara.

Phelps se quitó la máscara facial con el equipo de comunicación, y Zavala siguió su ejemplo. Los guardias aparecieron unos segundos más tarde. Para entonces, Phelps y Zavala habían utilizado la escalerilla en un costado de la piscina para salir. Los guardias los siguieron, y los cuatro hombres colgaron las botellas de aire y el equipo pesado en unos ganchos. Los guardias se quitaron las máscaras y quedaron a la vista sus rostros asiáticos. Dejaron a un lado los arpones y sacaron las metralletas de sus fundas estancas.

Phelps apretó el interruptor que abría la puerta. Encabezó la marcha por un pasillo hasta otra puerta que comunicaba con una pequeña sala. Phelps dijo a los guardias que esperasen, y luego él y Zavala entraron.

La mitad de una pared era de cristal y permitía la visión de un laboratorio donde había varios trabajadores vestidos con trajes anticontaminación blancos. Los hombres miraron cuando Phelps golpeó el cristal con los nudillos. Todos volvieron a su tarea excepto uno, que saludó y desapareció detrás de una puerta señalizada con un cartel que decía DESCONTAMINACIÓN.

Minutos más tarde, Lois Mitchell entró en la habitación. Llevaba un pantalón y una bata de laboratorio, y su pelo oscuro estaba húmedo por la ducha descontaminante. A pesar de su situación, Zavala mostró una sonrisa en reconocimiento ante la belleza de la científica. Lois le vio y las comisuras de sus labios se curvaron hacia arriba.

—Le conozco —dijo ella.

Zavala hizo un rápido repaso de los centenares de mujeres con las que había salido a lo largo de los años y no llegó a ningún resultado.

—¿Nos conocemos? —preguntó con cautela.

Lois se echó a reír.

—Le vi por televisión. Usted era el ingeniero de la NUMA

que se sumergió con el doctor Kane en la batisfera. —Frunció el entrecejo—. ¿Qué demonios está haciendo aquí?

—Yo podría preguntarle lo mismo —dijo Zavala.

—Doctora Mitchell —intervino Phelps—, es Joe Zavala de la NUMA.

—Lois —corrigió la científica, que tendió la mano a Joe.

—Detesto interrumpir la fiesta —dijo Phelps—, pero el tiempo nos apremia a actuar, doctora Mitchell. Mi jefe viene de camino al laboratorio. Si no me equivoco, querrá comprobar la marcha de su proyecto.

—En realidad, viene a recoger la vacuna.

Phelps entrecerró los ojos.

—¿A qué se refiere? —preguntó.

—Mientras usted no estaba, dije a una de las personas que me siguen a todas partes que habíamos sintetizado la toxina. —Se volvió para señalar el tabique de vidrio—. Aquel es nuestro laboratorio de fermentación, cultivo de células y análisis. Su jefe podrá llevarse el cultivo y comenzar de inmediato la producción a gran escala.

—Eso no es nada bueno —afirmó Phelps, con una expresión contrariada.

—¿Por qué? —preguntó Lois—. ¿No era el propósito de todo este proyecto producir una vacuna para dársela al mundo?

—Dígaselo usted —dijo Phelps y sacudió la cabeza.

—Una vez que tengan la vacuna —explicó Zavala—, permitirán que la epidemia continúe extendiéndose hasta conseguir derrocar a su gobierno. Después ofrecerán la vacuna al resto del mundo. Paguen o mueran. Usted y su laboratorio se han convertido en prescindibles.

El color desapareció de las facciones ya pálidas de Lois Mitchell.

—¿Qué he hecho? —exclamó.

—Es lo que hará lo que cuenta —afirmó Phelps.

Llamaron a la puerta. Phelps la abrió y uno de los guardias

asomó la cabeza para susurrarle al oído. Phelps volvió al interior.

—No me ha dicho qué quiere que haga —suplicó Lois.

—Sea lo que sea lo que hagamos, más valdrá hacerlo deprisa —dijo Phelps—. El helicóptero de Chang ha despegado de Pohnpei para ir a su barco.

A Zavala aún le daba vueltas la cabeza desde su encuentro con el Tifón, y sospechaba del abrupto cambio de bando de Phelps, pero el anuncio de que el matón de la tríada no tardaría en presentarse en el laboratorio le había causado más efecto que un cubo de agua helada.

Dado que no tenía muchas alternativas, Zavala decidió apostar a favor de su antiguo adversario. Cogió a Phelps del brazo y dijo:

—Tenemos que hablar, soldado.

42

El helicóptero voló sin las luces de navegación, a una altura de ocho metros por encima del mar, casi rozando la cresta de las olas, mientras se dirigía hacia el atolón a trescientos veinte kilómetros por hora. La tensión en la cabina aumentó a medida que el helicóptero se acercaba a su destino, pero Austin mostraba una tranquilidad absoluta. Iba sentado en el asiento del pasajero vestido con un traje de neopreno fino, con los ojos fijos en la carta náutica generada por satélite sobre el regazo, para grabar cada detalle en su mente.

Había marcado tres X en la carta con un rotulador. La primera X mostraba la posición a cuatrocientos metros del atolón donde lo dejaría el helicóptero. La segunda X mostraba la angosta brecha en el arrecife de coral. La tercera X, desde arriba, mostraba la mancha oscura en la laguna.

La voz del piloto sonó a través de los auriculares.

—Aviso de cinco minutos, Kurt.

Austin plegó la carta y la guardó en una bolsa estanca. Sacó de esta una cartuchera de plástico que protegía su revólver, comprobó la carga y la volvió a guardar. Luego se desabrochó el cinturón de seguridad y se colocó en el umbral de la puerta abierta del helicóptero. El aparato redujo la velocidad y finalmente se detuvo sobre el punto de inserción predeterminado.

—¡Comienza el espectáculo, Kurt! —dijo el piloto.

—Gracias por el viaje —dijo Austin—. Tendremos que volver a hacer todo esto cuando pueda quedarme más tiempo.

El copiloto del helicóptero ayudó a empujar la barca neumática por la puerta y la arriaron al mar utilizando un pescante motorizado. Austin se sujetó al cabo atado a una argolla y se deslizó por él, protegiéndose las manos con unos guantes gruesos. En cuanto tocó el agua se soltó.

El helicóptero se apartó del punto de inserción para evitar que los rotores levantasen agua. Austin nadó hasta el bote inflable y subió a bordo. Se estabilizó por el peso de la mochila con el equipo sujeta a una improvisada plataforma de plástico entre los flotadores. Cogió una linterna de su cinturón, apuntó a la ruidosa silueta que sobrevolaba el agua, y encendió y apagó la luz varias veces para señalar que estaba preparado.

Acabada su tarea, el helicóptero partió y en cuestión de segundos había desaparecido en medio de la noche.

Austin deshizo las ligaduras que sujetaban la mochila y sacó un remo. Encontró una bolsa impermeable que contenía un GPS de mano y apretó el botón de encendido. La pequeña pantalla verde se encendió y le mostró su posición en relación con la isla. Guardó el GPS en la bolsa y comenzó a remar.

Era una noche preciosa. Las estrellas brillaban como diamantes sobre el terciopelo negro del cielo tropical, y el mar estaba que ardía, resplandeciente con una fosforescencia verde plateado. Había un poco de corriente y nada de viento, y recorrió la distancia en unos minutos. Al oír el susurro de las olas que chocaban contra el arrecife, miró en la oscuridad y vio el débil resplandor blanco de estas al romper.

Miró de nuevo el GPS y siguió el curso que le indicaba para llevarle a la brecha en el arrecife. Pero se encontró en dificultades en cuanto se aproximó a la angosta abertura en el coral. El agua entraba y salía de la brecha creando una barrera de turbulencia que sacudía la ligera balsa como un patito de goma en una bañera.

Austin remó con vigor para girar la proa y se lanzó hacia la abertura, pero una vez más no consiguió reunir la fuerza necesaria para superar las corrientes cruzadas. Hizo otro intento. En esa ocasión gritó: «Una vez más a la brecha», pero las inspiradas palabras del Enrique V de Shakespeare no fueron rival para la fuerza del mar. Lo único que consiguió con sus esfuerzos fue llenarse la boca de agua salada.

Después de sus fracasados intentos, Austin admitió que el mar estaba jugando con él y se apartó del arrecife para hacer un reconocimiento. Mientras la balsa se mecía en las olas, recuperó el aliento. Luego sacó un motor fuera borda eléctrico y la batería de la mochila, enganchó el motor a la plataforma y apretó el botón de arranque. Excepto por un suave zumbido, el motor era casi silencioso. Movió el acelerador y apuntó la proa de la balsa hacia el rompiente que se formaba alrededor de la brecha del arrecife.

La balsa cabeceó, fue de lado y se balanceó. Por un segundo, Austin apretó las mandíbulas, convencido de que iba a verse lanzado de costado contra el punzante coral. Entonces las palas de la hélice del fuera borda batieron el agua, y la balsa pasó por la brecha y entró en la plácida laguna.

Austin se apresuró a apagar el motor y esperó. Pasaron cinco minutos sin que hubiese ninguna indicación de que le habían descubierto. Ninguna luz cegadora, ninguna descarga, para anunciar su llegada.

Interpretó la falta de un caluroso recibimiento como una invitación para quedarse. Sacó el equipo de buceo de la mochila y se puso el chaleco hidrostático con la botella de aire. Miró el GPS y vio que la balsa se había desviado un poco del rumbo después de pasar el arrecife.

Comenzó a remar hasta que el pequeño punto negro en la pantalla del GPS le mostró que estaba de nuevo en el rumbo correcto. Unos minutos más tarde, el triangulo se fundió con la marca circular donde el satélite mostraba una raya oscura en la laguna. El submarino que había visto en la imagen de satélite parecía haber surgido del fondo de la laguna antes de esfumarse como por arte de magia. La inexplicable desaparición del Tifón sugería que en la laguna había algo más de lo que se veía a simple vista. Austin no tenía ninguna razón para suponer que las aguas de la laguna no eran tan poco profundas como parecían desde el espacio, pero no quiso correr riesgos, y había cogido una botella con Trimix de la nave de la NUMA por si acaso debía hacer una inmersión más profunda de lo esperado.

Se puso la máscara y las aletas, se encajó la boquilla del regulador en la boca, avanzó reptando sobre el flotador derecho de la balsa y se dejó caer a la laguna.

El agua se coló entre el neopreno y su piel, y por un momento tuvo frío hasta que la temperatura de aquella se elevó gracias al calor corporal. Se sujetó a la borda de la balsa durante unos segundos, y luego se sumergió y aleteó con fuerza mientras descendía hasta unos seis metros.

Cuando Austin llegó al fondo de la laguna, tendió la mano derecha enguantada. En lugar de tocar arena, sus dedos empujaron una superficie blanda que cedía. Sus ojos azul coral se entrecerraron detrás de la máscara. Se quitó el guante, y descubrió que aquello que debía haber sido arena cubierta con vida marina era una red con un irregular retazo de colores.

Sacó el cuchillo de la funda sujeta al muslo, metió la punta en el tejido y empujó. Con solo una ligera presión, la hoja penetró la red. Cortó un cuadrado de varios centímetros de largo, retiró el cuchillo, lo guardó en la funda y atravesó el falso fondo hasta llegar al lugar donde había visto la mancha en la foto de satélite.

Vio desde unos pocos centímetros de distancia que la marca era un siete reparado en parte en el falso fondo. La costura desigual parecía haber sido hecha a toda prisa.

Desenganchó la linterna que llevaba sujeta al chaleco.

Sostuvo la linterna con el brazo estirado y pasó por la abertura. Llevó su cuerpo recto, moviendo las aletas como si pedaleara en una bicicleta, y se giró poco a poco. A medio camino de su vuelta de trescientos sesenta grados, se detuvo y miró con asombro.

A unos treinta metros de distancia había un objeto enorme, apenas iluminado por la luz de las estrellas que se filtraba a través de la red. No había ningún detalle que se viese con claridad, pero era obvio que se trataba de un enorme submarino.

En un acto reflejo apagó la linterna, aunque parecía poco probable que nadie a bordo estuviese al tanto de su insignificante presencia.

Nadó lejos del sumergible, y vio unos puntos de luz en la oscuridad más abajo. Descendió unos metros y se detuvo un poco más allá para contemplar una hilera de resplandecientes objetos azules.

¡Medusas azules!

Había unas seis flotando en su camino. Esperó hasta que las letales medusas quedaron lejos, y luego continuó bajando hacia el fondo. Mientras descendía, vio que las luces que habían llamado antes su atención eran focos situados en la parte superior de cuatro grandes esferas construidas alrededor de un cubo hemisférico. Cada una descansaba sobre cuatro patas con pies en forma de disco que recordaban las extremidades de una araña.

Las superficies metálicas de las esferas eran lisas con excepción de una que tenía una cúpula transparente. Austin nadó más cerca y vio a dos personas debajo de la cúpula. Una era una mujer de pelo oscuro y la otra era Zavala.

Los dos estaban sentados, y al parecer conversaban con animación. Zavala no parecía tener ningún problema y, por la expresión de su rostro, estaba disfrutando. Austin rió, y su risa salió como una serie de ruidosas burbujas. Solo Joe Zavala podía encontrar una bella mujer en el fondo del mar.

Mientras Austin intentaba interpretar la escena que se desarrollaba debajo de la cúpula, la mujer miró hacia él y abrió mucho los ojos.

Se alejó como un caza de combate, nadó hacia el fondo y

por debajo de la esfera para luego ir hacia el cubo hemisférico. Del diagrama recordaba que el cubo era el módulo de transporte. Tenía en la parte superior un compartimiento estanco para el transbordador de carga. Nadó por debajo del módulo más allá de los cuatro minisumergibles amarrados en la parte inferior del cubo y encontró la escotilla que permitía a los buceadores el acceso al módulo. Oprimió el botón de hinchado del chaleco hidrostático. El aire de la botella entró en él a través del latiguillo, y Austin comenzó a subir poco a poco. Al mismo tiempo, retiró de la cartuchera de plástico el Bowen, sin sacarlo de la bolsa estanca. De ese modo, podría tener el revólver a mano y dispuesto para disparar a los cinco segundos de emerger. Sumado al elemento sorpresa, le daría la ventaja que necesitaba.

La cabeza de Austin asomó a la superficie de la piscina del compartimiento estanco dentro del hemisferio. Se subió la máscara a la frente, miró en derredor y vio que no sería necesario el Bowen y que podía dejarlo en la bolsa estanca por el momento. La cámara circular estaba desierta.

Nadó hasta una escalerilla y puso la bolsa en el borde de la piscina, al alcance de la mano. Después se quitó el cinturón de lastre, las aletas y la botella, y lo dejó todo junto a la bolsa. Subió, sacó el Bowen de la bolsa, y colgó el equipo de buceo en un gancho junto a otros cuatro que estaban casi secos. A continuación escuchó durante un minuto junto a la única puerta.

Todo estaba en silencio. Con el Bowen en una mano, apretó el interruptor con la otra. La puerta se abrió silenciosamente. Austin caminó por un pasillo dispuesto a causar problemas.

No hubo de esperar mucho.

Vio una puerta marcada con el cartel que decía SECCIÓN DE CULTIVO DE RECURSOS. La abrió y entró en una sala circular a media luz con peceras, que contenían medusas, a lo largo de la pared. Pero fue el tanque circular del centro el que llamó su atención.

Dentro había al menos una docena de medusas gigantes. Sus cuerpos en forma de campana tenían un diámetro de casi un metro, y los tentáculos eran cortos, gruesos y mucho más correosos que los delicados filamentos de la mayoría de las medusas. Brillaban con un fantástico azul neón que proveía la única iluminación de la sala.

Vio un movimiento que no provenía del interior de la pecera. Un rostro distorsionado se reflejaba en la superficie curva. Absorto por las extrañas formas del tanque central, Austin se había descuidado.

Sujetaba el Bowen junto al muslo. Se volvió y levantó el arma, pero el musculoso guardia que le había acechado en absoluto silencio también levantó su metralleta y le golpeó en la parte interior de la muñeca con la culata metálica. El revólver voló de sus dedos y cayó al suelo, y un terrible dolor le recorrió hasta el hombro.

El brazo de Austin quedó paralizado por un momento, pero con la mano izquierda sujetó la metralleta. Cuando intentaba arrebatar el arma de las manos del hombre, su asaltante lo empujó contra la pecera. Chocó contra la pared de vidrio, aunque siguió sujetando el arma con todas sus fuerzas. Después empujó hacia arriba y lejos de su cuerpo, y alcanzó a arrebatarle la metralleta. Sus dedos carecían de fuerza para sujetarla, y la metralleta cayó a la pecera. Las gigantescas medusas se dispersaron en todas las direcciones.

Ambos miraron el arma, pero Austin fue el primero en reaccionar. Mantuvo el brazo paralizado junto a su cuerpo, agachó la cabeza y embistió a su oponente. El golpe en mitad del pecho lo empujó hacia la pared. Chocaron contra una hilera de peceras y dos de ellas cayeron al suelo para acabar hechas añicos.

Las gelatinosas criaturas se desparramaron por el suelo. Austin resbaló en el charco y cayó sobre una rodilla. Intentó levantarse, y el guardia aprovechó la momentánea ventaja para darle un puntapié en un costado del rostro. Resbaló en la masa gelatinosa en su segundo intento por utilizar la cabeza de Austin como si fuese un balón. El golpe dio de lleno en la mejilla de Austin, le hizo castañetear los dientes y lo tumbó sobre el costado derecho. El guardia recuperó el equilibrio, desenvainó un puñal de la funda sujeta al cinto y soltó un grito. Se lanzó sobre Austin con el arma en alto.

Austin levantó el brazo izquierdo consciente de que era un intento inútil de parar la hoja, pero en el último segundo su mano enguantada cogió un trozo de vidrio de unos quince centímetros de largo y lo hundió en el cuello del atacante. Oyó un grito de dolor que sonó como un gorgoteo y sintió el chorro de sangre caliente de la yugular cortada. El puñal escapó de los dedos del guardia. Intentó levantarse, pero se derrumbó cuando las piernas, ya sin fuerzas, no lo sostuvieron porque la vida se escapaba de su cuerpo.

Austin se apartó antes de que el hombre cayese sobre él y se levantó tambaleante. Le dolía la muñeca derecha y tuvo que utilizar la mano izquierda para empuñar el Bowen. Mientras pasaba con mucho cuidado junto al cada vez más grande charco de sangre y las docenas de medusas que agonizaban, echó una rápida mirada a la gran pecera. Las enormes medusas mutantes resplandecían con más intensidad. Era como si hubieran disfrutado del sangriento espectáculo.

No tardó más de unos segundos en olvidar la horrible escena. Siguió por un pasillo para ir en búsqueda de Zavala y se pregunto qué otras deliciosas sorpresas podría encontrar en el Davy Jone's Locker.

43

Fue Lois Mitchell quien sugirió un lugar para formalizar la alianza con Phelps.

—He estado utilizando el despacho del doctor Kane —dijo Lois—. Los guardias tienen orden de no molestarme mientras trabajo. Allí estaremos bien, al menos durante un rato.

—¿Está de acuerdo, Phelps? —preguntó Zavala.

—Sí —respondió Phelps—, pero vamos a hacerlo a mi manera. El laboratorio todavía está controlado por los gorilas de Chang, así que no podemos salir a dar un paseo. —Dijo a Mitchell que fuera delante y a Zavala que la siguiera. Él iba último, con la metralleta preparada como si estuviese escoltando a dos prisioneros.

Pasaron junto a algunos de los hombres de Chang, que los miraron sin hacer ninguna pregunta. Evitaron la sala de control, que estaba prohibida al personal, y rodearon el laboratorio de fermentación para no despertar la curiosidad de los científicos.

A pesar de la gravedad de la situación, Zavala no pudo evitar una sonrisa cuando subió por la escalera de caracol hasta el despacho de Kane y vio la multitud de peces que tocaban la cúpula de plexiglás que era el techo y las paredes.

—¡Es fantástico! —exclamó.

—Estoy de acuerdo —manifestó Mitchell con una sonrisa—. Me gustaría pasar más tiempo aquí incluso si no fuese un refugio para escapar de los guardias. Sentaos, por favor.

Mitchell encendió las luces para evitar que los peces los distrajeran y se sentó detrás de su mesa. Zavala y Phelps se sentaron delante. Su recién nacida coalición aún tenía unos lazos débiles, y los primeros momentos de incómodo silencio se rompieron a causa de Phelps, que carraspeó y preguntó a Zavala:

—¿Dónde está su amigo Austin?

El instinto de Zavala para protegerse se remontaba a sus días de boxeador en la universidad, y dio a Phelps una escueta respuesta:

—La última noticia era que Kurt estaba en Pohnpei.

Phelps arrugó la nariz.

—Espero que Kurt se mantenga apartado de Chang. Va a por el pellejo de su amigo.

—No se preocupe por él, Phelps. Kurt sabe cuidar de sí mismo. —Después Zavala preguntó—: ¿De cuánto tiempo disponemos antes de que llegue su jefe?

—Es probable que ahora esté aterrizando en el carguero que utiliza como base. El barco parece una ruina flotante, pero puede dejar atrás a muchos de su tamaño. Dispone incluso de una piscina lunar para el transbordador del laboratorio. Lo utilizará para bajar al cráter. Se supone que yo debo ocuparme de que todo esté en orden en el compartimiento estanco. Ese lunático estará aquí en menos de una hora. No tendremos mucho espacio para movernos en cuanto se encuentre a bordo.

—¿Dónde está el personal cuando no trabaja en el laboratorio? —preguntó Zavala.

—Está confinado en los alojamientos —le informó Mitchell—. Sometido a una estricta vigilancia, gracias al señor Phelps.

—Solo hago mi trabajo —dijo Phelps.

—¿Cómo deshace su trabajo? —preguntó Zavala.

—Haré todo lo posible, Joe, pero no será fácil.

—No se preocupe —señaló Zavala—, tendrá muchas oportunidades para redimirse. Para empezar, ¿tiene alguna idea de cómo sacar al personal del laboratorio?

—Lo he estado pensando. Podemos utilizar los minisubmarinos que están debajo del cubo de tránsito. Pueden llevar hasta cuatro personas cada uno. Tenemos aquí abajo a quince científicos además del piloto del sumergible.

Zabala se olvidó del dolor de cabeza en su ansia por pasar a la ofensiva.

—Usted y yo podemos irnos por el camino que llegamos. Debemos neutralizar a los tipos del Tifón. ¿A cuántos tendremos que enfrentarnos en el submarino?

—A los trillizos de la tríada les gusta hacer las cosas de tres en tres —contestó Phelps—. Tiene que ver con el número de la suerte. Cuentan con tres equipos de tres en el submarino, lo que hace nueve, menos los dos que han bajado con nosotros. Todos están armados y son peores que serpientes de cascabel.

—Hasta ahora lo han tenido fácil —opinó Zavala—, así que ya no estarán tan alerta y preparados para un ataque. No tendrán ninguna oportunidad.

Phelps soltó una carcajada.

—Como dijo el oficial de los marines Chesty Puller en Corea cuando le comunicaron que estaban rodeados: «Esta vez no se nos escaparán».

—Así es. —La mente de Zavala ya corría desbocada—. Vale, llevamos a los científicos a los minisubmarinos y abandonan el laboratorio... ¿adónde van?

—A través del gran túnel a un costado del cráter —respondió Phelps—. Tienen potencia suficiente para ir más allá del arrecife, dejar atrás el carguero de Chang, donde podrán salir a la superficie y enviar una llamada de socorro.

—Tendremos que ponernos en contacto con el personal y explicarles lo que se prepara —dijo Zavala.

—Yo me encargo —se ofreció Lois Mitchell—. Los guardias están habituados a verme por el laboratorio.

Phelps consultó su reloj.

—Tendrá que esperar a que vuelva. He de poner las cosas

en orden para la llegada de Chang. ¿Por qué no aprovechan para conocerse mejor?

—Las damas primero —dijo Zavala después de que Phelps hubiese cerrado la puerta al salir.

Mitchell le hizo un breve resumen de su trabajo con el doctor Kane y el Proyecto Medusa, que se remontaba hasta Bonefish Key.

—Hay que felicitarla por el éxito del proyecto —manifestó Zavala.

—Nunca soñé que llegara de esta manera. Y usted, señor Zavala, ¿cómo ha venido a parar a este horroroso lugar?

—Soy ingeniero de la NUMA. Mi jefe, Kurt Austin, y yo recibimos la petición de la marina para ayudarlos en la búsqueda del laboratorio. Por eso estoy aquí.

Se sorprendió cuando Lois Mitchell no le hizo más preguntas. Parecía distraída, con una mirada distante en sus ojos, una indicación de que sus pensamientos estaban en otra parte. Tuvo la sensación de que ella le ocultaba algo. Pero luego la científica parpadeó y miró más allá de Zavala.

—¿Qué ha sido eso? —preguntó.

Zavala se volvió y solo vio los peces atraídos por la luz del despacho.

—¿Ha visto algo? —preguntó.

—Me ha parecido ver a alguien nadando. —Lois sonrió—. Lo siento, he estado aquí abajo demasiado tiempo. Lo más probable es que fuese un pez grande.

El incidente pareció devolverla a la realidad. El encanto y la voz suave de Joe penetraron el caparazón de Lois, y comenzó a relajarse. Sonrió hasta que Phelps regresó con la noticia de que su jefe llegaba acompañado por alguien llamado el doctor Wu.

Mitchell se tensó al oír el nombre.

—No es un doctor —afirmó—, es un monstruo.

—Quizá sea el momento de que enseñe a Joe el vídeo —sugirió Phelps.

Mitchell mostraba una expresión impertérrita cuando cogió la llave de la cadena que le rodeaba el cuello y abrió un cajón de su escritorio. Metió la mano y sacó una caja donde había varios discos de CD ROM. Cogió uno con la etiqueta que decía: «Back up del programa». Le temblaba la mano cuando colocó el disco en el lector de CD y giró la pantalla para que los dos hombres la viesen. El narrador hablaba en chino.

—¿No hay subtítulos? —preguntó Zavala.

—No los necesitará cuando comience —dijo Phelps—. Lo he visto antes.

—Wu es un títere de Chang —comentó Mitchell—. Su trabajo es controlar nuestros avances. Cuando está aquí, me echa de mi despacho. Por fortuna, no le gusta estar en el laboratorio. Encontré el disco en el ordenador después de su última visita. Debió de repasar el contenido. Hice una copia, y después dejé el disco puesto. Cuando recordó que lo había olvidado envió a uno de sus matones a recuperarlo.

Una imagen apareció en la pantalla. La cámara mostró a Wu con una bata blanca hablando con un hombre trajeado y luego pasó a una panorámica de unas personas acostadas en camas cubiertas con cilindros transparentes. Unas figuras con trajes aislantes se movían entre los cilindros. El teleobjetivo de la cámara hizo unos primeros planos de las personas en el interior. Algunas parecían dormidas o quizá muertas. Otras tenían los rostros con manchas de color caoba y estaban transidos de sufrimiento.

—¿Es un hospital? —preguntó Zavala.

—Ni por asomo —dijo Mitchell con una voz tensa—. El narrador es el doctor Wu. Por lo que he podido deducir, el vídeo fue filmado en un laboratorio chino donde estaban experimentando con las vacunas creadas por la tríada. No sé quién es el hombre del traje. Utilizaron cobayas humanos, y por supuesto tuvieron que inyectarles el virus. Puede ver los resultados en la pantalla. Es peor que aquel nazi... Mengele, el Ángel de la Muerte de Auschwitz.

—La doctora me mostró todo esto hace un tiempo —intervino Phelps—. Entenderá por qué me he pasado a su bando.

La furia comenzó a crecer en el pecho de Zavala, y cuando acabó el vídeo, dijo:

—Alguien tendrá que pagar por esto.

—Es curioso oírte decir eso —manifestó una voz conocida—. Yo pensaba lo mismo.

Las tres cabezas se volvieron a la vez. Tres pares de ojos se abrieron de par en par ante la visión de Austin, en el umbral, apoyado en el marco de la puerta. Empuñaba el Bowen en su mano izquierda.

Zavala miró a su amigo. No le sorprendía del todo verle: Austin tenía esa manera de aparecer cuando menos te lo esperabas, pero el traje de neopreno de Austin estaba cubierto de sangre y de restos de medusa.

—Por lo visto has estado luchando con un bote de mermelada —comentó Zavala—. ¿Estás bien?

—Tengo el brazo derecho un poco magullado, pero la sangre no es mía. Cuando me dirigía hacia aquí, me he detenido en una sala con una gran pecera redonda. Un tío se me vino encima, y estábamos bailando cuando dos de las peceras más pequeñas se rompieron y derramaron el contenido por el suelo.

—Las peceras pequeñas contenían organismos en diversas etapas de la mutación —dijo Mitchell—. Ha tenido suerte de que la pecera grande no se rompiese. Aquellas criaturas estaban en la última fase mutante, la utilizada para hacer la vacuna. Cada tentáculo contiene miles de nematocistos, diminutos arpones que inyectan la toxina en la presa.

—Me disculpo por los daños, pero no lo he podido evitar —manifestó Austin. Se presentó a Lois Mitchell—. Cuando la he visto a través de la cúpula me he dicho que solo Joe Zavala podía encontrar una bella mujer en el fondo del mar.

Los ojos de ella se abrieron todavía más.

—Así que era usted la persona a la que vi...

Austin asintió.

—Les estaba mirando a usted y a Joe y me he descuidado.

Se volvió hacia Phelps.

—Por la conversación que he oído hace unos minutos, al parecer ha regresado desde el lado oscuro.

—Fue el vídeo el que me convenció —dijo Phelps—. Joe parece estar de acuerdo con el trato.

Austin no tenía tiempo para someter a Phelps a una prueba con el detector de mentiras. Miró a Zavala, que asintió, y luego se dirigió de nuevo a Phelps.

—Bienvenido a bordo, soldado. ¿Cuál es la situación?

—Chang viene de camino al laboratorio para recoger la vacuna —respondió Phelps.

—Estará aquí en cualquier momento —añadió Mitchell.

—Eso es una buena noticia —manifestó Austin, sin pestañear—. Chang y las personas responsables de las escenas de ese vídeo están muertos.

De pronto, Lois comenzó a sollozar.

—Yo soy una de esas personas. Colaboré en la fabricación de la vacuna.

—No se puede castigar por eso, doctora Mitchell —dijo Austin, con el propósito de suavizar la dureza de sus anteriores palabras—. La obligaron a trabajar en la vacuna. Usted y los demás científicos habrían sido asesinados de no haberlo hecho.

—Lo sé. Pero me pasé de la raya para asegurarme de que el proyecto fuese un éxito. Fue como si quisiese demostrar que podíamos responder al desafío.

—Ahora que la vacuna es un hecho —señaló Phleps—, no necesitarán al personal ni el laboratorio. Joe y yo tenemos un plan para sacarlos a todos de aquí.

Austin no respondió de inmediato. Miraba a través de la cúpula, donde había visto un destello. Al recordar la visibilidad del interior, pulsó el interruptor de la luz y dejó el despacho en tinieblas.

—Su plan tiene que ser muy bueno —dijo—. Miren.

Todos se volvieron y antes sus ojos apareció el sumergible que transportaba a Chang y al doctor Wu, que descendía hacia el laboratorio como una estrella cayendo en cámara lenta.

44

Minutos más tarde, el sumergible llegó a la plataforma y el techo abierto se cerró como las valvas de una ostra. Unas poderosas bombas entraron en acción y retiraron el agua del compartimiento estanco, pero de todas maneras Chang se consumía de impaciencia. Por fin abandonó el sumergible con la premura de una morena que ataca desde su guarida y fue hacia la escotilla de salida cuando aún faltaban unos centímetros de agua por vaciarse. El doctor Wu, con su cara de comadreja, lo seguía un par de pasos por detrás.

Cuando se abrió la escotilla del compartimiento estanco, Phelps estaba en la cámara adyacente junto a la consola de control. Se acercó a Chang y lo saludó con una sonrisa torcida.

—Ha llegado aquí muy rápido, jefe. Ha tenido que pisar el acelerador a fondo.

Chang miró a Phelps con un desprecio mal disimulado.

No entendía la jerga norteamericana y le molestaba cuando Phelps la utilizaba. Nunca había confiado del todo en el mercenario y sospechaba que su lealtad solo duraba hasta el siguiente pago.

—¡Basta de charla! —dijo Chang—. ¿Dónde se encuentra la vacuna?

—La tiene la doctora Mitchell —respondió Phelps—. Le espera en el comedor. El tipo de la NUMA está con ella.

—¿Y el personal del laboratorio? ¿Dónde están todos?

—Encerrados en sus alojamientos.

—Asegúrese de que permanezcan allí. ¿Ha inutilizado los minusubmarinos como le ordené?

Phelps cogió cuatro pequeñas cajas rectangulares enganchadas en el cinturón.

—Estos son los circuitos que controlan el suministro de energía de los submarinos.

Chang le arrebató los circuitos, los arrojó al suelo y los hizo pedazos con el tacón. Dio una orden a los hombres que habían salido del sumergible, cargados con cajas de madera. Apilaron las cajas cerca de la consola y luego fueron a la bodega en busca de más.

Impreso con grandes letras rojas había un cartel en las cajas que decía: «Manejar con cuidado, explosivos».

Phelps golpeó la tapa de una caja con los nudillos.

—¿Para qué son los petardos, Chang? —preguntó.

—Es obvio —dijo Chang—. Utilizará su conocimiento en el manejo de explosivos para volar el laboratorio. Ya ha cumplido su función.

Phelps empujó los circuitos aplastados con la punta de la bota.

—Hay un problema —dijo—. ¿Cómo van a salir los científicos del laboratorio con los submarinos inutilizados?

—Los científicos también han cumplido su función. Se quedarán en el laboratorio.

Phelps se colocó delante de Chang.

—Me contrató para secuestrar el laboratorio —dijo—. Matar a un grupo de personas inocentes no era uno de mis cometidos.

—Entonces ¿no piensa colocar los explosivos? —preguntó Chang.

Phelps sacudió la cabeza.

—Pues no. No cuente conmigo para eso.

Chang mostró una sonrisa letal.

—Muy bien, señor Phelps. Está usted despedido.

La mano de Chang bajó a la pistolera y, con la velocidad del rayo, desenfundó y disparó a Phelps en el pecho.

El impacto a quemarropa lanzó a Phelps hacia atrás y cayó al suelo. Chang miró el cuerpo convulsionado de Phelps con la expresión de un artesano que considerara bien hecho su trabajo. Ordenó a uno de sus hombres que preparara el explosivo y luego se marchó. El doctor Wu lo siguió unos pocos pasos por detrás.

Chang entró en el comedor y sus ojos verde jade se fijaron en Joe Zavala y en Lois Mitchell, que estaban atados en la silla y puestos espalda contra espalda bajo la atenta mirada de los mismos guardias que habían bajado con Phelps. Chang se inclinó sobre Zavala.

—¿Quién es usted? —preguntó.

—Tiene mala memoria —respondió Zavala—. Nos conocimos en el *Beebe*. Usted se marchó con el rabo entre las piernas mientras Kurt Austin y yo nos ocupábamos de sus amigos.

—Por supuesto —dijo Chang—. Usted es el ingeniero de la NUMA. Mis hombres merecían su destino. La próxima vez no seremos tan descuidados. ¿Cómo nos encontró?

—Uno de nuestros aviones voló sobre el atolón y vio algo sospechoso.

—¡Miente! —Chang sujetó a Zavala por la pechera de la camisa—. No me gusta que me tomen por imbécil. Si fuese así, los aviones y los barcos estarían rodeando el atolón. Mis observadores comunican que todo está tranquilo.

—Quizá lo que no ve es lo que debería preocuparle —dijo Zavala.

—Dígame cómo nos encontró.

—Vale, lo confieso. Me lo dijo un pajarito.

Chang descargó un revés contra el rostro de Zavala.

—¿Qué más le dijo el pajarito? —preguntó Chang.

—Me dijo que va usted a morir —respondió Zavala con los labios ensangrentados.

—No, amigo mío, es usted quien va a morir.

Chang soltó la camisa de Zavala y se volvió hacia Lois Mitchell, que miraba horrorizada el rostro ensangrentado de Joe.

—¿Dónde está mi vacuna? —preguntó Chang.

Ella lo miró furiosa y respondió:

—En un lugar seguro. Desáteme e iré a buscarla.

A un gesto de Chang, uno de sus hombres la liberó. Lois se puso en pie y se frotó las muñecas, y luego fue a abrir la puerta de una cámara frigorífica, que utilizaban para guardar la comida, de la que entró y salió al cabo de un momento con una gran nevera de plástico que dejó en el suelo. El doctor Wu quitó la tapa de la nevera.

—Ahí tiene los cultivos que le permitirán sintetizar la vacuna en grandes cantidades —explicó ella.

Protegidos con gomaespuma, había unos platos de Petri. Wu sonrió.

—Esto es un milagro —dijo.

—En realidad —le corrigió Lois—, no es nada más que una muy innovadora ingeniería genética.

Se agachó y quitó la primera bandeja de platos de Petri. Debajo había tres contenedores de acero inoxidable, también protegidos con gomaespuma.

—Aquí tiene los tres frascos de vacuna que pidió —dijo—. Podrá hacer más con los cultivos. —Colocó de nuevo la primera bandeja, cerró la tapa y se levantó—. Nuestro trabajo aquí ha concluido. El señor Phelps dijo que seríamos libres de irnos cuando acabásemos el proyecto.

—Phelps ya no está a nuestro servicio —dijo Chang.

El rostro de Lois adquirió un color ceniciento ante el tono amenazador del anuncio.

—¿A qué se refiere? —preguntó.

Él no hizo caso de la pregunta y ordenó a sus hombres que volvieran a atarla.

—Su amigo Austin ha escapado otra vez —dijo Chang a Zavala—, pero solo será cuestión de tiempo que lo encontremos. Cuando lo hagamos, tendré el enorme placer de describirle sus últimos momentos.

Chang cogió la nevera de la mano de Wu y ordenó al doctor y a los guardias que fuesen con él al sumergible. Austin salió de la cámara frigorífica segundos más tarde de que el grupo se hubiese ido, con el Bowen en la mano izquierda.

—Es una suerte que esa bestia se haya marchado —comentó—. Comenzaba a sentirme como una res en canal congelada.

Sujetó el revolver debajo del bazo derecho. Con un cuchillo de cocina cortó las ligaduras que sujetaban a Zavala, quien buscó una servilleta para eliminarse la sangre de los labios. A pesar de los cortes y los golpes, estaba de buen humor.

—Chang no se sentirá nada feliz cuando descubra que los cultivos de la vacuna que le dio no sirven —dijo a Lois.

Ella dirigió una sonrisa a Zavala y entró en la cámara. Salió con otra nevera, casi idéntica a la primera.

—Espere a que sepa que nosotros tenemos la verdadera —dijo.

Chang distaba mucho de sentirse feliz. Maldijo furioso cuando entró en la cámara anexa al compartimiento estanco y vio que había desaparecido el cuerpo de Phelps. Un rastro de sangre señalaba hacia un pasillo. Phelps debía de haber sobrevivido al disparo y se había arrastrado por allí. No tenía importancia. El mercenario moriría cuando el laboratorio estallase en un montón de pedazos. Chang inspeccionó el trabajo del dinamitero y le ordenó que pusiese el detonador en marcha. Después llevó a sus hombres al sumergible, y el piloto utilizó un mando a distancia para poner en marcha las bombas.

El compartimiento estanco se llenó de agua. Mientras el sumergible salía por las mitades abiertas del techo, Austin estaba en la sala de control del compartimiento observando el ascenso en la pantalla de televisión del panel. Se volvió al oír una pisada y bajó el revolver de inmediato.

Phelps estaba en la entrada del pasillo con los labios apretados en una sonrisa forzada. Estaba desnudo hasta la cintura, y un vendaje improvisado manchado de sangre le cubría la parte superior izquierda del pecho. Su rostro se veía pálido, pero sus ojos oscuros eran desafiantes.

—Tiene un aspecto fatal —comentó Austin.

—No quiera saber cómo me siento —respondió Phelps.

—¿Qué le ha pasado?

—Supuse que Chang querría pegarme un tiro, gracias a los chicos de la NUMA, así que en mi viaje de nuevo al despacho de Kane cogí un chaleco antibalas. Solo me cubría los órganos vitales, y no tuve en cuenta la mala puntería de Chang. El muy cabrón me ha dado en el hombro.

—¿Por qué le ha disparado?

—Se ha enfadado cuando le he dicho que no colocaría los explosivos que él y sus muchachos habían traído en el sumergible.

—¿Piensa destrozar el laboratorio con la gente en su interior?

—Han colocado suficientes explosivos para derribar la Gran Muralla China. Un trabajo chapucero. Es una suerte que no se volaran ellos mismos.

Phelps arrojó un puñado de cables de colores al suelo con el gesto de desprecio de un experto por el trabajo de unos aficionados.

—¿Qué hará Chang cuando descubra que los explosivos no han estallado? —preguntó Austin.

—Yo diría que enviará a alguien aquí abajo para ver qué ha pasado. —Phelps ladeó la cabeza—. También es probable que baje para matar a sus amigos y poder contárselo después. —Se tocó el vendaje con cuidado—. Chang es un tío que tiene muy mala baba.

—Me he dado cuenta —dijo Austin—. Tendremos que sacar a todo el mundo en los minisubmarinos.

Phelps señaló los rectángulos negros que Chang había pulverizado a taconazos.

—Son los circuitos de los controles de los submarinos. Chang los pisoteó.

—¡Maldita sea! —exclamó Austin—. Los submarinos eran nuestra única esperanza.

—Todavía lo son —señaló Phelps—. Entregué a Chang otros de recambio para que los pisotease cuando le dio la rabieta. Los originales siguen estando en los submarinos.

Austin miró a Phelps y se dijo que aún le quedaba mucho por aprender de la naturaleza humana.

—¿Por qué no se ocupa de preparar los submarinos mientras yo reúno a los científicos? —propuso Austin.

Phelps le hizo un gesto de saludo y fue hacia el cubo de tránsito mientras Austin se apresuraba a volver al comedor. Zavala ya había reunido a todo el personal. Sus rostros reflejaban toda la gama de expresiones, desde la alegría por haber sido liberados hasta miedo por lo que podría suceder.

Austin se presentó, pidió a todos que guardasen silencio durante un minuto y después anunció:

—Abandonaremos el laboratorio.

Se apresuró a silenciar al grupo y advirtió a todos que se moviesen lo más rápido posible. Ya podrían hacer sus preguntas más tarde.

Los asustados científicos entraron en los sumergibles por las escotillas. Unos pocos titubearon, y se alzaron voces airadas cuando vieron a Phelps, pero Austin les dijo que se callasen y que entrasen en las naves. Con algunas protestas hicieron lo que se les pedía.

—¿Es posible que los sumergibles se encuentren con Chang cuando salgan del cráter? —preguntó a Phelps.

—No, si se mueven deprisa. Chang habrá vuelto a su barco para esperar la gran explosión. Si los sumergibles pueden mantenerse bajo el agua el máximo posible, saldrán mucho más allá del barco y podrán lanzar una llamada de socorro.

Austin transmitió la recomendación de Phelps a los pilotos de cada sumergible. Encargó al piloto del transbordador que llevase el sumergible de cabeza. Mitchell subió a uno con la nevera que contenía el cultivo de la vacuna apretado contra su regazo. Después, uno tras otro, los sumergibles se apartaron de la parte inferior del cubo y siguieron al líder a través del fondo del cráter y el túnel.

Con el personal ya en marcha, Austin se ocupó del siguiente punto: el Tifón. Mientras volvían a ponerse los trajes de neopreno, Zavala informó a Austin de la situación a bordo del submarino ruso. Austin la veía con menos optimismo que Zavala. La sensibilidad comenzaba a volver al brazo derecho de Austin, pero seguía sin poder levantar y disparar el pesado revólver sin ninguna garantía en cuanto a la puntería. Phelps solo sería una ayuda limitada.

Cuando Phelps intentó ponerse el traje, la parte superior le oprimió dolorosamente la herida. Zavala utilizó el cuchillo de Austin para cortar la manga y parte del pecho del traje para aliviar la presión.

Phelps advirtió que faltaban dos equipos de buceo y dedujo que la pareja de guardias que habían escoltado a Zavala desde el submarino habían vuelto para unirse a sus camaradas. Era una mala noticia: la dotación de guardias volvía a estar al completo.

Zavala ayudó a Austin a bajar a Phelps a la piscina y juntos le guiaron por el túnel hasta aguas abiertas. Con Austin a un lado y Zavala al otro, los tres ascendieron poco a poco desde el fondo hasta el Tifón, cuya gigantesca sombra se veía cerca de la superficie.

Como habían acordado antes, Austin y Phelps entraron por la escotilla de la cubierta de estribor en la enorme torre y Zavala utilizó la escotilla de babor. Una vez dentro de las cámaras de escape, cerraron la escotilla, bombearon el agua, abrieron la escotilla inferior y bajaron la escalerilla. Se quitaron las máscaras y se encontraron con el capitán Mehdev. El capitán había estado en la sala de control cuando sonó una alarma que indicaba que los compartimientos estancos estaban en funcionamiento. Los guardias habían regresado antes del laboratorio, así que fue a ver quién había entrado en su submarino. No le sorprendió ver a Phelps y a Zavala, pero enarcó una gruesa ceja cuando vio a un desconocido de hombros anchos.

—Kurt, te presento al capitán Mehdev —dijo Zavala—, el comandante de este increíble buque y custodio del armario del vodka.

Austin extendió el brazo izquierdo para darle la mano.

—Kurt Austin. Soy amigo y colega de Joe en la NUMA. —Al ver la mirada hostil que Mehdev dirigió a Phelps, añadió—: El señor Phelps ya no trabaja para la gente que secuestró su submarino. Ahora nos ayuda.

—Sí, pero ¿por cuánto tiempo? —preguntó Mehdev sin ocultar su escepticismo.

—Buena pregunta —contestó Phelps—. Lo siento, no puedo responderle. Pero sí les voy a ayudar a recuperar el submarino.

Mehdev se encogió de hombros.

—¿Qué podemos hacer mis hombres y yo? —preguntó el capitán—. Somos marineros, no infantes de marina.

—Puede comenzar diciéndonos dónde están los guardias y qué están haciendo —propuso Austin.

—Tres duermen en los alojamientos de oficiales en el casco de estribor —contestó Mehdev—, y los otros tres estarán jugando en el camarote de los oficiales o en el comedor. Les gusta estar cerca del gimnasio y la sauna, donde mis hombres tienen prohibido entrar.

—Creo que es hora de que acabemos con sus pequeñas vacaciones en el Club Med —comentó Austin—. Vamos a ocuparnos primero de las bellas durmientes.

Phelps simuló vigilar a Zavala y a Austin por si los cuatro se encontraban con algún guardia. Pasaron por la sala de control donde Mehdev, que iba a la cabeza, susurró en ruso a los tripulantes, que fueron pasándose los unos a los otros el aviso de que que sería una buena idea permanecer ocultos. El capitán cogió unos cuantos rollos de cinta aislante del taller y continuó la marcha por el laberinto de compartimientos presurizados hasta que llegaron al primero de los camarotes de los oficiales.

Los tres guardias que estaban en él se despertaron con la visión del cañón del revólver de Austin. Zavala se encargó de maniatarlos y amordazarlos, y después los tumbaron en las literas.

El grupo fue al lugar de donde provenía el olor a comida. Mehdev entró solo en el comedor y sonrió a los dos guardias sentados a una mesa que bebían té y miraban una película de Jackie Chang. Apenas si desviaron la mirada por un momento para fijarse en el comandante y luego continuaron mirando la película.

Mehdev habló en ruso con el camarero que estaba ocupado con las bandejas en la mesa calentador. El hombre asintió y salió del comedor. Luego entraron Austin y Zavala, esgrimiendo sus armas. Los guardias, asombrados, se vieron empujados al suelo, boca abajo, y en cuestión de segundos Zavala los había maniatado y amordazado para que se quedasen quietos y en silencio.

Con Mehdev de nuevo en cabeza, Austin y Zavala continuaron avanzando hasta el camarote de oficiales. El capitán asomó la cabeza y preguntó con una sonrisa si alguien necesitaba algo. Uno de los guardias apartó la mirada de sus cartas y respondió con un gruñido que no necesitaba traducción. Siempre sonriente, el capitán se retiró.

—Cuatro lugares, pero solo tres jugadores —informó Mehdev a Austin y a Zavala—. Se han tomado media botella de vodka.

A Austin no le gustaba tener a un guardia vagabundeando por el submarino, pero no quería desaprovechar la ventaja. Hizo un gesto a Zavala y entraron en el camarote con las armas preparadas. Los guardias, un tanto borrachos, tardaron en reaccionar. Minutos más tarde, estaban boca abajo en el suelo maniatados y amordazados. A continuación comenzó la cacería del guardia ausente.

Le encontraron unos pocos minutos más tarde, o, mejor dicho, él los encontró a ellos. Cuando entraron en el compartimiento donde estaba la sauna, se abrió la puerta y salió el guardia vestido solo con un bañador. Esta vez, Austin y Zavala fueron lentos en reaccionar. El guardia era joven y rápido, y metió la mano en una taquilla cercana, cogió una funda con un arma y escapó por la escotilla al compartimiento siguiente. Austin fue a perseguirle, pero tropezó con unas tuberías y cayó de rodillas. Se levantó en el acto, si bien para entonces el guardia había desaparecido en el interior del submarino. Austin habría perdido a la presa de no haber sido por los tripulantes que le indicaron por dónde había escapado. Con Zavala pegado a sus talones, continuó moviéndose hasta que llegó a una escotilla cerrada. Zavala y él pensaban en qué hacer cuando Mehdev los alcanzó.

—¿Qué hay al otro lado? —preguntó Austin.

El corpulento capitán respondió entre resuellos y jadeos:

—Retiraron los silos de los misiles para dejar espacio a las bodegas. Un montacargas sube hasta la escotilla de cubierta. Una pasarela desde el montacargas cruza las bodegas hasta otro montacargas en la parte de delante, ocupada con contenedores vacíos que supuestamente deben servir para la carga. Nunca le encontrará. Solo le queda vigilar la puerta.

—¿Podría causar problemas si le dejamos solo? —preguntó Austin.

—Sí —respondió el capitán—. Hay conducciones eléctricas y de otras clases que pasan por el casco. Podría causar alguna avería grave.

—Entonces debemos neutralizarlo —dijo Austin.

Pidió al capitán que enviase a sus hombres a vigilar a los guardias maniatados, luego cogió una linterna de la mampara, apagó las luces del compartimiento y abrió la escotilla con mucho cuidado. Entró en la bodega, encendió la linterna e iluminó el montacargas. Los cables se movían dentro del pozo. Se oyó un golpe amortiguado cuando la plataforma llegó a la parte superior.

Austin se acercó y apretó el botón de bajada. Zavala y él permanecieron a cada lado de las puertas con las armas preparadas, pero cuando bajó la plataforma estaba vacía. Zavala cogió un extintor de incendios de la pared y lo metió entre las puertas para mantener la plataforma en el lugar.

Después de una rápida charla, Zavala subió la escalerilla hasta la pasarela para empujar al guardia hacia Austin, quien pensaba cortarle el paso al otro extremo de la bodega. Austin había pasado mucho tiempo en el polígono de tiro para practicar con las dos manos y estaba seguro de que podría disparar con bastante puntería con la mano izquierda. La enorme bodega, que una vez había albergado los silos y sus veinte misiles, ocupaba casi un tercio de la eslora del submarino. Cuando se habían retirado los silos, se habían instalado unas grandes puertas de carga en la cubierta superior, y unos mamparos para separar las bodegas.

Austin entró en la primera y encontró el interruptor de la luz. Los focos colocados en la pasarela convirtieron la noche en día. Caminó por un pasillo entre los contenedores hasta que llegó a un mamparo. Pasó por una abertura en la siguiente bodega y repitió la búsqueda.

Mientras Austin iba de una bodega a la otra, Zavala le seguía por la pasarela. Austin había cruzado las bodegas sin incidentes hasta que llegó a la última. La prisa hizo que se descuidase.

Austin suponía que el guardia aún estaba delante, acorralado a causa de la maniobra. Pero la presa había descubierto su intención y se había ocultado en un angosto espacio entre las pilas de contenedores. Esperó a que Austin pasase y después salió silenciosamente por detrás. Sin hacer ruido gracias a los pies descalzos, el guardia levantó el arma con las dos manos y apuntó entre los omoplatos a Austin.

—¡Kurt!

El grito llegó de Zavala, asomado por la barandilla de la pasarela. Austin miró hacia arriba y vio el dedo de su amigo, que le apuntaba. Sin volver la vista, se lanzó de cabeza detrás de un gran contenedor cuando una bala acertó en la esquina. Luego se oyó otro disparo, este desde arriba. Un momento más tarde, Zavala gritó:

—Ya puedes salir, Kurt. Creo que le he dado.

Austin espió por la esquina del contenedor y luego hizo un gesto a Zavala. El guardia vestido con el bañador yacía muerto en el suelo. Pese a haber disparado en un ángulo muy difícil, Zavala le había atravesado el pecho.

Austin recordó lo que Phelps le había dicho sobre la pasión china por los números. Sacudió la cabeza. Cuando cantan tu número, te toca... y no hay quien te salve.

45

Chang era el psicópata clásico. No había una pizca de compasión o de remordimiento en su cuerpo rechoncho y repulsivo, y para él matar era tan sencillo como cruzar la calle. Los otros mellizos de la tríada habían aprovechado sus impulsos asesinos para sus propios fines. Tenía un gran talento para la organización, así que le dejaron la responsabilidad de dirigir la red de bandas que actuaban en las grandes ciudades del mundo. El trabajo le permitía saciar su sed de sangre porque participaba en los asesinatos para obtener ventajas comerciales, retribuciones, o sencillamente aplicar castigos.

El trabajo también había impedido que Chang se hundiese en el abismo de la locura, siempre y cuando los otros dos hermanos le aportasen equilibrio. Pero empezaba a actuar por su cuenta, lejos de las riendas familiares que habían mantenido controlada su tremenda violencia. Las voces que en ocasiones susurraban en su cabeza ahora gritaban reclamando su atención.

Después de dejar el laboratorio, Chang había llevado los cultivos de la vacuna en el carguero que esperaba cerca del atolón y después esperó el informe del submarino. Cuando recibió el aviso de que no se había producido la explosión y supo que el laboratorio estaba indemne y el personal seguía con vida, enloqueció del todo.

Chang volvió al transbordador con sus asesinos más temibles y ordenó al piloto que descendiese al cráter. Una vez que el buque emergió del túnel, las luces que brillaban en el fondo parecieron burlarse de Chang. Una vena latía en su frente.

El doctor Wu, sentado junto a Chang, había intuido la creciente cólera de su patrón e intentó pasar desapercibido. Incluso más desconcertante fue el súbito cambio de humor de Chang cuando se volvió y dijo con un tono casi alegre que resultaba aún más aterrador que su ira:

—Dígame, amigo mío, ¿qué pasaría si alguien cayese, por accidente, en la pecera con las medusas mutantes?

—Le picarían de inmediato.

—¿La muerte sería instantánea?

—No, la toxina solo paraliza.

—¿La persona sufriría una terrible agonía?

El doctor Wu se removió, incómodo.

—Sí. Si la persona no se ahoga, sería consciente de cada sensación en su cuerpo. Con el tiempo la medusa comenzaría a comérsela.

—Espléndido. —Chang dio una palmada en la espalda del doctor Wu—. ¿Cómo no se me ocurrió antes?

Anunció que, dado que el laboratorio no había estallado, volverían para hacer algo de deporte. En cuanto estuviesen a bordo, reunirían a los científicos y los matarían como más les complaciese. Los hombres que les acompañaban en el transbordador eran sus más temibles asesinos. Solo dejarían vivo a Zavala, al que arrojarían a la pecera de las medusas. El doctor Wu filmaría su muerte en vídeo, para poder mostrar a Austin sus momentos finales.

Con su carga de asesinos, el transbordador descendió al cubo de tránsito. El piloto puso en marcha el compartimiento estanco. Minutos más tarde, Chang y sus sicarios salieron de él y casi tropezaron con una caja de explosivos. Había un lazo hecho con un trozo de cable sobre la tapa de la caja. Y apoyado en el lazo se veía un sobre blanco con la palabra «Chang» escrita en letras mayúsculas.

El hombre que había colocado los explosivos recogió el puñado de cables.

—No hay por qué preocuparse. Estos cables no están conectados.

Dio el sobre a Chang, quien lo abrió. En su interior había un papel con el membrete del laboratorio. El papel estaba doblado en tres. Escrito en la primera parte decía: «¡Buuummm!».

Chang desplegó deprisa el papel. Había un rostro sonriente en el siguiente trozo y: «¡Era una broma!».

El último decía: «Estoy en la sala de control».

Chang hizo una bola con el papel y ordenó a los hombres que registrasen el laboratorio. Regresaron unos minutos más tarde e informaron de que todos los recintos estaban desiertos y que habían arrancado los cables de todas las cargas. Chang salió a la carrera hacia la sala de control, pero se detuvo en la puerta. Al sospechar que podía haber una bomba trampa, envió a sus hombres. Recorrieron la sala e informaron a Chang de que también estaba desierta y no faltaba nada. Entró para verlo. Miró alrededor, y su expresión agria se acentuó. Necesitaba a alguien para descargar su furia. Vio al doctor Wu filmando la sala.

—¡Ahora no, idiota! —gritó Chang—. ¿No ve que no hay nadie?

Una voz metálica sonó por los altavoces.

—Tiene razón, Chang. Usted y sus amigos son los únicos que están en el laboratorio.

Chang se dio la vuelta, apretando contra el pecho la culata de la metralleta.

—¿Quién es?

—Bob Esponja —respondió la voz.

—Austin.

—Vale, lo confieso, Chang. Me ha pillado. Soy Kurt Austin.

Los ojos de Chang se estrecharon hasta parecer ranuras.

—¿Qué ha pasado con los científicos? —preguntó.

—Ya no están en el laboratorio, Chang. Se han marchado en los minisubmarinos.

—No juegue conmigo, Austin. Destruí los circuitos de los submarinos.

Otra voz surgió del altavoz: era Phelps.

—Aquellos eran los circuitos de recambio. Los minisubmarinos funcionan a la perfección, jefe.

—¿Phelps? —exclamó Chang—. Creía que estaba muerto.

—Lamento desilusionarlo, Chang. La doctora Mitchell y los demás científicos se han marchado hace rato.

—Los encontraré —gritó Chang—. Los encontraré a usted y a Austin y los mataré a los dos.

—Es poco probable —afirmó Austin—. Por cierto, los cultivos de la vacuna que le dieron son inútiles. Los buenos los tienen los científicos.

Las voces en la cabeza de Chang comenzaron a aumentar de volumen y de número, hasta convertirse en un malvado estrépito. Ordenó a sus hombres que volviesen al transbordador. Mientras salía del laboratorio, se comunicó con el carguero y dio órdenes para que comenzasen a rastrear las profundidades con el sónar. Un minuto más tarde, recibió una respuesta. El sónar había captado cuatro ecos que se alejaban del atolón. Ordenó que el barco estuviese cerca cuando los minisubmarinos emergiesen.

El transbordador avanzaba a toda velocidad hacia el túnel. Chang se permitió que una sonrisa apareciese en su rostro al imaginar la expresión en los rostros de los científicos cuando descubriesen que el carguero se les echaba encima. Disfrutaba con la escena y se imaginaba cuál sería la reacción al verlo emerger de las profundidades como Neptuno, cuando oyó la llamada del piloto. Chang se inclinó hacia delante en el asiento y miró a través de la ventana de la cabina. Una enorme sombra negra avanzaba hacia ellos.

El piloto reconoció la enorme proa del Tifón, que se acercaba, y gimió como un cachorro asustado. Chang le gruñó a su vez, pero las manos del piloto estaban paralizadas en los controles. Con un aullido feroz, Chang cogió al piloto de los hombros, lo apartó de la butaca y ocupó su lugar. Giró el timón todo a estribor.

Las turbinas del transbordador continuaron impulsándolo hacia delante, pero después de unos segundos la proa viró para apartarlo de la trayectoria de una colisión frontal con el torpedo de doscientos metros que se cruzaba en su camino. Sin embargo, el Tifón se movía a veinticinco nudos y golpeó la popa del transbordador, destrozándole el timón al tiempo que lo lanzaba en una espiral tremenda. La violencia del impacto hizo que se abriese la puerta de carga y el agua comenzó a entrar.

Debido a la inundación, la popa del transbordador se hundió y la proa se levantó, como si el buque fuera un pez agonizante. Los hombres de Chang se sujetaron a los asientos y avanzaron por la cubierta inclinada hacia la cabina.

El doctor Wu luchó para unirse al grupo, pero los guardias más fuertes lo sujetaron bajo el agua y sus brazos no tardaron en quedarse quietos. Chang no estaba dispuesto a compartir la bolsa de aire con nadie más. Se volvió, apoyó la pistola en el respaldo de la butaca y disparó contra cualquiera que intentase meterse en su espacio. En cuestión de segundos, había matado a todos los guardias y estaba solo en la cabina. Para entonces, la inundación había afectado a la proa. El transbordador se niveló y comenzó a hundirse hacia el fondo del cráter. La cabina quedó sumida en la oscuridad más absoluta. Chang luchó para mantener la cabeza en la bolsa de aire, cada vez más pequeña, pero los cuerpos que flotaban en el agua teñida en sangre lo hacían difícil. Tan pronto como apartaba un cadáver, otro ocupaba su lugar. En un momento, se encontró cara a cara con el cuerpo sin vida del doctor Wu.

Entró más agua, reduciendo todavía más la bolsa de aire. Chang se apretó contra el techo de la cabina con solo unos centímetros disponibles. Mientras el agua llenaba su boca y su nariz, miró hacia arriba, vio la monstruosa sombra del Tifón que pasaba por encima y, con un último suspiro, gritó:

—¡Austin!

Austin estaba sentado junto al timonel ruso en la sala de control del Tifón. Zavala estaba al otro lado de aquel joven ucraniano, que tenía un talento natural para su cometido. El capitán estaba junto a Austin y transmitía al timonel las órdenes en ruso.

Minutos antes, el timonel había hecho retroceder el submarino al interior del túnel, de cara al cráter. El operador de sónar estaba atento a la aparición del transbordador y avisó a Austin cuando captó el eco en movimiento. La pantalla conectada a la cámara en la torre del submarino mostró los focos gemelos del transbordador que se acercaba. Austin dio la orden de avante a toda máquina. El timonel sujetó la rueda cuando el submarino comenzó a moverse hacia delante. La emboscada estaba en marcha.

Después de golpear el trasbordador, el Tifón continuó hacia el interior del cráter para virar. Cuando el submarino enfiló de nuevo el túnel a fin de acabar el trabajo, la cámara volvió a mostrar el transbordador. Austin miró con ojos despiadados cómo se hundía hacia el fondo. No experimentó ninguna sensación de triunfo. Todavía no. Era muy consciente de que la tríada era un monstruo de tres cabezas.

46

Cuando el *Concord* no tuvo noticias de Austin, el capitán Dixon rodeó el atolón con sus naves. Estaba en la cubierta con Song Lee, que no se había apartado de su lado desde que Austin había iniciado su misión horas antes.

El capitán vigilaba el atolón a través de los prismáticos a la luz del alba, sin ser consciente del drama que había tenido lugar debajo de las tranquilas aguas de la laguna. Pensaba en cuál sería el siguiente paso que dar cuando Lee señaló un punto donde el agua parecía hervir. Lo sujetó por el brazo.

—¡Capitán Dixon, mire!

Mientras miraban, la enorme torre y el alto timón vertical del Tifón asomaron a la superficie a unos centenares de metros al este del atolón. Después de unos minutos, dos figuras aparecieron en la torre y agitaron los brazos. Dixon se llevó los prismáticos a los ojos.

—Que me cuelguen —dijo.

Pasó los prismáticos a Lee.

—¡Son Kurt y Joe! —exclamó.

Dixon se echó a reír. Solo Kurt Austin podía ir a pescar en una laguna remota y capturar el mayor submarino del mundo.

Después de otro saludo, los hombres desaparecieron de la torre y salieron momentos más tarde por una escotilla en la cubierta. Con la ayuda de unos tripulantes, sacaron una neumática, la bajaron por el lado curvo del casco hasta el agua, subieron a bordo y navegaron hacia el crucero.

Song Lee, que esperaba en cubierta, abrazó a Austin. Después a Zavala. De nuevo a Austin. Lo besó en los labios.

A Austin le habría gustado prolongar esa agradable experiencia, pero se apartó con suavidad de sus brazos y se volvió hacia el capitán Dixon.

—¿Se sabe algo del personal del laboratorio? —preguntó—. Ya tendrían que haber salido a la superficie con los minisubmarinos.

Dixon sacudió la cabeza. Llamó al primer oficial en el puente, y le pidió que avisase a las otras naves cercanas para que estuviesen alerta ante la aparición de los minisubmarinos. Momentos más tarde llegó una llamada del barco de la NUMA. El primer minisubmarino había emergido. Dixon dio la orden de que el *Concord* se pusiera en marcha. Rodeó el atolón a tiempo para ver salir de la superficie a un segundo sumergible. Luego un tercero. Cada uno llevaba un número de identificación pintado en el costado.

Austin divisó en el mar el cuarto minisubmarino, donde estaba Lois Mitchell con la vacuna. Después de unos momentos de angustia, también salió a la superficie. Soltó el aliento que había contenido.

—Tenemos que traer a los científicos de aquel minisubmarino a bordo cuanto antes —dijo al capitán.

Dixon ordenó que enviasen una neumática. La tripulación de rescate recogió a Lois Mitchell y a los otros científicos para llevarlos a bordo del crucero. Mientras la embarcación se acercaba, Lois vio a Austin apoyado en la borda, saludó con una mano y después señaló la nevera en su regazo. Cuando subió a bordo, lo primero que hizo fue entregar la nevera a Lee.

—Aquí tiene la vacuna —dijo Mitchell—, sana y salva.

La sonrisa de alegría desapareció del rostro de Lee. Parecía desilusionada cuando sujetó la nevera, como si alguien le hubiese dicho que era radiactiva.

—Es demasiado tarde, Lois —afirmó—. La epidemia se propagará por toda China dentro de veinticuatro horas, y de allí al resto del mundo en cuestión de días. No hay tiempo para producir la vacuna en las cantidades que ahora mismo necesitamos.

Mitchell cogió la nevera, la puso en la cubierta y levantó la tapa para dejar a la vista una bandeja con docenas de cilindros de aluminio. Cogió uno y lo mostró a Lee.

—No estabas en la última fase de la investigación —le explicó Mitchell—, así que no sabes hasta dónde hemos llegado.

—Sé que habíais inyectado la molécula antiviral en microbios en un intento de acelerar el proceso de síntesis —dijo Lee.

—Decidimos que resultaba demasiado lento —añadió Mitchell—. Incorporamos la proteína curativa de la toxina en algas de crecimiento rápido.

La desilusión de Lee se transformó en risa. Cogió el cilindro.

—Es maravilloso.

Al ver las expresiones de extrañeza en los rostros de los tres hombres, les explicó:

—Las algas crecen a una velocidad increíble. Una vez que tengamos estos cultivos en las plantas de producción, podrán conseguir vacunas suficientes para centenares de personas en muy poco tiempo. Podemos hacer lo mismo para miles, luego para centenares de miles en unos pocos días.

Pasó el cilindro a Austin, quien lo sostuvo con mucha precaución, como si esperase notar alguna emanación mágica. Lo guardó con mucho cuidado en la nevera, cerró la tapa y luego se volvió hacia Dixon.

—Esto tiene que estar en China lo antes posible.

El capitán recogió la nevera de la cubierta.

—Ya está de camino —afirmó.

Diez minutos más tarde, el helicóptero con la nevera despegó de la cubierta y voló hacia su cita con un avión que esperaba en el aeropuerto de Pohnpei. En cuestión de horas, después de que aterrizase en China, su carga sería distribuida a los centros de producción que Lee había montado durante su estancia en Bonefish Key.

Austin permaneció en cubierta y observó el Seahawk hasta que se convirtió en un punto. Lee se había ofrecido voluntaria para llevar la vacuna a China. Austin lamentaba verla marchar, pero la sonrisa malvada de la Dama Dragón ya comenzaba a borrar de su mente la adorable cara de Song Lee.

El gigantesco submarino ruso entró en el puerto de Pohnpei como un orgulloso leviatán. Después iba el carguero de Chang, ahora tripulado por un grupo de operaciones especiales que lo había apresado después de que un destructor le diese caza. Sin órdenes de Chang, la tripulación se había rendido a los SEAL sin disparar un tiro.

Phelps había llegado del submarino y guió a Austin y a Zavala, en un recorrido por la nave de Chang, para que viesen lo que ocultaba detrás del camuflaje que lo hacía parecer una ruina flotante. Visitaron la piscina lunar, la sala de máquinas, con sus imponentes motores, y el ultramoderno centro de comunicaciones donde estaba el equipo de proyección de hologramas que Chang utilizaba para comunicarse con sus hermanos gemelos.

La última parada fue en el salón. Austin se puso cómodo de inmediato. Repartió tres puros y los encendió con un mechero de plata. Zavala, Phelps y él se arrellanaron en las butacas tapizadas de terciopelo y fumaron sus puros.

—Chang tenía buen olfato para los puros —comentó Zavala—. Pero su gusto para la decoración apesta.

Austin formó una voluta de humo y contempló el espacioso salón.

—No lo sé —opinó después de mirar las cortinas rojas y el revestimiento de madera oscura—, copiar el castillo de Drácula es la última moda en Transilvania.

—A mí me recuerda más a un prostíbulo de Nevada —dijo

Phelps, que había estado absorto en la ceniza del puro. La dejó caer en la alfombra marrón—. Me detuve una vez en uno para pedir unas indicaciones.

Austin sonrió. Dio unas cuantas caladas más al puro y lo apagó en un cenicero.

—Tenemos que hablar —dijo a Phelps.

—Adelante —respondió este.

—Joe y yo le agradecemos la ayuda, pero tenemos que hablar de lo que vendrá después. Está el asunto del científico que mató en el laboratorio.

—Aquello fue un accidente —señaló Phelps—. Lois fue testigo.

—Creía que a ella no le caía bien —dijo Zavala.

—Desde entonces nos hemos conocido mejor. Es una mujer hermosa. A mí me gustan con los huesos grandes.

Austin miró a Phelps y pensó que el hombre era una caja de sorpresas.

—Dígame, Phelps, ¿tiene un nombre de pila?

—No creo en ellos.

—Bien, este es el problema —prosiguió Austin con una sonrisa—. Mató a un hombre mientras cometía un delito, el secuestro de una propiedad de Estados Unidos y el ataque con un misil a una nave de apoyo. Tiene suerte de que nadie muriese en el *Proud Mary*. Después está la muerte del hombre de la compañía de seguridad que le dio su identificación.

—El ataque con el misil pretendía distraer a los guardias el tiempo necesario para secuestrar el laboratorio —explicó Phelps—. Admito que alguien pudo haber resultado muerto, pero me alegro de que no fuese así. No tengo nada que ver con el homicidio del hombre de la compañía... Sin embargo, me doy cuenta de lo que quiere decir.

—Me alegra oír que comprende la situación —manifestó Austin—. Tendré que entregarlo a las autoridades cuando lleguemos a tierra. Les relatare toda la historia, y eso podrá reducir su castigo.

—¿Diez años en la cárcel en lugar de veinte? —Phelps sonrió—. Bueno, algunas veces hay que hacer lo que toca. ¿Le importa si voy a decir a Lois lo que está pasando?

Austin no pudo menos que admirar la calma del hombre. Asintió y se levantó de la silla. Salieron del salón, y unos pocos minutos más tarde iban en una neumática de vuelta al *Concord*.

Lois Mitchell los esperaba.

Phelps apartó a Lois de los demás y se marcharon para hablar en privado mientras Austin y Zavala iban a la sala de oficiales para encontrarse con el capitán y los científicos del laboratorio.

Dixon les informó del vuelo del avión a China. Sería justo, pero la vacuna llegaría a tiempo.

Austin consultó su reloj. Se disculpó y fue a cubierta. Preguntó a varios tripulantes si habían visto a Phelps y a Mitchell, y finalmente obtuvo una respuesta cuando uno de ellos señaló la costa.

—Se fueron a puerto con la neumática —informó el tripulante—. Dijeron que volverían en un par de horas. El tipo me pidió que le diese esto.

Austin desplegó la hoja de papel rayado y leyó en voz alta el breve mensaje:

—Hay que hacer lo que toca. P.

Una sonrisa amarga apareció en los labios de Austin. Phelps lo había engañado.

Austin se acercó a la borda y miró hacia Pohnpei. Kolonia era una ciudad pequeña en una isla pequeña, pero la policía local no era precisamente la Interpol. Phelps estaría muy lejos para el momento en que se movilizasen.

Subió al puente a paso lento y pidió a un tripulante que llamase a la policía para denunciar el robo de una embarcación y que diese una descripción de Mitchell y de Phelps.

Disfrutó con el hecho de que Chang hubiese muerto. Su intento por propagar el virus había fracasado. Muy pronto la vacuna estaría disponible.

Habían eliminado a uno de los trillizos, pero aún quedaban Weng Lo y la misteriosa Dama Dragón.

Austin todavía pensaba en las acciones que había que realizar cuando sonó el móvil. Era el teniente Casey.

—Felicitaciones, Kurt —dijo Casey—. Acaba de llamar el almirante y me ha dado la buena noticia.

—Gracias, teniente, pero nuestro trabajo no ha acabado mientras los otros trillizos estén en libertad.

—Somos muy conscientes de ello, Kurt. Tengo a alguien al teléfono que quiere hablar con usted.

Austin pidió a Casey que le pasase la llamada. Unos segundos más tarde oyó una voz de hombre.

—Buenos días, señor Austin —dijo con un tono sedoso—. Permíteme que me presente. Soy el coronel Ming del Ejército de Liberación Popular.

—Buenos días, coronel Ming. ¿En qué puedo ayudarle?

—No es por eso que le llamo, señor Austin. La pregunta es: ¿en qué puedo ayudarle yo a usted?

47

Weng Lo salió de su cabaret favorito con una bella prostituta de cada brazo. Su andar era vacilante, pero el trillizo de la tríada no estaba tan borracho para no ver que algo iba mal. Sus guardaespaldas habían desaparecido. Los dos todoterrenos que escoltaban a todas partes su Mercedes blindado habían desaparecido. Incluso su automóvil había desaparecido, y en su lugar estaba aparcado un Roewe negro.

De pie en la acera junto al coche había un hombre fornido de rostro impenetrable vestido con un traje azul oscuro. Abrió la puerta trasera e hizo un gesto a Weng Lo para que entrase.

Weng Lo miró a un lado y a otro como si pudiese hacer que reapareciesen sus guardaespaldas y el Mercedes a fuerza de voluntad. No había transeúntes ni vehículos que se moviesen en ninguna dirección. Era obvio que la calle había sido cerrada.

Weng Lo se deshizo de las prostitutas de un empujón y con una palabra brusca, y entró en el Roewe. El tipo del traje azul cerró la puerta y fue a sentarse junto al conductor. Mientras el coche se apartaba del bordillo, un hombre delgado vestido con uniforme del ejército que ocupaba el asiento trasero dijo:

—Buenas noches, Weng Lo. Me disculpo por estropearle la diversión nocturna.

—Buenas noches, coronel Ming. No son necesarias las disculpas. Es siempre un placer verle, amigo mío.

En ese caso, era más alivio que placer. El coronel Ming era el enlace entre el ejército y la tríada, y ambas organizaciones obtenían pingües beneficios de los centenares de prostíbulos que regentaban en todo el país.

—El sentimiento es mutuo, por supuesto —manifestó el coronel, un hombre de voz suave cuyo aire patricio parecía más adecuado para el cuerpo diplomático que para el ejército.

Weng Lo siempre iba con mucho cuidado con Ming. No olvidaba que los camaradas del oficial le habían puesto el apodo de Coronel Cobra.

—Debo decir que me he preocupado al ver que mis hombres no estaban en sus puestos y mi coche había desaparecido.

—Puede estar tranquilo, se hallan en un lugar seguro —dijo Ming—. He creído conveniente que no hubiese ninguna distracción mientras hablamos de un problema grave que se ha suscitado.

—Por supuesto. ¿Qué clase de problema? ¿Desea un apartamento más lujoso... o un coche? ¿O es que hay alguien a quien usted quiere ver desaparecer de la escena?

—No es nada personal —señaló Ming—. Es un asunto de negocios. El problema es la división farmacéutica de la Pyramid.

—Me extraña, coronel. Los medicamentos contaminados han sido destruidos. La leche infantil adulterada solo mató a unos pocos centenares de niños.

—Quizá esto explique mejor el problema de lo que yo pueda decirle —manifestó Ming.

El coronel acercó la mano al reproductor de DVD instalado en el respaldo del asiento del conductor y lo puso en marcha.

El rostro de Weng Lo apareció en la pantalla. Se vio a sí mismo recorrer el laboratorio secreto con el doctor Wu, que era el narrador, y primeros planos de los sujetos y sus rostros desfigurados por la enfermedad.

—¿Dónde lo consiguió? —preguntó Weng Lo cuando la filmación llegó a su final.

—No tiene importancia —dijo Ming—. Pero me intriga la naturaleza de esta instalación que su organización tiene en marcha.

El coronel mentía. La filmación era muy detallada en su presentación.

Weng Lo miró a los hombres sentados en los asientos delanteros. Con un tono de conspirador dijo:

—Le voy a relatar una cosa, coronel. El secreto que le revelaré solo lo conocemos un puñado de los hombres más poderosos del gobierno y yo. El laboratorio ha estado trabajando en una nueva vacuna que no solo contendrá el nuevo brote de neumonía atípica sino que curará otra docena de enfermedades provocadas por los virus.

El coronel aplaudió.

—¡Es una noticia maravillosa, Weng Lo! Enhorabuena.

—Gracias, coronel. Ha sido un largo y difícil camino, pero nuestro trabajo pondrá a China en todos los libros de la historia médica. Esta será una bendición para la humanidad. Si me lo permite, para el ejército. Usted y sus camaradas obtendrán grandes beneficios de nuestros esfuerzos.

—¡Excelente! —El coronel hizo una pausa, y después dijo—: No soy médico, pero, dado que usted mencionó la humanidad, me pregunto si es costumbre utilizar a los seres humanos como cobayas.

—Perdón, señor, pero se sentirían muy alterados si se les diese ese nombre. Son todos voluntarios de los suburbios. En cualquier caso, se enfrentaban a unas vidas miserables.

El coronel asintió.

—Sí, comprendo su lógica, Weng Lo. Su laboratorio sirvió para acortar su miseria. Aplaudo su humanidad y su genio.

—Nunca hago nada para mí mismo, coronel Ming. Siempre estoy pensando en el bien de mi país.

—Y su país está dispuesto a recompensarle por su trabajo y sacrificio —declaró Ming—. Pero esta grabación ha despertado algunas preocupaciones. Es fácil de copiar y de difundir.

Me temo que aparecerá en lugares donde las personas no son tan ilustradas como usted y yo. ¿Sin duda ve la posibilidad de que se produzcan desórdenes?

Weng Lo conocía muy bien la aversión del gobierno a los disturbios. A través de la intimidación y el asesinato, él y sus matones a menudo habían acabado con los disidentes cuando el gobierno decidía aplicar medidas drásticas

—Sí, desde luego —dijo Weng Lo—. Pero el gobierno controla los medios e internet. Podemos afirmar que la grabación es falsa. Mi organización se ocupará de aquellos que decidan hacer un escándalo de este asunto.

—Muy cierto —admitió Ming—. Pero no podemos controlar a la prensa extranjera, y el gobierno no tiene ningún deseo de verse relacionado ni siquiera por insinuación con lo que muestra la filmación. Dado que usted es el rostro público de Pyramid, consideramos que lo mejor será que desaparezca.

—¿Que desaparezca? —repitió Weng Lo con voz ahogada.

Ming palmeó la rodilla de Weng Lo.

—No se alarme —dijo el coronel—. Somos viejos amigos además de colegas. Hemos preparado todo para que deje China con absoluta discreción. El gobierno está capacitado para hacerse cargo de la Pyramid mientras usted esté fuera del país.

—Supongo que podría funcionar —dijo Weng Lo sin mucha convicción.

—Necesitamos saber dónde y cómo ponernos en contacto con el Número Uno —añadió Ming.

—¡Imposible! Nunca nos encontramos cara a cara. Nos comunicamos electrónicamente a través de hologramas.

Una mirada triste apareció en el rostro del coronel.

—Es una pena —dijo—. Me temo que entonces toda la responsabilidad caerá sobre sus hombros. Será llevado a juicio, y ya sabemos qué ocurrirá: su castigo será ejemplar.

Weng Lo era muy consciente de las consecuencias de verse convertido en un ejemplo en China. Sabía de muchos hombres que habían sido juzgados y ejecutados por prácticas comerciales corruptas.

—Muy bien —contestó Weng Lo con un profundo suspiro—. Utilizamos un número de teléfono para organizar nuestras reuniones.

El coronel metió la mano en el bolsillo y sacó un bolígrafo y una libreta, que dio a Weng Lo. Después de unos segundos de titubeo, Weng Lo escribió un número y devolvió el bolígrafo y la libreta.

—Gracias —dijo Ming. Comprobó que el número fuese legible, y se guardó la libreta y el bolígrafo en el bolsillo—. Ahora nos ocuparemos de su futuro. ¿Qué le parece Londres para empezar? También podemos llevarlo a París o a Nueva York. Y cuando todo vuelva a la normalidad, lo traeremos de regreso a casa.

Weng Lo se animó.

—Londres estaría bien. Tengo una casa en Soho.

—Demasiada gente. El gobierno le encontrará un lugar menos concurrido. ¿Todavía juega al tenis?

—Todos los días, es mi pasión.

—Excelente. Tendrá todo el tiempo del mundo para practicar su revés.

Ming encendió un cigarrillo, le dio una calada y golpeó en el cristal que separaba el asiento trasero del chófer. El coche se acercó al bordillo, y el coronel se despidió de Weng Lo:

—Nos veremos en París.

El guardaespaldas, se bajó, abrió la puerta y escoltó a Ming hasta un segundo Roewe que había aparcado detrás del primero. Mientras Ming subía al segundo coche, dijo al hombre:

—Asegúrese de que sea limpio.

El vehículo del coronel arrancó, y él marco un número en su móvil. Al cabo de unos segundos contestó una voz de hombre.

—¿Señor Austin? —dijo Ming.

—Así es —contestó Austin.

—Tengo la información que buscaba.

Mientras el coronel hablaba por teléfono, el guardaespaldas volvió al primer Roewe y se sentó junto al conductor. Golpeó en el cristal de separación y lo bajó. Weng Lo miró de frente. Esto dio al hombre un blanco perfecto cuando le disparó en el ojo derecho con una pistola de calibre 22.

El asesino subió el cristal de separación y dio una orden al chófer. Llevaron el cadáver todavía caliente de Weng Lo a una funeraria donde esperaban para embalsamarlo. Un ojo de vidrio reemplazó al destrozado por la bala. El cuerpo embalsamado fue entregado a la policía. Una etiqueta atada al dedo gordo del pie certificaba que había muerto mientras cumplía condena en una cárcel china.

La policía anotó la muerte en un registro que fue destruido de inmediato. El cadáver fue enviado a un almacén donde el empleado se quejó de la calidad de la mercancía. El cuerpo se plastinó, sumergiéndolo primero en acetona, para eliminar cualquier rastro de líquidos corporales, y después en una solución de poliéster. Los músculos y los huesos fueron retocados con pintura, y finalmente se colocó el cuerpo en una posición erguida, con un brazo doblado y listo para golpear una pelota de tenis.

Cuando el cadáver plastinado llegó a Londres para ser mostrado con otros en una exposición que tendría lugar en París y en Nueva York, añadieron una raqueta de tenis en la mano.

Con el tiempo, el cuerpo de Weng Lo aparecería en las camisetas, en los llaveros, en los imanes para neveras e incluso en la portada del catálogo de la exposición itinerante.

Como había prometido el coronel Ming, Weng Lo tenía todo el tiempo del mundo para practicar su revés.

48

Cuando Joe Zavala no tenía una cita con la mitad de la población femenina de Washington o estaba entretenido con el motor de su coche, le encantaba descubrir cómo funcionaban los aparatos. Para Zavala, la sala de proyección holográfica del barco de Chang no era nada más que una complicada máquina cuyo propósito era enviar y recibir imágenes a tamaño real.

Zavala buscó entre las intrincadas conexiones de micrófonos, lentes, rayos láser, proyectores y ordenadores que rodeaban la mesa redonda y las tres sillas debajo de los conos colgantes. Austin estaba a un lado, conectado por teléfono con Hiram Yeager en el cuartel general de la NUMA. Yeager era un experto en hologramas y había diseñado a la encantadora mujer llamada Max como personificación del sistema informático de la NUMA, que él dirigía. Austin retransmitía las preguntas a Yeager, y le enviaba fotos de los aparatos electrónicos y ópticos que Zavala no podía describir.

Después de una hora de investigar el ingenioso montaje, Zavala apareció y se frotó las palmas.

—Está todo preparado y listo para funcionar, Kurt. Puedes proyectarte a ti mismo con solo apretar aquel botón.

Austin miró unos de los conos que tenía encima.

—¿No reagrupará mis moléculas de forma tal que acabe con la cabeza de una mosca? —preguntó.

—Nada de que preocuparse, Kurt. No es más que una ilusión de alta tecnología, humos y espejos.

—Por si acaso, ten un matamoscas a mano —dijo Austin y se sentó en la butaca.

Zavala se puso a un lado listo para intervenir si algo no funcionaba bien. Austin miró las dos sillas vacías al otro lado de la mesa, estudió el panel de control durante un momento y luego marcó el número que Weng Lo había dado al coronel Ming antes de encontrarse con una muerte prematura.

Parpadearon las luces y zumbaron las máquinas mientras un complejo montaje de lentes escaneaba cada centímetro cuadrado del cuerpo de Austin y transmitía la información mediante impulsos electrónicos a un ordenador que la procesaba y la enviaba a otro para ser reagrupada en un proyector tridimensional. El escaneo no era más que humo y espejos, como había dicho Zavala, pero Austin tensó los músculos y esperó sentir un cosquilleo eléctrico que nunca llegó.

En cambio, el aire debajo de un cono delante de Austin comenzó a temblar como si lo estuviesen calentando. Una nube de motas que giraban comenzó a formar una silueta aún imprecisa, y luego se materializó en una burda imagen de una cabeza y unos hombros humanos, primero transparentes, después translúcidos, y finalmente corpóreos a medida que se rellenaban las facciones. Austin sabía de su encuentro con la Dama Dragón que el holograma era mutable y podía cambiarse a voluntad. Pero el rostro del otro lado de la mesa era más extraño de lo que habría podido imaginar.

Los ojos debajo de las cejas arqueadas tenían el mismo color verde jade que los de Chang. Los labios carnosos eran femeninos, pero las facciones suaves contrastaban con la barba y el cuerpo de luchador profesional con unos hombros que tiraban de las costuras de la camisa negra sin cuello. El tercer miembro de la tríada no parecía un hombre ni una mujer, sino una horrible combinación de ambos, un hermafrodita.

El holograma tenía el estatismo de una escultura de mármol. Las manos pequeñas y delicadas permanecieron apoyadas en la mesa. Las facciones estaban congeladas, los ojos miraban fijamente adelante. Entonces los labios se movieron, y una voz melosa, ni masculina ni femenina, salió por los altavoces.

—Volvemos a encontrarnos, señor Austin —dijo el holograma.

—¿Debo llamarle Dama Dragón o Lai Choi San? —preguntó Austin.

—Mis seguidores me conocen como Uno. Fui el primero de mis hermanos en llegar a este mundo, por unos minutos. Los chinos somos supersticiosos cuando se trata de números y creemos que un número bajo indica una buena fortuna.

—Por la manera en que ha ido su suerte —señaló Austin—, le convendría más buscar otro número. Su imagen holográfica también es un desastre, está paralizada... excepto su boca.

—Eso es porque no puedo mover los miembros. Solo soy capaz mover un poco los ojos y los labios.

—¿Qué ha pasado?

—Confiaba en que usted me lo pudiese decir, señor Austin.

Austin hizo una pausa, y recordó las palabras de Kane sobre los efectos paralizantes de la toxina de la medusa.

—Nos preguntábamos qué había pasado con la vacuna —dijo—. El helicóptero del barco había desaparecido, y llegamos a la conclusión de que la nevera con la vacuna y los cultivos ya no estaban en el carguero de Chang.

—La vacuna me la trajeron de inmediato. Tras las seguridades que me dio mi hermano, la tomé por vía oral. Sabía que el virus se propagaría por la ciudad en cuestión de horas y quería ser el primero en estar inmunizado. Me quedé paralizado mientras estaba sentado aquí, intentando ponerme en contacto con mis hermanos. —Los labios finos se abrieron en una grotesca parodia de sonrisa—. Al parecer la sustancia estaba en malas condiciones.

—El cilindro que le envió Chang contenía una vacuna

transicional que iba a ser descartada. Podía matar al virus pero aún paralizaba al huésped.

—Entonces ¿la investigación fue un fracaso?

—En absoluto, Uno. La vacuna real está produciéndose a marchas forzadas en China y por todo el mundo en cantidades que bastarán para detener la epidemia que usted comenzó.

Los labios volvieron a unirse en una delgada línea.

—El hecho de que esté en el barco de Chang me dice que mi hermano ha desaparecido de escena. Él nunca le habría permitido hacerlo de estar con vida.

—Me temo que Chang fue víctima de sus propios impulsos violentos.

—Es una pena —dijo sin tristeza el holograma—. Chang era brillante en muchos sentidos, pero a menudo demasiado impetuoso.

La expresión de Austin se endureció.

—El asesinato de centenares de personas inocentes —afirmó— no es lo que la mayoría describiría como impetuoso.

—Eso es porque nuestra familia siempre ha mirado al mundo de una manera diferente a la de los demás. La tríada Pyramid comenzó su existencia siglos antes de que su chusma echase a los británicos de vuelta a Inglaterra. No hemos sobrevivido todo este tiempo por ser sentimentales cuando se trata de las muertes de los demás... o incluso de las muertes en nuestra propia familia.

—Me alegra saberlo —dijo Austin—, porque no derramará ninguna lágrima por la pérdida de su hermano Weng Lo.

—¿Weng Lo también ha muerto?

—Se topó con el ejército chino... otra baja de su loco plan.

—No tenía nada de loco. El liderazgo de nuestro país es extremadamente frágil. El gobierno habría reaccionado con violencia a los disturbios callejeros. Habríamos alentado la toma del poder por la masa, y luego aparecido para acabar con la epidemia y tomar las riendas del gobierno. Con la vacuna, habríamos tenido el poder de la vida y la muerte sobre mil millones de nuestros compatriotas. Habríamos ofrecido la misma elección al resto del mundo a cambio de dinero y poder. El plan estaba bien pensado. Lo que no tuvimos en cuenta fue la interferencia de usted y sus amigos de la NUMA.

—La NUMA no se merece todo el mérito —señaló Austin—. Ustedes mismos plantaron la semilla de su propia destrucción cuando decidieron jugar a ser un dios de tres cabezas. No son los primeros en haberse considerado inmortales, y tampoco serán los últimos, y por esa razón siempre tendré un empleo seguro.

—¿Dijo usted lo mismo cuando su unidad de la CIA fue disuelta?

—Me alegra afirmar que mi trabajo ya no fue necesario con el final de la Guerra Fría, pero, por lo que parece, ha estado escarbando en mi pasado.

—Sé más de usted que sus más íntimos amigos, Zavala y los Trout. He observado su casa en el Potomac vía satélite. Sé la música que escucha, los libros de filosofía que lee... Que una parte de su vida esté oculta en las sombras me da esperanza.

—¿Esperanza para qué, Uno? Está casi del todo inmóvil. Lo mejor que puede esperar es que lo alquilen como perchero.

—Usted podría cambiarlo, Austin. —Su voz era tan susurrante como el suave deslizar de una serpiente entre la hierba—. Mi compañía farmacéutica desarrolló el virus, y con un poco de tiempo y buenos expertos, podrían encontrar un antídoto que neutralice los efectos de la toxina. Le recompensaría más allá de lo que pueda imaginar.

—Ver borrada la tríada de la faz de la tierra es la única recompensa que quiero.

Un destello de ira brilló en los ojos holográficos.

—Podría aplastarlo como a una hormiga, Austin.

—Podría... siempre y cuando fuese capaz de levantar un dedo. Hasta luego, Uno. La toxina le mantendrá vivo durante mucho tiempo. Que disfrute de una larga vida.

El dedo de Austin estaba puesto sobre el botón que acabaría con la transmisión.

—¡Espere! ¿Adónde va?

—Después de tratar con usted y sus hermanos —respondió Austin—, necesito darme una larga ducha bien caliente.

—No puede dejarme en este estado.

La súplica podría haber sido sincera, pero para Austin no tenía ninguna importancia. Solo sentía asco hacia el repugnante personaje.

—Entonces haré un trato con usted —dijo—. Dígame dónde está y transmitiré la información al gobierno chino. Tendrá que apañárselas con ellos.

Después de un momento, el trillizo le facilitó una dirección en Hong Kong.

—Gracias, Uno. Ahora le daré un buen consejo. Olvídese de la ilusión de salir de esto pagando sobornos. El gobierno esta confiscando todos sus bienes. No tiene nada para ofrecerles.

—Lo mataré, Austin. De alguna manera encontraré cómo hacerlo.

—Adiós, Dama Dragón.

—¡Espere!

Austin apretó el botón que cortaba la transmisión. Las palabras salieron de una nube de motas que giraba. Era la voz de una mujer.

—¡Vuelva!

Zavala, que se hallaba a un lado, murmuró algo en español.

Austin se dio cuenta de que estaba empapado en sudor. Pese a estar separado por miles de kilómetros, nunca había estado tan cerca de la maldad pura.

—Me he convertido en la Muerte, el destructor de mundos —murmuró.

Zavala lo oyó.

—¿Qué has dicho, Kurt?

Como si despertase de un sueño, Austin respondió:

—Es una cita del Bhagavad Gita. Acaba de aparecer en mi mente ahora mismo. ¿Has apuntado la dirección que me dio esa cosa?

Zavala le mostró una hoja de papel.

—¿Qué quieres hacer con ella? —preguntó.

—Cuando volvamos al *Concord*, llama al coronel Ming y pásale la información. A partir de ahora es su fiesta. Después llama a Paul y a Gamay y cuéntales todo lo ocurrido. Luego vete a tomar una copa de tequila, y otra más, y guarda un poco para mí.

—Sí, señor. Mientras tanto ¿tú que vas a hacer?

Austin se levantó de la silla y fue hacia la puerta.

—Darme esa larga ducha caliente de la que hablaba hace un momento.

49

Bonefish Key, cinco semanas más tarde

Song Lee estaba sentada en el patio iluminado por el sol delante de la posada, absorta en el repaso de unas notas, cuando oyó el sonido de un motor fuera borda entre los manglares. Al identificar el rugido de la lancha de Dooley, alzó la mirada y sonrió ante su inminente llegada.

Dooley había sido su contacto principal con el mundo exterior desde que había regresado a la isla para trabajar en su libro de biomedicina oceánica. Volver a Bonefish Key había requerido de toda su decisión. Pero el laboratorio había estado en la primera línea de una ciencia cuyas raíces se remontaban a la antigua cultura de Nan Madol y las islas de Micronesia, y era el mejor lugar para escribir.

Lee aún no había tenido el coraje de visitar la playa de la barrera. No tenía el menor deseo de ver la cala donde había matado a un hombre o el casco incendiado de la embarcación que casi había sido su pira funeraria. Aún salía a remar, pero se mantenía cerca de la isla. Se acostaba temprano y se levantaba con el sol, y durante horas escribía en su ordenador portátil en la biblioteca del laboratorio.

La isla estaba prácticamente desierta. Acabado el proyecto, el doctor Mayhew había vuelto a la universidad, y su equipo se había desparramado a los cuatro vientos. Un pequeño grupo se había quedado para ocuparse de las peceras, pero los guardias habían tenido que hacer turno doble cuando se había marchado el equipo de apoyo. La doctora Lee disfrutaba de la camaradería de un puñado de técnicos mientras preparaban sus propias comidas.

El doctor Kane había visitado el laboratorio una vez. Había llegado acompañado por un equipo de filmación y después de rodar una película se marchó de nuevo como llevado por el viento.

Aunque los gobiernos de China y Estados Unidos aún se inquietaban a la hora de contar toda la historia de su colaboración secreta para acabar con la pandemia, el tremendo esfuerzo para contener el virus era la gran noticia mundial. Kane disfrutaba con la celebridad, volaba de entrevista en entrevista y mantenía reuniones con expertos y políticos de todo el mundo. Aprovechaba su condición de gurú para sacar dinero al Congreso y financiar el tipo de investigación en biomedicina oceánica que había salvado el mundo.

Song Lee se sentía contenta de trabajar en el anonimato, pero la isla estaba tan apartada de todo que había comenzado a inquietarse y consideraba acabar su libro en China. A menudo pensaba en la gente de la NUMA que había llegado para salvarla a ella y al mundo. Echaba de menos a los Trout y a Joe Zavala, pero sobre todo echaba de menos a Kurt Austin. Unas pocas semanas después de su llegada a la isla, él la había llamado a través de uno de los radioteléfonos del laboratorio. Estaba en Pohnpei. Trabajaba en la recuperación del laboratorio, y permanecería en Micronesia más de lo que había calculado.

El sonido del motor se hizo más fuerte, y segundos más tarde la lancha de Dooley apareció por la punta de la isla de manglares y se acercó al muelle. Había dos personas a bordo: Dooley, que llevaba el timón, y, a su lado, un tipo de hombros anchos con una camisa hawaiana. Mientras se acercaban al muelle, el atlético visitante se quitó la gorra de béisbol y dejó a la vista una abundante cabellera plateada. Song ya se había levantado y corría hacia el muelle cuando Kurt Austin comenzó a agitar su gorra en el aire. Ella y la lancha llegaron al final del muelle al mismo tiempo.

Dooley le arrojó el cabo de proa cuando la lancha tocó uno de los neumáticos viejos que hacían de defensas.

—Le he traído compañía, doctora Lee —dijo.

Song apenas si le oyó. Sus ojos estaban fijos en Kurt, que mostraba una gran sonrisa en su rostro bronceado. La sonrisa se hizo aún más grande cuando desembarcó de la lancha y Song le echó los brazos al cuello. Él le devolvió el abrazo con entusiasmo. Ella le besó en los labios con un beso largo y cálido, y habría continuado para siempre si Dooley no huiese carraspeado.

—Perdónenme, pero tengo que volver a tierra firme. —Tendió la mano a Austin—. Ha sido un placer conocerle, Kurt. Llámeme cuando quiera volver a Pine Island.

—Gracias por el viaje, Dooley —dijo Austin. Le pidió que le arrojase su macuto.

Mientras la lancha desaparecía en los manglares, Austin añadió:

—Tuve que regresar a Washington hace unos días y pensé que podía pasar por aquí a saludar.

Lee entrelazó su brazo con el de Austin y abrió la marcha hacia la posada.

—Me alegro de que lo hicieras —dijo—. ¿Cómo están Joe y los Trout?

—Están bien. Zavala ha encontrado su verdadero amor con una cartógrafa de la NUMA y los Trout acaban de volver de New Bedford. El Museo de la Pesca de la Ballena de la ciudad dedicará una sala al diorama de Caleb Nye. Es parte de una exposición especial del extraño viaje del *Princess*.

—Ya puedes decirlo. Yo he empezado el libro con los sucesos en Trouble Island.

—¿Qué tal va el libro?

—He acabado el primer borrador y estoy reuniendo una documentación suplementaria. Creo que los hallazgos revolucionarán nuestra comprensión de la inmunología viral, en particular la inoculación. Pero solo hemos arañado la superficie de unas drogas maravillosas que saldrán del océano. Es una ironía que la vacuna quizá nunca se hubiese desarrollado sin la amenaza de la epidemia de la tríada.

—¿Un caso clásico de yin y yang? —preguntó él.

—Detesto pensar que las fuerzas opuestas del bien y el mal se unieron en este caso, pero sin la una, la otra nunca habría producido un beneficio para el mundo.

—Más de uno —señaló Austin—. Las relaciones entre China y Estados Unidos nunca han sido mejores. Además la tríada ya no está entre nosotros. El yin y el yang con hormonas.

Habían subido la colina hasta el patio y se sentaron en las tumbonas que daban al frente marítimo y los manglares.

—Tengo que hacerte una pregunta difícil —dijo Austin—. El papel del doctor Huang como informante permitió a la tríada perseguir sus malvados objetivos. Después de haberles informado de la existencia del laboratorio, espiaron al doctor Kane y encontraron su ubicación. ¿Qué debemos hacer con Huang?

—No lo sé. Es un cobarde y se asusta fácilmente, pero también es un gran médico. No querría verle entregado al gobierno. Lo ejecutarían. —Miró el vuelo de un flamenco blanco, y luego se volvió hacia Austin con una sonrisa—. Esto es lo que propongo para él.

Le explicó la idea de enviar al doctor Huang a que ocupase su lugar como médico rural. Austin echó la cabeza hacia atrás y soltó una sonora carcajada.

—Una solución que es perfecta en su simetría. Ahora me toca a mí hacer una propuesta.

Abrió el macuto y sacó una botella y dos vasos pequeños. Llenó cada vaso hasta la mitad y dio uno a Song.

—Es el sakau micronesio que te prometí. Está hecho del pimentero y es un tanto narcótico, así que más vale tomarlo en pequeñas cantidades.

Alzaron los vasos, y, después de pensar un momento, Song dijo:

—Por las cálidas relaciones entre China y Estados Unidos.

Brindaron. Ella torció el gesto y dejó el vaso en la mesa.

—Es un gusto al que hay que acostumbrarse, lo que sin duda es algo muy bueno —comentó Austin con una sonrisa—. Si mal no recuerdo, también te prometí una cena con vistas al mar. —Movió una mano en el aire—. Aquí tenemos la vista marina. La cena quizá tenga que esperar hasta que acabes tu trabajo aquí.

—Quizá no —señaló Song—. Uno de los técnicos ha pescado en abundancia esta mañana, y tenemos pescado asado para la cena. Por favor, cena con nosotros.

Austin aceptó la invitación y continuaron charlando en el patio hasta que sonó la campana que los convocaba al comedor. Cenaron con media docena de técnicos, y luego se retiraron al patio para disfrutar de una copa mientras la isla se envolvía en la cálida oscuridad. Austin había guardado el sakau y ahora bebían oporto.

Kurt y Song hablaron durante horas, con los sensuales olores de la noche tropical de fondo, y era tarde cuando se dieron cuenta de que el resto del personal se había retirado y estaban solos.

Austin consultó su reloj.

—Es casi medianoche. Llamaré a Dooley para que venga a recogerme.

Song rió por lo bajo.

—Dooley ya está durmiendo, y habrías de subirte a la torre de agua para tener cobertura. ¿Por qué no pasas la noche conmigo en mi cabaña? Es muy cómoda.

—Que nunca se diga que Kurt Austin se ha interpuesto en el camino de las cálidas relaciones entre China y Estados Unidos. Pero estas prendas son todo lo que tengo. Me he dejado el pijama en casa.

Song tocó la mano de Austin.

—No vas a necesitarlo —dijo con una sonrisa en la voz.

Al día siguiente el canto de los pájaros los despertó temprano. Austin tenía que volver a Washington para una reunión. Mientras subía a la torre para llamar a Dooley, Song y los técnicos del laboratorio prepararon un desayuno de despedida donde abundaba la fruta fresca. Desayunaron en el patio, y Austin disfrutó de la paz y el silencio de la isla.

—Será duro abandonar el paraíso —comentó.

—¿De verdad tienes que marcharte tan pronto? —preguntó Lee.

—Por desgracia, sí. Lamento tener que salir corriendo.

—Quizá también puedas regresar corriendo.

—Tengo la sensación de que volveremos a vernos antes de lo que creemos. ¿Qué tal va tu investigación sobre la anomalía de New Bedford?

—He estado repasando el material que tengo. Pero falta mucho. —Frunció el entrecejo—. Creo que oigo a Dooley.

Song acompañó a Kurt hasta el final del muelle. Se abrazaron y se dieron un beso de despedida. Antes de embarcarse, Austin metió la mano en el macuto y sacó un paquete, que ofreció a Lee.

—Quizá esto te resulte interesante —dijo.

Lee quitó el papel y miró el libro.

El cuero azul de la tapa estaba deteriorado y manchado por el tiempo pasado en el mar. Buscó la primera página y leyó en voz alta:

> 20 de noviembre de 1847. Viento del nordeste a diez nudos. La nave *Princess* zarpa de New Bedford en su primer viaje. Nos llama la aventura y la prosperidad. H. Dobbs.

—¡Es el diario de a bordo perdido! ¿Dónde lo encontraste, Kurt?

—Los Trout lo recogieron cuando fueron a New Bedford para la presentación. Al parecer la historia del matrimonio secreto de Caleb Nye que les contó Brimmer era cierta. El diario era parte de la dote que dio a su hija. Ha estado con su familia desde entonces. Querrían recuperarlo cuando acabes con él.

Kurt dio a Song un beso en la mejilla y luego embarcó con Dooley. Mientras la lancha ponía proa a los manglares, Song pareció darse cuenta al fin de que Kurt se marchaba. Agitó la mano y gritó «gracias».

—Es una pena que tenga que dejar a la doctora Lee tan pronto —comentó Dooley.

—No pasa nada. Tiene a alguien más joven para que le haga compañía.

—Lamento saberlo —dijo Dooley muy preocupado—. ¿Alguien que yo conozco?

—No lo creo. Se llama Caleb Nye.

—Mujeres —murmuró Dooley sacudiendo la cabeza.

Minutos más tarde salieron de los manglares a mar abierto. Dooley aceleró y la lancha surcó a toda velocidad las aguas verde azulado de la bahía hacia la distante tierra firme.